주역절중

周易折中

12

이 책은 (재)한국연구재단의 지원으로 학고방출판사에서 출간, 유통합니다.

한국연구재단 학술명저번역총서 동양편 620

주역절중

周易折中

12

啓蒙上

啓蒙下

啓蒙附論

편찬
이광지
李光地
책임역주
신창호
공동역주
김학목·심의용·윤원현

學古房

서문

『주역』은 '변화(變化)의 성경(聖經)'이라 불린다. 그만큼 자연 질서와 인간 사회 법칙을 변화의 원칙에 따라 변주하며, 성스럽게 우주적 삶의 기준을 구가한다. 그러나 '이현령비현령(耳懸鈴鼻懸鈴)'이라는 말이 붙을 정도로 다양하고 복합적인 해석의 차원이 개입하면서, 『주역』은 축적된 역사 이상으로 심오하고 의미심장한 세계를 형성한다. 그것이 『주역』의 특성이자 묘미일 수 있다.

본 번역 연구서 『어찬주역절중(御纂周易折中)』은 강희제(康熙帝)가 이광지(李光地, 1642~1718)에게 총괄책임의 칙명을 내려 1713~1715년에 걸쳐 완성한 『주역』 해설서이다. 전체 22권의 석판본(石版本)이 내부각본(內府刻本)으로 현존한다. 『주역절중』은 『주역』이 경전으로 성립된 이후 한대(漢代)에서 명대(明代)까지의 다양한 견해를 핵심적으로 정돈한 『주역』 학술의 결정판이다. 주희의 견해를 기본으로 하여 경(經)과 전(傳)이 분리된 『주역』 고본(古本)의 체제를 회복하였다. 또한 주희의 주역관을 근거로 의리학(義理學)과 상수학(象數學)을 망라하는 다양한 학설을 폭넓게 해석하고, 의리에 국한되었던 『주역전의대전(周易傳義大全)』의 결점을 보완하였다. 정주(程朱)의 뜻을 존숭하면서도 그와 다른 주장들을 절충하고 있는 저작이다.

『주역절중』의 편찬자인 이광지는 중국 청대(淸代) 사람으로 복건성(福建省) 천주(泉州) 출신이다. 자(字)는 진경(晋卿)이고 호(號)는 후암(厚庵)이다. 1670년 진사(進士)에 급제하고 삼번(三藩)의 난을 평정함으로써 강희제의 두터운 신임을 받았고, 관직이 문연각대학사

겸이부상서(文淵閣大學士兼吏部尙書)에 이르렀다. 학문의 경지도 상당하여 경전에 두루 통달하였는데, 특히 『주역』에 정통하여 『주역통론(周易通論)』, 『주역관상(周易觀象)』, 『이문정역의(李文貞易義)』, 『역의전선(易義前選)』 등을 저술하였다. 당시 반주자학적(反朱子學的) 학풍을 대표하던 모기령(毛奇齡)과 달리 정주리학(程朱理學)의 학풍을 충실히 계승하였다.

『주역절중』의 체계와 내용을 보면, 경과 전을 분리하여 편찬하고, 64괘의 괘사와 효사, 「단전」, 「상전」, 「계사전」, 「문언전」, 「설괘전」, 「서괘전」, 「잡괘전」의 순서로 『주역』 전문을 서술하였다. 그리고 『역학계몽』, 「계몽부록(啓蒙附錄)」, 「서괘잡괘명의(序卦雜卦明義)」를 첨부하였다. 주희의 『주역본의(周易本義)』, 정이(程頤)의 『역정전(易程傳)』, 한대부터 명대까지 역학에 조예가 깊은 학자 218명의 「집설(集說)」, 편찬자의 「안(案)」, 이를 종합한 「총론(總論)」이 실려 있다. 그런 만큼 『주역절중』은 『주역』 관련 학술 연구에서 의미가 크다.

본 번역 연구는 내부각본을 저본으로 하고 문연각(文淵閣) 『사고전서(四庫全書)』본을 대교본으로 하였으며 무구비재(無求備齋) 『역경집성(易經集成)』본을 참고하였다. 1715년에 이광지가 『어찬주역절중』을 완성했으므로, 『주역절중』이 만들어진지 이제 막 300년이 지났다. 이 긴 세월의 무게만큼 『주역』 연구도 질적으로 깊이를 더하고 양적으로 방대해졌다. 그런 와중에 300년 만인 21세기 초반에 『주역절중』이 한글로 번역·출간되어 무척이나 기쁘다. 『주역』을 비롯한 역학 연구자, 나아가 동양학을 연구하는 관련 학인들에게 조금이나마 보탬이 된다면 번역 연구자로서 더욱 보람을 느낄 것 같다.

본 번역 연구는 먼저, 『주역절중』의 본문을 완역하고, 원문 및 번역문을 온전하게 이해하기 위해 자세한 설명이 필요한 부분은 각주로 해설하였다. 아울러 『주역절중』에 등장하는 학자들의 「인명사전」을 별도로 작성하여 첨부하였다. 이런 연구 성과가 『주역절중』의 한문을 옮기는 수준을 훨씬 넘어서 있기에, 단순하게 『주역절중』 '번역'이라 하지 않고 '번역 연구'라고 자부해 본다.

본 번역 연구 작업은 2015년 5월~2017년 4월까지 2년여 동안 이루어졌다. 연구책임자를 맡은 신창호 교수를 비롯하여, 공동연구자인 윤원현 박사·김학목 박사·심의용 박사 등 우리 번역 연구진은 번역 연구기간 동안 수시로 만나 초교를 윤독하고 다양한 연구 자료를 교환하면서 『주역』의 학술 마당을 열었다. 한대부터 명대에 걸쳐 있는 『주역절중』의 특성상, 역학(易學) 사상의 방대함으로 인해 내용을 정확하게 이해하고 정돈하는데 애로 사항도 많았다. 하지만 전문 학자들의 자문과 번역 연구자 상호 간의 소통을 통해 문제점을 극복하려고 노력했다. 그러나 번역과 연구의 두 측면에서 여전히 아쉬운 부분이 많다. 대부분의 번역 연구가 장·단점을 지니고 있듯이, 본 번역 연구도 미비한 점이 있을 것이다. 특히, 제대로 연구가 이루어지지 않아 오류가 난 부분이 있다면, 사계의 권위 있는 학자들의 애정 어린 질정을 부탁한다.

본 번역 연구진 이외에 감사해야 할 분들이 있다. 먼저, 교정과 윤문 등 원고를 정돈하는 과정에서 수고해 준 고려대학교 대학원의 철학 및 교육철학 전공의 여러 제자들(김지은, 우버들, 위민성, 이유정, 임용덕, 장우재, 정순희, 한지윤 등)에게 고마운 마음을 전한다. 젊은 제자들은 그들의 시각에서 번역 연구 내용의 가독성과 표현 등 여러 부분을 꼼꼼하게 살피며 의미 있는 충고를 해 주었다.

또한 교육부와 한국연구재단에 감사를 드린다. 본 번역 연구는 2015년 한국연구재단의 '명저번역지원' 사업으로 2년 동안 지원을 받아 수행한 결과이다. 방대한 분량이기 때문에 한국연구재단의 지원이 없었다면, 실행하기 어려운 작업이었다. 마지막으로 어려운 사정에도 불구하고 편집과 출판을 맡아 책을 깔끔하게 정돈해 준 하운근 대표님을 비롯한 도서출판 학고방 가족들에게 감사의 말씀을 전한다.

어떤 저술이건 혼자만의 노력과 작업에 의해 이루어지는 성과는 존재하지 않는다. 마찬가지로 이 『주역절중』의 번역 연구에도 많은 분들의 땀과 열정이 녹아들어 있다. 번역 연구에 직·간접으로 참여한 모든 분들과 이 책을 참고로 연구를 진행하는 여러 학인들도 『주역』의 사유가 더욱 풍성해지기를 소망한다. 나아가 미래에 또 다른 공동 노력의 결실로, 본 번역 연구보다 세련된 『주역절중』이 많이 저술되기를 기대해 본다.

2018. 6

번역 연구자를 대표하여

신창호 삼가 씀

일러두기

1. 본 역서는 문연각(文淵閣)판본『어찬주역절중(御纂周易折中)』을 저본으로 한다.
2. 본 역서는 원문을 먼저 제시하고 번역문을 붙이는 대조본 형식으로 한다.
3. 번역은 직역을 원칙으로 하되, 가독성을 높이기 위해 필요에 따라 의역을 가미한다.
4. 『역』의 경문(經文) 번역은 편자 이광지(李光地)가 정이(程頤)의『이천역전』보다 주희(朱熹)의『주역본의』를 전면으로 내세운 의도에 따라, 주희의 주장을 기준으로 한다.
5. 원문에는 최소한의 현대식 표점을 표기한다.
6. 인용한 선행 학설에 대해서는 가능한 출전을 밝히고, 요약문일 경우 필요에 따라 설명을 첨가한다.
7. 인용한 학설은 전체적으로 큰 따옴표(" ")로 묶고, 인용문 속의 인용문은 작은 따옴표(' '), 작은 꺽쇠(「 」) 순으로 한다.
8. 각주에서, 원문에 대한 각주는 원문을 먼저 제시하고(예 : 潛龍勿用[잠긴 용은 쓰지 않는다]), 번역문에 대한 각주는 한글을 먼저 제시한다(예 : 잠긴 용은 쓰지 않는다[潛龍勿用]).
9. 괘명(卦名)은 '곤(坤)괘'와 같은 형식으로 통일하되, 필요할 경우 '곤(坤䷁)괘', '곤(坤☷)괘'와 같이 괘상(卦象)을 병기한다.
10. 국한문 병기는 매 장과 매 괘의 첫 부분에서 표기하고, 나머지는 국문을 중심으로 하되, 각주에는 한문으로 처리한 것도 있다.

11. 번역문이 10줄을 초과할 경우, 가독성을 높이기 위해 가능한 단락을 구분한다.
12. 『역』과 관련된 전문적인 개념어는 주석에서 풀이하고, 번역문에는 해석하지 않고 드러내어 용어 통일을 기한다.
13. 제1권의 뒷부분에 『주역절중』에서 인용된 학자들의 약력을 정돈한 별도의 「인명사전」을 작성하여 첨부하였다.
14. 『주역절중』의 맨 마지막 부분인 22권 「서괘·잡괘명의(序卦·雜卦明義)」는 편의상 「서괘·잡괘전(序卦·雜卦傳)」 다음에 배치하였다.

계몽상啓蒙上

계몽하啓蒙下

계몽부론啓蒙附論

啓蒙上
계몽상
제19권

본도서本圖書　원괘획原卦畫

역학계몽서[1]
易學啓蒙序

聖人觀象以畫卦, 揲蓍以命爻, 使天下後世之人, 皆有以決嫌疑, 定猶豫, 而不迷於吉凶悔吝之塗, 其功可謂盛矣. 然其爲卦也, 自本而幹, 自幹而支, 其勢若有所迫而自不能已; 其爲蓍也, 分合進退, 從橫逆順, 亦無往而不相値焉. 是豈聖人心思智慮之所得爲也哉! 特氣數之自然形於法象, 見於「圖」·「書」者, 有以啓於其心而假手焉耳.

성인이 상(象)을 보아 괘(卦)를 긋고 시초(蓍草)를 헤아려 효(爻)를 명명한 것은, 천하의 후세 사람들이 모두 그것을 가지고 의심스러운 일을 결단하고 머뭇거리는 일을 결정하여 길·흉·회·린의 길을 헷갈리지 않도록 한 것이니, 그 공로가 성대하다고 할 수 있겠다. 그러나 그 괘를 그은 것은 뿌리에서 줄기로, 줄기에서 가지에까지 그 추세가 마치 핍박을 받아 스스로 어쩔 수 없는 듯하였고, 그 시초를 헤아린 것이 나누고 합치며 나아가고 물러서며, 가로로 하고 세로로 하며 거꾸로 하고 순조롭게 한 것은 그 어떤 경우에도 서로 걸맞지 않은 것이 없었다. 이 어찌 성인이 심사숙고하여 그렇게 할 수 있었던 것이겠는가! 다만 '기의 운행도수[氣數]'가 저절로 그러함

1) 역학계몽서(易學啓蒙序) : 이 제목은 『주역절중』에 없지만, 『주문공문집(朱文公文集)』 권76 「서(序)」에서 「易學啓蒙序」라고 한 것에 따랐다.

이 법(法)과 상(象)에 나타나고 「하도」와 「낙서」에 드러난 것이, 그 마음을 열어 그 손을 빌렸을 뿐이다.

近世學者類喜談易而不察乎此. 其專於文義者, 旣支離散漫而無所根著; 其涉於象數者, 又皆牽合傅會, 而或以爲出於聖人心思智慮之所爲也. 若是者予竊病焉. 因與同志頗輯舊聞, 爲書四篇以示初學, 使毋疑於其說云.

근세의 학자들은 대부분 『역』을 즐겨 담론하지만 이 점을 살피지 못했다. 그 가운데 문장의 의미[義理]에 전념하는 사람은 이미 지리멸렬하고 산만하여 뿌리를 붙일 곳이 없었고, 상수(象數)를 섭렵하는 사람은 또 모두 견강부회하여 간혹 (괘를 그은 것과 시초를 헤아린 것이) 성인이 심사숙고해서 만든 것으로 여겼다. 나는 이와 같은 것을 문제점으로 생각했다. 때문에 동지[2]와 예전에 들었던 것을 조금 모아 4편의 책을 만들어 초학자들에게 보여주어, 근세 학자들의 주장에 현혹되지 않게 하려고 한다.

淳熙丙午莫春旣望

순희(淳熙) 병오년(丙午年 : 1186년) 3월 16일

---

2) 동지 : 『역』과 관련한 주희의 동지는 주로 채원정(蔡元定)을 가리킨다. 특히 『역학계몽』에 대해 주희와 채원정이 서로 의견을 교환한 내용은 『주문공문집』 권44 「답채원정서(答蔡元定書)」 등에서 볼 수 있다.

● 魏氏了翁曰:"朱文公『易』, 得於邵子爲多. 蓋不讀邵『易』, 則茫不知『啓蒙』·『本義』之所以作."[3]

위료옹(魏了翁)[4]이 말했다. "주문공(朱文公 : 朱熹)의 『역』에 대한 이해는 소자(邵子 : 邵雍)에게 얻은 것이 많다. 소옹의 『역』을 읽지 않으면, 아득하여 주희가 『역학계몽』과 『주역본의(周易本義)』를 지은 까닭을 알지 못한다."

3) 『학산집(鶴山集)』 권35 「답유사령(答劉司令)」.

4) 위료옹(魏了翁, 1178~1237) : 자는 화부(華父)이고 호는 학산(鶴山)이며, 공주 포강(邛州蒲江 : 현 사천성 소속) 사람이다. 시호는 문정(文靖)이다. 벼슬은 지한주(知漢州)·지미주(知眉州) 등 사천성 지역에서 17년간 지방관을 거쳐 첨서추밀원사(同簽書樞密院事)와 자정전대학사(資政殿大學士)에 이르렀다. 그는 소옹의 선천역학을 신봉하여 「하도」와 「낙서」의 존재를 믿었으며 소옹이 말한 선천도도 옛날부터 있었을 것이라고 굳게 믿었다. 저술은 『주역요의(周易要義)』를 비롯한 『구경요의(九經要義)』가 있다.

제1장 본도서本圖書

「하도」와 「낙서」를 근거로 함

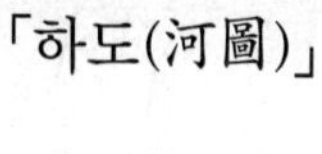

「하도(河圖)」

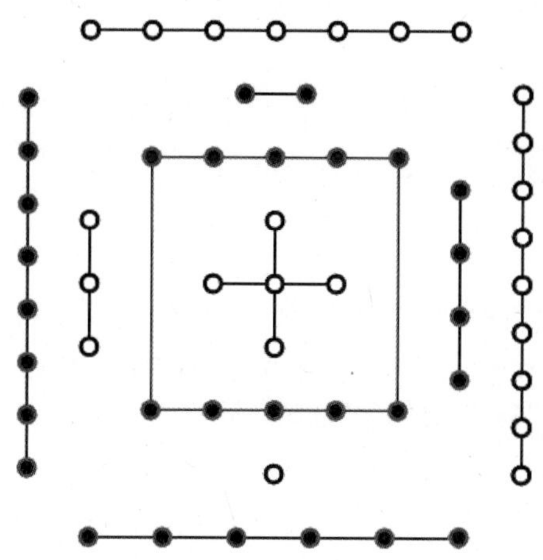

「낙서(洛書)」

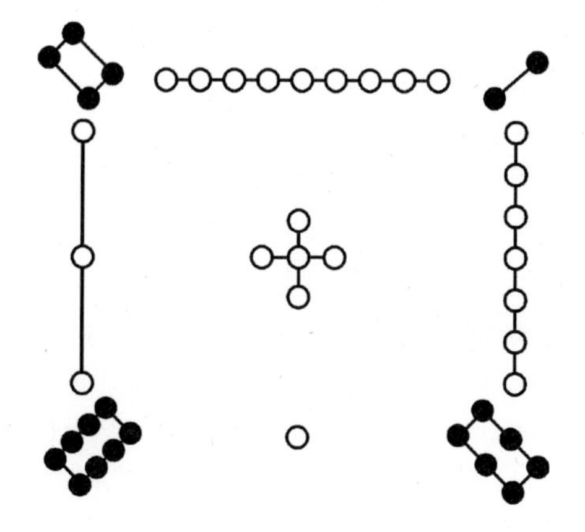

[계몽 1-1]

「易大傳」曰 : "河出圖, 洛出書, 聖人則之."[1)]

「역대전[계사전]」에서 말했다. "황하에서 그림이 나오고 낙수에서 글이 나오니, 성인이 그것을 본받았다."

[계몽 1-1-1]

孔安國云 : "「河圖」者, 伏羲氏王天下, 龍馬出河, 遂則其文以畫八卦. 「洛書」者, 禹治水時, 神龜負文而列於背, 有數至九, 禹遂因而第之以成九類."[2)]

공안국[3)]이 말했다. "「하도」는 복희씨가 천하에 왕 노릇할 때 황하에서 용마가 출현하니, 마침내 그 문양을 본받아 8괘를 그어 만든 것이다. 「낙서」는 우임금이 치수(治水)할 때 신령한 거북이 문양을

1) 『역』「계사상(繫辭上)」 제11장.

2) 공영달(孔穎達), 『상서주소(尙書注疏)』 권11에는, "洛出書, 神龜負文而出, 列於背, 有數至于九, 禹遂因而第之以成九類."라고 되어 있다.

3) 공안국(孔安國) : 자는 자국(子國)이고, 서한(西漢) 노(魯)나라 사람으로 공자 11대손이다. 생졸연대는 불분명하다. 신공(申公)에게 『시(詩)』를 배우고 복생(伏生)에게 『상서(尙書)』를 배웠다. 무제(武帝) 때에 박사(博士)를 지내고 벼슬은 임회태수(臨淮太守)에 이르렀다. 특히 당시 공자 고택의 벽속에서 발굴된 고문 『상서(尙書)』를 연구하여 '상서고문학(尙書古文學)'의 시조가 되었다. 저술은 『상서공씨전(尙書孔氏傳)』이 있다.

지고 나왔는데, 등에 배열한 것이 그 수가 1에서 9까지여서, 우임금이 마침내 그것에 따라 차례대로 아홉 부류를 만들었다."

集說

● 朱子答袁樞曰 : "以「河圖」·「洛書」爲不足信, 自歐陽公以來, 已有此說, 然終無奈. 「顧命」·「繫辭」·『論語』皆有是言, 而諸儒所傳二圖之數, 雖有交互而無乖戾. 順數逆推, 縱橫曲直, 皆有明法, 不可得而破除也.

주자가 원추(袁樞 : 주자 문인)에게 답해 말했다. "구양공(歐陽公 : 歐陽脩) 이후로 「하도」와 「낙서」를 신뢰할 수 없다는 주장이 이미 있었지만, 끝내 어쩔 수 없었다. 『서경(書經)』의 「고명」과 『역』「계사」와 『논어』에 모두 「하도」와 「낙서」에 대한 말이 있고 여러 유학자들이 전한 「하도」와 「낙서」의 수(數)는 비록 서로 뒤바뀌었지만[4] 이치에 어긋나지 않는다. 순조롭게 세어보거나 거슬러 미루어보거나,[5] 가로로 하거나 세로로 하거나, 굽게 보거나 바르게 보아도 모

4) 「하도」와 「낙서」의 수(數)는 비록 서로 뒤바뀌지만 : 뒤의 [1-4]에서 "오직 유목(劉牧)만이 9를 「하도」로 하고 10을 「낙서」로 하는 의견을 내어, 그것이 희이(希夷 : 陳摶)에서 나왔다고 기탁해서 말했다."라고 한 것을 말한다.

5) 순조롭게 세어보거나 거슬러 미루어보거나 : 이 말은 원래 『역』「설괘전(說卦傳)」3에서 "지나간 것을 헤아리는 일이 순조로운 것이고, 앞으로 올 일을 아는 것이 거스르는 것이니, 이 때문에 『역』은 거슬러서 헤아리는 일이다.(數往者順, 知來者逆, 是故『易』逆數也.)"라는 말을 염두에 두고 한 말이겠지만, 이 말을 「하도」와 「낙서」에 있는 수(數)의 법칙을 설명하는 표현으로 그대로 적용하기에는 무리가 있는 것 같다.

두 분명한 법칙이 있으니, 깨트릴 수 없다.

至如「河圖」與『易』之天一至地十者合, 而載天地五十有五之數, 則固『易』之所自出也. 「洛書」與「洪範」之初一至次九者合, 而具九疇之數, 則固「洪範」之所自出也. 「繫辭」雖不言伏羲受「河圖」以作『易』, 然所謂'仰觀俯察, 遠求近取', 安知「河圖」非其中一事邪?

「하도」는 『역』의 천1(天一)부터 지10(地十)까지와 부합하지만, 천지의 55라는 수를 싣고 있는 것[6]은 본디 『역』에서 나온 것이다. 「낙서」는 「홍범」의 첫 번째부터 아홉 번째까지와 부합하지만, 9주(九疇)의 수를 갖춘 것[7]은 본디 「홍범」에서 나온 것이다. 「계사」에는 비록 복희가 「하도」를 받고 『역』을 지었다는 말이 없지만, 이른바 '위로 우러러 살펴 보고 아래로 굽어 살펴 보며, 멀리에서 구하고 가까운 곳에서 취했다.'[8]는 말에서, 어찌 「하도」가 그렇게 하는

6) 『역』의 천1(天一)부터 지10(地十)까지와 부합하지만, 천지의 55라는 수를 싣고 있는 것 : 『역』「계사」상, 9장에서, "天一, 地二, 天三, 地四, 天五, 地六, 天七, 地八, 天九, 地十. 天數二十有五, 地數三十, 凡天地之數五十有五."라고 하였다.

7) 9주(九疇)의 수를 갖춘 것 : 『서경』「홍범」에서, "初一曰五行, 次二曰敬用五事, 次三曰農用八政, 次四曰協用五紀, 次五曰建用皇極, 次六曰乂用三德, 次七曰明用稽疑, 次八曰念用庶徵, 次九曰嚮用五福威用六極."이라고 하였다.

8) 위로 우러러 살펴보고 아래로 굽어 살펴보며, 멀리에서 구하고 가까운 곳에서 취했다 : 『역』「계사」상, 4장에서, "仰以觀於天文, 俯以察於地理."라고 하였고, 『역』「계사」하, 2장에서, "古者包犧氏之王天下也, 仰則觀象於天, 俯則觀法於地, 觀鳥獸之文與地之宜, 近取諸身, 遠取諸

가운데 한 가지 일이 아니라고 하겠는가?

大抵聖人制作所由, 初非一端, 然其法象之規模, 必有最親切處. 如鴻荒之世, 天地之間, 陰陽之氣, 雖各有象, 然初未嘗有數也. 至於「河圖」之出, 然後五十有五之數, 奇耦生成, 粲然可見. 此其所以深發聖人之獨智, 又非泛然氣象之所可得而擬也. 是以'仰觀俯察, 遠求近取', 至此而後兩儀·四象·八卦之陰陽·奇耦可得而言. 雖「繫辭」所論聖人作『易』之由者非一, 而不害其得此而後決也."[9]

성인이 『역』을 지은 까닭은 애초에 단서가 한 가지만은 아니지만, 그 법(法)과 상(象)의 규모는 반드시 가장 친밀하고 절실한 것이 있었을 것이다. 예컨대 천지가 혼돈한 시대에 천지간에 존재하는 음과 양의 기(氣)는 비록 각각 상(象)이 있었겠지만, 애초에 수(數)가 있지는 않았을 것이다. 「하도」가 출현한 다음에야 55라는 수가 있게 되어, 홀과 짝이 생성되는 것을 또렷이[粲然] 알 수 있게 되었다. 이는 성인만이 가진 지혜를 충분히 발휘한 것이지 평범한 기상으로 헤아릴 수 있는 일이 아니다. 그러므로 '위로 우러러 살펴보고 아래로 굽어 살펴보았으며, 멀리에서 구하고 가까운 곳에서 취한' 다음에야 양의·4상·8괘의 음·양과 홀·짝을 말할 수 있게 되었다. 비록 「계사」에서 성인이 『역』을 지은 이유를 논한 것이 한 가지가 아니지만, 「하도」를 얻은 다음에 8괘를 굿기로 결정했다고 해도 문제가 되지 않을 것이다."

物, 於是始作八卦, 以通神明之德, 以類萬物之情."이라고 하였다.

9) 주희, 『주문공문집(朱文公文集)』 권38 「답원기중(答袁機仲)」.

[계몽 1-1-2]

劉歆云 : "伏羲氏繼天而王, 受「河圖」而畫之, 八卦是也. 禹治洪水, 錫「洛書」法而陳之, 九疇是也. 「河圖」·「洛書」相爲經緯, 八卦·九章相爲表裏."[10]

유흠(劉歆)[11]이 말했다. "복희씨가 하늘을 계승하여 왕 노릇을 할 때 「하도」를 받아 그것을 본받아 획을 그으니 8괘가 이것이다. 우임금이 홍수를 다스릴 때 「낙서」를 하사받아 그것을 본받아 펼치니 9주(九疇)가 이것이다. 「하도」와 「낙서」는 서로 씨줄과 날줄이 되고, 8괘와 9장(九章 : 九疇)은 서로 겉과 속이 된다."

---

10) 『전한서(前漢書)』 권27 상(上)에는, "劉歆以爲虙羲氏繼天而王, 受「河圖」則而畫之, 八卦是也. 禹治洪水, 賜「雒書」法而陳之, 「洪範」是也. … 「河圖」·「雒書」, 相爲經緯, 八卦·九章, 相爲表裏."라고 되어 있다.

11) 유흠(劉歆, B.C.53~B.C.25) : 자는 자준(子駿)이며, 나중에 이름을 수(秀), 자를 영숙(穎叔)으로 고쳤다. 중국 서한 말기의 학자로서 유향(劉向)이 그의 부친이다. 아버지 유향(劉向)과 궁정의 장서(藏書)를 정리하고 육예(六藝)의 군서(群書)를 7종으로 분류하여 『칠략(七略)』이라 하였다. 이것은 중국 최초의 체계적인 서적목록(書籍目錄)으로 현존하지는 않지만, 『한서(漢書)』「예문지(藝文志)」는 대체로 그에 의해서 엮어졌다. 『좌씨춘추(左氏春秋)』, 『모시(毛詩)』, 『일례(逸禮)』, 『고문상서(古文尙書)』를 특히 존숭하여 학관(學官)에 이에 대한 전문박사(專門博士)를 설치하기 위하여 당시의 학관 박사들과 일대 논쟁을 벌였으나 성사되지 못하고 하내태수(河內太守)로 전출되었다. 그 뒤 왕망(王莽)이 한 왕조(漢王朝)를 찬탈하고 나서 국사(國師)로 초빙되어 그의 국정에 협력하였다. 만년에는 왕망의 포역(暴逆)에 반대하여 모반을 기도하였으나 실패하여 자살하였다.

[계몽 1-1-3]

關子明云："「河圖」之文, 七前·六後·八左·九右.「洛書」之文, 九前·一後· 三左·七右·四前左·二前右·八後左·六後右."

관자명(關子明 : 關朗)[12]이 말했다. "「하도」의 문양은 7이 앞, 6이 뒤, 8이 왼쪽, 9가 오른쪽에 있다.「낙서」의 문양은 9가 앞, 1이 뒤, 3이 왼쪽, 7이 오른쪽, 4는 앞의 왼쪽, 2는 앞의 오른쪽, 8은 뒤의 왼쪽, 6은 뒤의 오른쪽에 있다."

集說

● 朱子「書河圖·洛書」曰:"讀『大戴禮』書, 又得一證甚明. 其「明堂」篇有'二九四·七五三·六一八'之語, 而鄭氏注云, '法龜文也.' 然則漢人固以九數者爲「洛書」也."[13]

주자가「서하도낙서후(書河圖·洛書後)」에서 말했다. "『대대예기』를 읽고 또 하나의 매우 분명한 증거를 얻었다. 그「명당(明堂)」편에 '2·9·4, 7·5·3, 6·1·8'[14]이라는 말이 있는데, 정씨(鄭氏 : 鄭

---

12) 관랑(關朗) : 자는 자명(子明)이다. 북위(北魏) 해주(解州 : 현 산서성 소속) 사람이다. 효문제(孝文帝 : 재위기간 471~499)에게 천거되었으나, 효문제가 죽어서 벼슬에 나가지 못했다. 저술로는『관씨역전(關氏易傳)』이 있다.

13) 주희,『주문공문집』권84「서하도낙서후(書「河圖」·「洛書」後)」에는, "讀『大戴禮』書, 又得一證. 其「明堂」篇有'二九四·七五三·六一八'之語, 而鄭氏注云, '法龜文也.' 然則漢人固以此九數者爲「洛書」矣."라고 되어 있다.

14)『대대예기』권67「明堂」에서, "明堂者, 所以明諸侯尊卑. 外水曰, 辟雍, 南蠻東夷北狄西戎. 明堂月令, 赤綴戶也, 白綴牖也. 二九四七五三六

玄)[15]가 주석에서 '거북의 문양을 본받은 것이다.'라고 하였다.[16] 그렇다면 한대 사람도 본래 이 9수를 「낙서」로 여겼던 것이다."

一八."이라고 하였다. 여기에서 '二九四七五三六一八'을 세 글자마다 끊어서 읽은 것은 이황(李滉)의 『계몽전의(啓蒙傳疑)』에 따랐다. 이황이 그렇게 한 이유는, 이는 「낙서」를 가로로 잘라서 셋으로 나누어 말한 것이니, 9궁을 명당으로 만든 제도를 본떠 주(州)를 나누고 전답을 정(井)자로 나눈 것과 같기 때문이라고 하였다. 이황(李滉), 『계몽전의(啓蒙傳疑)』「본도서(本圖書)」 제1에서, "二九四, 七五三, 六一八. 此語當以每三字聯讀, 蓋橫截「洛書」爲三而言之, 謂法九宮爲明堂之制, 如畫州井地之爲也."라고 하였다.

15) 정현(鄭玄, 127~200) : 자는 강성(康成)이며, 북해(北海 : 현 산동성 고밀〈高密〉) 사람이다. 중국 후한(後漢) 말기의 대표적 유학자로서, 평생 재야(在野)의 학자로 지냈으며, 제자들에게는 물론 일반인들에게도 훈고학(訓詁學)·경학의 시조로 깊은 존경을 받았다. 젊었을 때부터 학문에 뜻을 두었고, 경학의 금문(今文)과 고문(古文) 외에 천문(天文)·역수(曆數)에 이르기까지 광범한 지식을 갖추었다. 처음에 향색부(鄕嗇夫)라는 지방의 말단관리가 되었으나 그만두고, 낙양(洛陽)에 올라가 태학(太學)에 입학하여, 마융(馬融) 등에게 배웠다. 그가 낙양을 떠날 때, 마융이 "나의 학문이 정현과 함께 동쪽으로 떠나는구나!" 하고 탄식하였을 만큼 학문에 힘을 쏟았다. 그는 고문·금문에 다 정통하였으며, 가장 옳다고 믿는 설을 취하여 『주역(周易)』, 『상서(尙書)』, 『모시(毛詩)』, 『주례(周禮)』, 『의례(儀禮)』, 『예기(禮記)』, 『논어(論語)』, 『효경(孝經)』 등 경서에 주석을 하였고, 『의례』, 『논어』 교과서의 정본(定本)을 만들었다. 그의 저서 가운데 완전하게 현존하는 것은 『모시』의 전(箋)과 『주례』, 『의례』, 『예기』의 주해뿐이고, 그 밖의 것은 단편적으로 남아 있다.

16) 『대대예기』를 읽고 … '거북의 문양을 본받은 것이다.'라고 하였다 : 주이준(朱彝尊)의 『경의고(經義考)』 권138에 의하면, 『대대예기』에 대한 정현의 주석이 없는데 주희가 이렇게 정현의 주석을 인용한 것은 고증할 수 없다고 했다.(王應麟曰 : "『大戴禮』盧辨注非鄭氏, 朱文公引「明堂」篇鄭氏注云, '法龜文', 未考北史也.")

● 又「偶讀漫記」曰："『子華子』論「河圖」之'二與四抱九而上躋，六與八蹈一而下沈，五居其中，據三持七'，巧亦甚矣. 唯其甚巧，所以知其非古書也."[17]

(주자는) 또 「우독만기(偶讀漫記)」에서 말했다. "『자화자(子華子)』[18]에서 「하도(河圖)」를 논하면서 '2와 4가 9를 감싸 안고 위로 오르고, 6과 8은 1을 좇아 아래로 내려오며, 5는 그 가운데 있으면서 3에 근거해서 7을 붙잡고 있다'라고 한 것은 또한 매우 교묘하다. 오직 매우 교묘하기 때문에 옛 책이 아님을 알 수 있다."

案

鄭注『大戴禮』是確證. 至『子華子』，則位置雖明，但錯以「洛書」爲「河圖」，故朱子疑其非古書.

정현의 『대대예기』 주석이 명확한 증거이다. 『자화자』의 경우는 그 위치가 비록 분명하지만 「낙서」를 「하도」로 착각했기 때문에 주자는 그 것이 옛 책이 아니라고 의심하였다.

17) 주희, 『주문공문집』 권71 「우독만기(偶讀謾記)」.

18) 『자화자(子華子)』: 진(晉)나라 사람인 정본(程本)이 지은 것이라 한다. 그런데 정본이라는 이름은 『공자가어』에서 보이고, 자화자란 명칭은 『열자』에서 나타나니 애당초 한 사람이 아니다. 『여씨춘추』에서 자화자를 인용한 것은 세 번인데 고유(高誘)는 고대에 도를 체득한 사람이라고 여겼다. 진(秦)나라 이전에 『자화자』라는 책이 원래 있었지만, 『한서』 「예문지」에도 실려 있지 않으니 이미 유향(劉向)의 시대에 책은 유실되었다. 현존하는 판본은 남송(南宋)대에 회계(會稽)에서 판각된 것이다.

[계몽 1-1-4]

邵子曰 : "圓者, 星也; 歷紀之數, 其肇於此乎! 〈曆法合二始以定剛柔, 二中以定律曆, 二終以紀閏餘, 是所謂曆紀也.〉 **方者, 土也; 畫州井地之法, 其放於此乎!** 〈州有九, 井九百畝, 是所謂畫州井地也.〉 **蓋圓者, 「河圖」之數, 方者, 「洛書」之文. 故羲·文因之而造『易』, 禹·箕叙之而作「範」也."**[19]

소자(邵子 : 邵雍)가 말했다. "둥근 것은 별이니, 역법(曆法) 규율의 수는 아마 여기에서 시작되었을 것이다! 〈역법에서는 천지의 시작하는 두 개의 수(1·2)를 결합하여 강·유를 정하고, 중간에 두 개의 수(5·6)를 결합하여 율력을 정하며, 끝나는 두 개의 수(9·10)를 결합하여 윤달을 정하는 규율로 하였으니, 이것이 이른바 '역법의 규율'이다.〉 모난 것은 땅이니, 주(州)를 나누고 전답을 정(井)자로 나누는 법이 아마 이를 모방했을 것이다! 〈주(州)는 9개가 있고 900무(畝)를 정(井)자로 나누니, 이것이 이른바 '주(州)를 나누고 전답을 정(井)자로 나누는 것'이다.〉 대개 둥근 것은 「하도」의 수이고, 모난 것은 「낙서」의 문양이다. 그러므로 복희와 문왕은 그것에 따라 『역』을 지었고, 우임금과 기자(箕子)는 그것을 서술하여 「홍범(洪範)」을 만들었다."

〈蔡元定曰 : "古今傳記, 自孔安國·劉向父子·班固, 皆以爲「河圖」授羲, 「洛書」錫禹. 關子明·邵康節, 皆以十爲「河圖」, 九爲「洛書」. 蓋「大傳」旣陳'天地五十有五之數', 「洪範」又明言'天乃錫禹洪範九疇', 而九宮之數, 戴九履一, 左三右七, 二四爲肩, 六八爲足, 正龜背之象也.

19) 소옹(邵雍), 『황극경세서(皇極經世書)』 권13 「관물외편(觀物外篇)」 상(上).

〈채원정(蔡元定)[20]이 말했다. "예로부터 지금까지의 전기에, 공안국(孔安國)·유향(劉向)[21] 부자와 반고(班固)[22]이래로 모두 하늘이 복희

20) 채원정(蔡元定, 1135~1198) : 자는 계통(季通)이고, 세칭 서산선생(西山先生)이라 하였다. 송대 건양(建陽 : 현 복건성 건양) 사람으로 주희를 경모하여 스승으로 받들었으나, 주희가 도리어 제자가 아닌 친구로 대우하였다. 그의 학문은 신유학뿐 아니라 천문·지리·악율(樂律)·역수(歷數)·병진(兵陣) 등에 뛰어났다. 특히 상수학(象數學)에 조예가 깊어 주희의 『역학계몽(易學啓蒙)』 저술에 참여한 것으로 알려진다. 말년에 주희와 함께 경원당금(慶元黨禁)의 표적이 되어 귀양을 가서 생을 마쳤다. 저서는 『율려신서(律呂新書)』, 『팔진도설(八陣圖說)』, 『홍범해(洪範解)』 등이 있다.

21) 유향(劉向, B.C.79?~B.C.8?) : 자는 자정(子政)이며, 서한(西漢)의 경학자이고 목록학자이며 문학자이다. 유흠(劉歆)의 부친이다. 한나라 고조(高祖)의 배다른 동생 유교(劉交: 楚元王)의 4세손이다. 젊었을 때부터 재능을 인정받아 선제(宣帝)에게 기용되어 간대부(諫大夫)가 되었으며, 수십 편의 부송(賦頌)을 지었다. 신선방술(神仙方術)에도 관심이 많았으며, 황금 주조를 진언하고 이를 추진하다가 실패하여 투옥되었으나, 부모형제의 도움으로 죽음을 면하였다. 재차 선제에게 기용되어 석거각(石渠閣 : 궁중도서관)에서 오경(經)을 강의하였다. 다음 황제인 원제(元帝)·성제(成帝) 때에는 유씨(劉氏)의 족장으로서 외척과 환관(宦官)의 횡포를 막으려고 노력하였다. 성제 때에 이름을 향(向)으로 고쳤으며, 이 무렵 외척의 횡포를 견제하고 천자(天子)의 감계(鑑戒)가 되게 하기 위해 상고(上古)로부터 진(秦)·한(漢)에 이르는 부서재이(符瑞災異)의 기록을 집성하여 『홍범오행전론(洪範五行傳論)』 11편을 저술하였다. 그 밖의 편·저서에는 『설원(說苑)』, 『신서(新序)』, 『열녀전(烈女傳)』, 『전국책(戰國策)』과 궁중도서를 정리할 때 지은 『별록(別錄)』이 있다. 그의 아들 흠(歆)은 이 책을 이용하여 『칠략(七略)』을 저술하였으며, 『한서(漢書)』 「예문지(藝文志)」에 거의 그대로 수록되어 전한다.

22) 반고(班固, 32~92) : 자는 맹견(孟堅)이며, 산서성 함양(咸陽) 사람이다. 중국 후한 초기의 역사가이며 문학가이다. 아버지 표(彪)의 유지를 받들

에게 「하도」를 주었고, 우임금에게 「낙서」를 하사했다고 하였다. 관자명(關子明 : 關朗)과 소강절(邵康節 : 邵雍)은 모두 10을 「하도」라 하였고, 9를 「낙서」라고 하였다. 『역』「계사전」에서 이미 '천지의 수 55'를 서술했을 뿐 아니라, 『서경』「홍범」에서 또한 '하늘이 우임금에게 「홍범구주」를 하사하였다.'라고 분명하게 말했고, 9궁[23]의 수에 9를 머리에 이고 1을 발로 밟고 있으며, 왼쪽이 3, 오른쪽이 7이며, 2와 4는 어깨가 되고, 6과 8은 발이 된다는 것은[24] 바로 거북등의 형상이다.

어 고향에서 기전체 역사서인 『한서(漢書)』의 편집에 종사하였으나, 62년경 국사를 개작(改作)한다는 중상모략으로 투옥되었다. 그의 형인 초(超)의 노력으로 명제(明帝)의 용서를 받아, 20여 년에 걸쳐 『한서』를 완성하였다. 79년 여러 학자들이 백호관(白虎觀)에서 오경(五經)의 이동(異同)을 토론할 때, 황제의 명을 받아 『백호통의(白虎通義)』를 편집하였다. 화제(和帝) 때 두헌(竇憲)의 중호군(中護軍)이 되어 흉노 원정을 수행하고, 92년 두헌의 반란사건에 연좌되어 옥사하였다. 저서로는 『한서(漢書)』, 『백호통의』, 『양도부(兩都賦)』 등이 있다.

23) 9궁(宮) : 감(坎) 1궁, 곤(坤) 2궁, 진(震) 3궁, 손(巽) 4궁, 중(中) 5궁, 건(乾) 6궁, 태(兌) 7궁, 간(艮) 8궁, 리(離) 9궁을 가리킨다. 9궁은 하늘에서는 9성(星)과 서로 대응하여 분별되고, 땅에서는 9주(州)와 서로 대응하여 분별된다. 그 기본적인 배열법은 「낙서」의 9수(數)에 의거하여, 감(坎) 1궁은 백수(白水)에 속하고 정북방에 자리하며, 곤(坤) 2궁은 흑토(黑土)에 속하고 서남방에 자리하며, 진(震) 3궁은 벽목(碧木)에 속하고 정동방에 자리하며, 중(中) 5궁은 황토(黃土)에 속하고 중앙에 자리하며, 건(乾) 6궁은 백금(白金)에 속하고, 서북방에 자리하며, 태(兌) 7궁은 적금(赤金)에 속하고 정서방에 자리하며, 간(艮) 8궁은 백토(白土)에 속하고 동북방에 자리하며, 리(離) 9궁은 자화(紫火)에 속하고, 정남방에 자리한다. 그 특징은 가로, 세로, 대각선으로도 3개 궁의 수를 합하면 모두 15이다.

24) 유목(劉牧)은 『역수구은도유론구사(易數鉤隱圖遺論九事)』「태호씨수용마부도(太皞氏授龍馬負圖)」1에서 "昔虙犧氏之有天下, 感龍馬之瑞, 負

惟劉牧意見以九爲「河圖」, 十爲「洛書」, 託言出於希夷. 旣與諸儒舊說不合, 又引「大傳」以爲二者皆出於伏羲之世. 其易置「圖」·「書」, 並無明驗. 但謂伏羲兼取「圖」·「書」, 則『易』·「範」之數誠相表裏爲可疑耳.

오직 유목(劉牧)[25]의 의견만이 9를 「하도」로 하고 10을 「낙서」로 하여, 그것이 희이(希夷 : 陳摶)[26]에서 나왔다고 기탁해서 말했다. 하지만 그것은 이미 여러 학자들의 옛 학설과 합치되지 않는데, 또 『역』「계사전」을 인용하여 「하도」와 「낙서」가 모두 복희 시대에 나왔다고

天地之數出於河, 是謂龍圖者也. 戴九履一, 左三右七, 二與四爲肩, 六與八爲足, 五爲腹心. 縱横數之, 皆十五. 蓋『易』「繫」所謂參伍以變, 錯綜其數者也."라고 하였다.

25) 유목(劉牧, 1011~1064) : 자는 선지(先之) 혹은 목지(牧之)이고 호는 장민(長民)이다. 원래는 항주(杭州) 임안(臨安) 사람이었는데, 조부의 공적으로 인해 서안(西安 : 현 절강성 구현〈衢縣〉) 사람이 되었다. 범중엄(範仲淹)을 스승으로 모시고, 손복(孫複)에게서 『춘추』를 배웠으며, 석개(石介)와도 친분이 두터웠다. 역학 방면으로는 범악창(範諤昌)의 역학을 이어받아 진단(陳摶)의 「하도」·「낙서」 상수학을 전승하였다. 벼슬은 범중엄과 부필(富弼) 등의 추천으로 연주(兗州) 관찰사를 거쳐 태상박사(太常博士)까지 역임하였다. 역학 방면의 저술에는 『괘덕통론(卦德通論)』, 『신주주역(新注周易)』, 『주역선유유론구사(周易先儒遺論九事)』, 『역수구은도(易數鉤隱圖)』 등이 있다.

26) 진단(陳摶, ?~989) : 자는 도남(圖南)이고, 자호는 부요자(扶搖子)이다. 황제가 하사한 호는 희이선생(希夷先生)이고, 세칭 백운선생(白雲先生)이라 하였다. 송대 호주진원(亳州眞源: 현 하남성 녹읍〈鹿邑〉) 사람으로 무당산(武當山)·거화산(居華山)에 은거하여 수도하였다. 『역』에 대한 연구에 몰두하였으며, 「무극도(無極圖)」와 「선천도(「先天圖」)」를 그린 것이 소옹과 주렴계 등에게 전수되었다. 저서는 『지현편(指玄篇)』, 『삼봉우언(三峰寓言)』, 『고양편(高陽篇)』, 『조담집(釣潭集)』 등이 있다.

하였다. 그는 「하도」와 「낙서」를 바꿔놓았는데 결코 분명한 증거가 없다. 그러나 복희가 「하도」와 「낙서」를 함께 취했다고 하는 것은 『역』과 「홍범」의 수가 참으로 서로 겉과 속이 되니, 의심할 만하다.

其實天地之理一而已矣. 雖時有古今先後之不同, 而其理則不容於有二也. 故伏羲但據「河圖」以作『易』, 則不必預見「洛書」, 而已逆與之合矣; 大禹但據「洛書」以作「範」, 則亦不必追考「河圖」, 而已暗與之符矣. 其所以然者何哉? 誠以此理之外, 無復它理故也. 然不特此耳, 律呂有五聲·十二律, 而其相乘之數究於六十. 日名有十幹·十二支, 而其相乘之數亦究於六十. 二者皆出於『易』之後, 其起數又各不同, 然與『易』之陰陽策數多少, 自相配合, 皆爲六十者, 無不若合符契也. 下至運氣·參同·太一之屬, 雖不足道, 然亦無不相通, 蓋自然之理也.

사실 천지의 리(理)는 하나일 뿐이다. 시기 상 옛날과 지금의 선후가 다름이 있지만 그 리는 둘이 될 수 없다. 그러므로 복희가 단지 「하도」에 의거하여 『역』을 지었으니, 굳이 「낙서」를 예견하지 않아도 미리 「낙서」와 합치했으며, 우임금이 단지 「낙서」에 의거하여 「홍범」을 지었으니, 또한 굳이 「하도」를 미루어 살피지 않아도 이미 암암리에 「하도」와 부합하였다. 그런 까닭은 무엇인가? 진실로 이 리 외에 또 다시 다른 리가 없기 때문이다. 그러나 이뿐 만 아니라, 율려에 5성과 12율이 있는데 그 서로 곱한 수가 60에서 끝맺으며, 날짜의 이름에 10간과 12지가 있는데 그 서로 곱한 수가 역시 60에서 끝맺는다. 이 둘은 모두 『역』보다 나중에 나왔고 그 수가 발생한 것도 각각 다르지만, 『역』에서 음과 양의 책수(策數)의 많고 적음과 저절로 서로 배합하여 모두 60이 되는 것은 부절처럼 꼭 들어맞지 않음이 없다. 그 밑으로 운기(運氣)[27]·참동(參同)[28]·태일(太一)[29]과 같은 것들은 말할

27) 운기(運氣) : 운기(運氣)는 '오운(五運)'과 '육기(六氣)' 및 그 둘의 상호 관계를 말한다. '오운(五運)'은 목운(木運)·화운(火運)·토운(土運)·금운(金運)·수운(水運)을 말한다. 목·화·토·금·수 5행을 천간(天干), 즉 갑·을·병·정·무·기·경·신·임·계에 배합하여 운용함으로써 기후변화의 정상과 이상을 분석하는 것이다. 오운은 또한 대운(大運)·주운(主運)·객운(客運)으로 나뉜다. 대운은 주로 매해의 세운(歲運 : 12해의 운)을 총괄하여 1년 중의 오운계(五運季)의 기후변화의 규칙을 설명하는 것이며, 각 운계는 매년 고정불변하고 각 운계 중의 기후변화도 매년 같으므로 주운이라 한다. 대한(大寒)에서 13일 오각(五刻)까지를 1운으로 하여 오행상생(五行相生)의 순으로 정한다. 즉 목은 초운(初運 : 風), 화는 2운(暑), 토는 3운(濕), 금은 4운(燥), 수는 종운(終運 : 寒)으로 매년 고정되어 있다. 객운은 1년 중의 오운계의 이상기후를 말한다. 이는 매년 달라지고 각 계(季)에도 차이가 있어 객이 왔다갔다하는 것과 같다 하여 객운이라 한다. 천간의 갑과 기가 배합되어 토운이 되고, 을과 경이 배합되어 금운이 되며, 병과 신이 배합되어 수운이 되며, 정과 임이 배합되어 목운이 되며, 무와 계가 배합되어 화운이 된다. 갑·병·무·경·임은 양간(陽干)에 속하고 을·정·기·신·계는 음간(陰干)에 속한다.
'육기(六氣)'는 풍(風)·열(熱)·화(火)·습(濕)·조(燥)·한(寒)을 말한다. 육기를 지지(地支), 즉 자·축·인·묘·진·사·오·미·신·유·술·해에 배합시켜 세기(歲氣 : 그해의 기)를 추측하여 연중 각 계절의 정상기후와 이상변화를 분석한다. 육기는 또한 주기와 객기로 나뉜다. 주기는 일정한 방향으로 돌아가는 계절의 순서를 말한다. 초기는 궐음풍목(厥陰風木), 2기는 소음군화(少陰君火), 3기는 소양상화(少陽相火), 4기는 태음습토(太陰濕土), 5기는 양명조금(陽明燥金), 종기(終氣)는 태양한수(太陽寒水)이다. 이 순서는 해가 바뀌어도 변하지 않는다. 객기는 궐음(厥陰)·소음(少陰)·태음(太陰)·소양(少陽)·양명(陽明)·태양(太陽)의 순서로 순환하는데 사천(司天)과 재천(在泉), 그리고 좌우 4간기(四間氣)로 갈라진다. 사천은 상반년(上半年 : 초기에서 3기까지)을 주재하고, 재천은 하반년(下半年)을 주재하는 것으로, 사천은 3기이고 재천은 종기이며 나머지 4기는 간기가 된다. 12지의 사와 해가 배합되어 궐음풍목이 되고, 자와 오가 배합되어 소음군화가 되며, 인과 신이 배합되어 소양상화가 되고, 축과 미가 배합되어 태음습토가 되며, 묘와 유가 배합되어 양명조금이 되고, 진과 술이 배합되어 태양한수가 된다. 자·오·인·신·진·술은 양년(陽年)이라서 태과(太過)하고 축·미·묘·유·사·해는 음년(陰年)이라서 불급(不及)이다.

그 둘의 상호 관계는 연간(年干)에 따라 오운을 추산하고, 연지를 따라 육기를 추산하며 겸하여 운기 상호간의 상생상극 관계를 관찰하여 그 해의 기후변화 및 질병의 발생과 예후를 예측한다. 운기학설이 의학에 적용될 때에는 매년 기후변화의 상태에 따라 육음(六淫 : 風·熱·火·濕·燥·寒)이 인체에 미치는 영향이 다르므로 운기를 파악하여 질병의 예방과 치료 방향을 설정하고자 했다.

『역학계몽통석(易學啟蒙通釋)』 권상(上)에는 '운기(運氣)'에 대하여 다음과 같이 설명하였다. "'운기(運氣)'는 『황제내경소문(黃帝內徑素問)』에 보인다. … 운기의 상승(相乘)관계를 말하면, 갑·병·무·경·임이 양이 되어 자·오·인·신·진·술에 덧붙이면 합계가 30일이고, 정·축·기·신·계가 음이 되어 축·미·묘·유·사·해에 덧붙이면 합계가 30일이 되어, 음양과 간지를 총계하면 60이 된다.(運氣, 見黃帝素問. … 以運氣相乘言之, 甲·丙·戊·庚·壬爲陽, 加于子·午·寅·申·辰·戌, 計三十日, 乙·丁·己·辛·癸爲陰, 加于丑·未·卯·酉·巳·亥, 計三十日, 總陰陽支幹是爲六十也.)"

28) 참동(參同) : 호방평(胡方平)의 『역학계몽통석(易學啟蒙通釋)』 권상(上)에는 '참동(參同)'에 대하여 다음과 같이 설명하였다. "『참동계(參同契)』는 수양하는 책인데, 후한(後漢)의 위백양(魏伯陽)이 지었다. 건·곤으로 화로와 솥을 삼고, 감·리로 금도(金刀)를 삼으며, 외단[大藥]에 쓰이는 것을 '화력의 강약과 시간의 장단[火候]'으로 삼는 것이 60괘이다.(『參同』乃修養之書, 後漢魏伯陽所作. 以乾·坤爲爐鼎, 坎·離爲金刀, 大藥所用以爲火候者, 六十卦也.)"

29) 태일(太一) : 호방평의 『역학계몽통석』 권상(上)에는 '태일(太一)'에 대하여 다음과 같이 설명하였다. "태을일가(太乙日家)에 『태을통기(太乙統紀)』라는 책이 있는데, 그 내용이 또한 대체로 60을 위주로 한다.(太

것도 없지만, 또한 서로 통하지 않음이 없으니, 저절로 그러한 이치이기 때문이다.

假令今世復有「圖」·「書」者出, 其數亦必相符, 可謂伏羲有取於今日而作『易』乎! 「大傳」所謂'河出圖·洛出書, 聖人則之'者, 亦汎言聖人作『易』·作「範」, 其原皆出於天之意. 如言'以卜筮者尙其占', 與'莫大乎蓍龜'之類, 『易』之書, 豈有龜與卜之法乎! 亦言其理無二而已爾."〉

가령 현세에 다시 「도(圖)」와 「서(書)」가 나왔고 그 수가 또한 서로 꼭 부합한다면 복희가 현세를 취하여 『역』을 지었다고 할 수 있겠는가! 『역』「계사전」의 이른바 '황하에서 그림이 나오고 낙수에서 글이 나오니, 성인이 그것을 본받았다.'[30]라고 한 것도 또한 성인이 『역』을 짓고 「홍범」을 만든 것이 그 근원은 모두 하늘에서 나왔다는 의미를 일반화시켜 말한 것이다. 이를테면 '(『역』의 원리를) 복서(卜筮)로 하려는 사람들은 그 점(占)을 숭상한다.'[31]고 말하고, '시초점과 거북점보다 나은 것이 없다.'[32]고 말하지만, 『역』이라는 책에 어찌 거북과 점치는 방법이 있겠는가! 또한 그 리가 둘이 없음을 말하는 것일 뿐이다.〉

乙日家有『太乙統紀』之書, 其說蓋亦主於六十也.)"

30) 『역』「계사」상 11에서, "河出圖·洛出書, 聖人則之."라고 하였다.

31) 『역』「계사」상 10에서, "『易』有聖人之道四焉, 以言者尙其辭, 以動者尙其變, 以制器者尙其象, 以卜筮者尙其占."이라고 하였다.

32) 『역』「계사」상 11에서, "探賾索隱, 鉤深致遠, 以定天下之吉凶, 成天下之亹亹者, 莫大乎蓍龜."라고 하였다.

[계몽 1-2]

天一·地二·天三·地四·天五·地六·天七·八·天九·地十. 天數五, 地數五, 五位相得而各有合, 天數二十有五, 地數三十, 凡天地之數五十有五, 此所以成變化而行鬼神也.[33]

하늘은 1, 땅은 2, 하늘은 3, 땅은 4, 하늘은 5, 땅은 6, 하늘은 7, 땅은 8, 하늘은 9, 땅은 10이다. 하늘의 수 5개와 땅의 수 5개가 5개의 자리에서 서로를 얻어 각기 결합함이 있다.[34] 하늘의 수는 25이고 땅의 수는 30이며, 하늘과 땅의 수는 55이니, 이것으로 변화를 이루고 오므리고 펼침을 행한다.[35]

---

33) 『역』「계사상」 9장.

34) 5개의 자리에서 서로를 얻어 각기 결합함이 있다 : 이 구절에 대하여 주자는 『주자어류』 권75, 22조목에서 다음과 같이 풀이하고 있다. "여기에는 두 가지 의미가 있다. 1과 2, 3과 4, 5와 6, 7과 8, 9와 10은 홀수와 짝수가 무리를 이루어 '서로를 얻는 것'이다. 1과 6이 결합하고, 2와 7이 결합하고, 3과 8이 결합하고, 4와 9가 결합하고, 5와 10이 결합하는 것은 '각기 결합함이 있다.'는 것이다. 10간(十干)에서 갑과 을이 목이 되고, 병과 정이 화가 되며, 무와 기가 토가 되고, 경과 신이 금이 되며, 임과 계가 수가 되는 것이 바로 '서로를 얻는 것'이다. 갑과 기가 결합하고, 을과 경이 결합하며, 병과 신이 결합하고, 정과 임이 결합하며, 무와 계가 결합하는 것은 '각기 결합함이 있다.'는 것이다.('五位相得而各有合', 是兩箇意. 一與二, 三與四, 五與六, 七與八, 九與十, 是奇耦以類'相得'. 一與六合, 二與七合, 三與八合, 四與九合, 五與十合, 是'各有合'. 在十干, 甲乙木, 丙丁火, 戊己土, 庚辛金, 壬癸水, 便是'相得'. 甲與己合, 乙與庚合, 丙與辛合, 丁與壬合, 戊與癸合, 是'各有合'.)"

35) 이것으로써 변화를 이루고 오므리고 펼침을 행한다 : 이 구절에 대하여 주자는 『주자어류』 권75, 23조목에서 다음과 같이 풀이하고 있다. "선생

[계몽 1-2-1]

此一節夫子所以發明「河圖」之說也. 天地之間, 一氣而已, 分而爲二則爲陰陽, 而五行造化·萬物始終無不管於是焉. 故「河圖」之位, 一與六共宗而居乎北, 二與七爲朋而居乎南, 三與八同道而居乎東, 四與九爲友而居乎西, 五與十相守而居乎中. 蓋其所以爲數者, 不過一陰一陽, 一奇一偶, 以兩其五行而已.

이 한 구절은 공자가 「하도」를 밝혀 드러낸 설명이다. 하늘과 땅 사이에 있는 것은 하나의 기(氣)일 뿐인데, 나누어서 둘이 되면 음과 양이 되니, 오행이 조화(造化)하고 만물이 생겨나고 없어지는 것은 여기에서 주관하지 않는 것이 없다. 그러므로 「하도」의 자리는 1과 6이 함께 으뜸이 되어 북쪽에 자리 잡고, 2와 7이 동문[朋]이 되어 남쪽에 자리 잡으며, 3과 8이 도를 같이하여 동쪽에 자리 잡고, 4와 9가 동지[友]가 되어 서쪽에 자리 잡으며, 5와 10이 서로 지켜주어 중앙에 자리 잡는다.[36] 그렇게 수가 배치되는 것은 다만 한 번은

(先生 : 朱熹)이 다음과 같은 말을 열거하였다. 정자(程子 : 程頤)는 '변화는 공효를 말하고, 귀신은 작용을 말한다.'라고 하였다. 장자(張子 : 張載)는 말했다. "'이룬다.'와 '행한다.'는 것은 귀신의 기일 뿐이다.', '수는 다만 기이고, 변화와 귀신도 역시 기일 뿐이다. 하늘과 땅의 수 55에 변화와 귀신이 모두 그 사이를 벗어나지 않는다.'라고 말했다.("所以成變化而行鬼神也." 先生擧程子云 : "變化言功, 鬼神言用." 張子曰 : "成行, 鬼神之氣而已." "數只是氣, 變化鬼神亦只是氣. '天地之數五十有五', 變化鬼神皆不越於其間.")"

36) 「하도」의 자리는 … 중앙에 자리 잡는다 : 양웅(揚雄)의 『태현경(太玄經)』 권10 「현도(玄圖)」 제14에는, "一與六共宗(在北方也), 二與七共朋(在南方也), 三與八成友(在東方也), 四與九同道(在西方也), 五與五

음이 되고 한 번은 양이 되며, 한 번은 짝수가 되고 한 번은 홀수가 되어 오행을 둘씩 하는 것일 뿐이다.

所謂天者, 陽之輕淸而位乎上者也. 所謂地者, 陰之重濁而位乎下者也. 陽數奇, 故一·三·五·七·九皆屬乎天, 所謂'天數五'也. 陰數偶, 故二·四·六·八·十皆屬乎地, 所謂'地數五'也. 天數地數各以類而相求, 所謂'五位之相得'者然也. 天以一生水, 而地以六成之, 地以二生火, 而天以七成之, 天以三生木, 而地以八成之; 地以四生金, 而天以九成之; 天以五生土, 而地以十成之.[37] 此又其所謂'各有合焉'者也.

이른바 하늘이란 양기의 가볍고 맑음이 위에 자리 잡고 있는 것이다. 이른바 땅이란 음의 무겁고 탁함이 아래에 자리 잡은 것이다. 양의 수는 홀수이므로 1·3·5·7·9가 모두 하늘에 속하니, 이른바 '하늘의 수 5개'이다. 음의 수는 짝수이므로 2·4·6·8·10이 모두 땅에 속하니, 이른바 '땅의 수 5개'이다. 하늘의 수와 땅의 수가 각기 무리를 이루어 서로 구하는 일은, 이른바 '5개의 자리에서 서로를 얻는다.'는 말이 그러하다. 하늘이 1로 수(水)를 낳고 땅이 6으

相守(在中央也).”라고 하였다.

37) 『전한서(前漢書)』 권27 상(上) 「오행지(五行志)」 제7 상(上)에는, “天以一生水, 地以二生火, 天以三生木, 地以四生金, 天以五生土. … 水之大數六, 火七, 木八, 金九, 土十.”이라고 되어 있으며, 유목(劉牧)의 『역수구은도(易數鉤隱圖)』 권중(中) 「논중(論中)」에는, “天一生水, 地二生火, 天三生木, 地四生金, 天五生土, 此其生數也. 如此, 則陽无匹陰无偶, 故地六成水, 天七成火, 地八成木, 天九成金, 地十成土. 於是陰陽各有匹偶, 而物得成矣, 故謂之成數也.”라고 되어 있다.

로 그것을 이루며, 땅이 2로 화(火)를 낳고 하늘은 7로 그것을 이루며, 하늘이 3으로 목(木)을 낳고 땅이 8로 그것을 이루며, 땅이 4로 금(金)을 낳고 하늘은 9로 그것을 이루며, 하늘이 5로 토(土)를 낳고 땅이 10으로 그것을 이룬다. 이것이 또 그 이른바 '각기 결합함이 있다.'는 뜻이다.

積五奇而爲二十五, 積五偶而爲三十, 合是二者而爲五十有五, 此「河圖」之全數; 皆夫子之意, 而諸儒之說也.

5개의 홀수를 모으면 25가 되고 5개의 짝수를 모으면 30이 되며, 이 둘을 합하면 55가 되고 이것이 「하도」 전체의 수이니, 이 모두가 공자의 생각이고 여러 학자들의 설명이다.

至於「洛書」, 則雖夫子之所未言, 然其象·其說已具於前, 有以通之, 則劉歆所謂'經緯表裏'者可見矣.

「낙서」에 대해서는 비록 공자가 말하지 않았지만 그 상(象)과 설명이 이미 앞에서 갖추어졌으니, 그것으로 통달하면 유흠의 이른바 '(「하도」와 「낙서」는 서로) 씨줄과 날줄이 되고, (8괘와 9장은 서로) 겉과 속이 된다'는 말을 이해할 수 있을 것이다.

案

中間述「大傳」處, 是夫子之意; '天一生水'之類, 則是諸儒之說. 蓋諸儒舊說, 皆以五行說「圖」·「書」, 故朱子於『啓蒙』·『本義』, 因而仍之. 他日又曰, '「河圖」·「洛書」, 於八卦·九章不相著, 未知如何也.' 然則朱子之意, 蓋疑「圖」·「書」之精蘊, 不盡於諸儒之所云者爾.

중간에 「역대전[계사전]」을 서술한 곳은 공자의 뜻이고, '하늘의 수 1이 물을 낳는다'라는 따위는 여러 학자들의 주장이다. 여러 학자들의 옛 주장은 모두 오행으로 「하도」와 「낙서」를 설명하기 때문에 주자는 『역학계몽』과 『주역본의』에서 그대로 따랐다. 그런데 나중에 또 '「하도」와 「낙서」는 8괘와 9장(九章 : 九疇)에서 서로 드러내지 않으니, 어떻게 된 것인지 모르겠다'라고 말했다. 그렇다면 주자의 뜻은 대개 「하도」와 「낙서」의 정미하고 깊은 의미를 여러 학자들이 말한 것에서 다 발휘되지 못했다고 의심한 것이다.

[계몽 1-2-2]

或曰 : "「河圖」·「洛書」之位與數, 其所以不同何也?" 曰 : "「河圖」以五生數統五成數, 而同處其方, 蓋揭其全以示人而道其常, 數之體也. 「洛書」以五奇數統四偶數, 而各居其所, 蓋主於陽以統陰而肇其變, 數之用也."

어떤 사람이 물었다. "「하도」와 「낙서」의 자리와 수(數)가 다른 까닭은 무엇 때문입니까?"
대답했다. "「하도」가 5개의 생수(生數)로 5개의 성수(成數)를 통괄하면서 함께 제 방위에 있는 것은, 전체를 들어 사람들에게 그 항상됨을 말하기 때문이니, 수(數)의 본체이다. 「낙서」가 5개의 홀수로 4개의 짝수를 통괄하여 각기 제 자리에 있는 것은, 양을 위주로 음을 통괄하여 그 변화를 시작하기 때문이니, 수(數)의 작용이다."

集說

● 趙氏汝楳曰："一對二, 三對四, 而五居中. 六·七合一·二, 八·九合三·四, 而十合五. 奇·耦數對, 陰·陽有合, 而數之體以立. 聖人所謂'陰陽合德而剛柔有體'者, 此其類也.

조여매(趙汝楳)[38]가 말했다. "1은 2와 짝하고, 3은 4와 짝하며, 5는 가운데 자리 잡는다. 6·7은 1·2와 합하고, 8·9는 3·4와 합하며, 10은 5와 합한다. 홀수와 짝수가 짝하고 음과 양이 합쳐져 수의 본체가 그것으로 정립된다. 성인이 ([계사하 6-1]에서) 이른바 '음·양이 덕을 합하여 강(剛)·유(柔)가 체(體)를 가지게 된다'라고 말한 것이 그 부류이다.

體立矣, 不變則數不行, 故陽以三左行, 陰以二右行. 三其一爲三, 而居東; 三其三爲九, 而居南; 三其九爲二十七, 而七居西; 三其二十七爲八十一, 而一復居北. 等而上之, 至於億·兆, 其餘數之位皆然. 二其二爲四, 而居東南; 二其四爲八, 而居東北; 二其八爲十六, 而六居西北; 二其十六爲三十二, 而二復居西南. 上而億·兆亦然. 八位旣列, 五仍居中, 而數之用以通. 聖人所

38) 조여매(趙汝楳) : 조여매(趙汝楳)는 남송(南宋) 시대 학자로서 상왕원분(商王元份) 7세손이고 자정전대학사(資政殿大學士) 선상(善湘)의 아들이다. 이종(理宗) 대에는 호부시랑(戶部侍郎)까지 올랐다. 『주역집문(周易輯聞)』 6권이 있다. 『송사(宋史)』「조선상전(趙善湘傳)」에 따르면 조선상이 『역』에 대해 말한 책에는 『약설(約說)』 8권, 『혹문(或問)』 4권, 『지요(指要)』 4권, 『속문(續問)』 8권 등이 있는데 이 『역』을 연구한 것이 가장 오래되었다고 하니, 조여매는 가학(家學)을 이어서 이 『주역집문』을 지었을 것이다.

謂'參伍以變, 錯綜其數'者, 此其類也."[39]

본체가 정립되었는데, 변하지 않으면 수가 행해지지 않기 때문에 양(陽)은 3으로 왼쪽으로 행하며, 음(陰)은 2로 오른쪽으로 행한다. 3이 1배한 것은 3이 되어 동쪽에 자리 잡고, 3이 3배한 것은 9가 되어 남쪽에 자리 잡으며, 3이 9배한 것은 27이 되어 7이 서쪽에 자리 잡고, 3이 27배한 것은 81이 되어 1이 다시 북쪽에 자리 잡는다. 같은 방식으로 올라가 억(億)·조(兆)에 이르러 그 나머지 수의 자리도 모두 그러하다. 2가 2배한 것은 4가 되어 동남쪽에 자리 잡고, 2가 4배한 것은 8이 되어 동북쪽에 자리 잡으며, 2가 8배한 것은 16이 되어 6이 서북쪽에 자리 잡고, 2가 16배한 것은 32가 되어 2가 다시 서남쪽에 자리 잡는다. 위로 억(億)·조(兆)도 또한 그러하다. 8개의 자리가 이미 진열되면 5는 여전히 가운데 자리 잡아 수의 작용이 그것으로 통한다. 성인이 ([계사상 10-3]에서) 이른바 '삼(參)으로 세고 오(伍)로 세어 변(變)하며 그 수(數)를 교착(交錯)하고 종합(綜合)한다'라고 말한 것이 그 부류이다."

● 鮑氏雲龍曰: "以「洛書」變數推之, 陽以三左行, 天圓徑一圍三, 三, 天數也. 一在北; 一而三之, 三在東; 三其三爲九, 而居南; 九而三之, 三九二十七而居西; 三其二十七爲八十一, 而一復居於北. 北而東, 東而南, 南而西, 西而復北, 循環不窮, 有以符天道左旋之義.

포운용(鮑雲龍)이 말했다. "「낙서」로 변수(變數)를 미루어보면, 양(陽)은 3으로 왼쪽으로 행하며, 하늘은 둥글어 지름 1에 둘레 3이

39) 조여매(趙汝楳), 『주역집문(周易輯聞)』「역아(易雅)」.

니, 3은 하늘의 수이다. 1은 북쪽에 있고, 1이 3배한 것인 3은 동쪽에 있으며, 3이 3배한 것은 9가 되어 남쪽에 자리 잡고, 9가 3배한 것인 27은 서쪽에 자리 잡으며, 3이 27배한 것은 81이 되어 1이 다시 북쪽에 자리 잡는다. 북쪽에서 동쪽으로 가고, 동쪽에서 남쪽으로 가며, 남쪽에서 서쪽으로 가고, 서쪽에서 다시 북쪽으로 가서 끊임없이 순환하니, 그것으로 하늘의 도가 왼쪽으로 운행한다는 의미에 부합한다.

地方徑一圍四, 兩其二也. 蓋以地上之數起於二, 而陰資以爲始, 位在西南而右行. 二而二之爲四, 而居東南; 二而四之爲八, 而居東北; 二其八爲十六, 而居西北; 二其十六爲三十二, 而二復居西南本位. 西南而東南, 東南而東北, 東北而西北, 西北而復西南, 亦循環不窮, 有以協地道右行之說.

땅은 네모져 한 변 1에 둘레 4이니 2를 2배한 것이다. 대개 땅위의 수는 2에서 일어나기 때문에 음(陰)은 그것을 바탕으로 시작하고 서남쪽에 자리하여 오른쪽으로 운행한다. 2가 2배한 것은 4가 되어 동남쪽에 자리 잡고, 2가 4배한 것은 8이 되어 동북쪽에 자리 잡으며, 2가 8배한 것은 16이 되어 서북쪽에 자리 잡고, 2가 16배한 것은 32가 되어 2가 다시 서남쪽 본래의 자리에 자리 잡는다. 서남쪽에서 동남쪽으로 가고, 동남쪽에서 동북쪽으로 가며, 동북쪽에서 서북쪽으로 가고, 서북쪽에서 다시 서남쪽으로 가서 그 또한 끊임없이 순환하니, 그것으로 땅의 도가 오른쪽으로 운행한다는 학설에 화합한다.

一·三·九·七, 陽居四正; 二·四·八·六, 陰居四隅. 左右旋轉,相爲經緯, 造化之妙如此. 若以「河圖」推之亦然. 但陰·陽對布, 內·外交錯, 有不同爾."[40]

1·3·9·7은 양으로 네 정방위에 자리 잡고, 2·4·8·6은 음으로 네 모퉁이에 자리 잡는다. 왼쪽·오른쪽으로 돌면서 서로 씨줄과 날줄이 되니, 조화(造化)의 오묘함이 이와 같다. 만약 「하도」로 미루어보면 또한 그러하다. 다만 음과 양이 짝하여 포진해 있고 안과 밖이 교착하는 점에서 같지 않음이 있을 뿐이다."

案

朱子此條, 已盡「圖」·「書」之大義. 蓋以生數統成數而同處其方者, 自五以前爲方生之數, 自五以後爲既成之數. 陰生則陽成, 陽生則陰成, 陰陽二氣, 相爲終始, 而未嘗相離也.

주자의 이 조목은 이미 「하도」와 「낙서」의 큰 의미를 다 발휘했다. 대개 생수(生數)로 성수(成數)를 통괄하여 함께 제 방위에 있는 것이 5 이전은 막 생겨나는 수가 되고 5 이후는 이미 이루어진 수가 된다. 음이 생겨나면 양이 이루어지고 양이 생겨나면 음이 이루어져, 음과 양 두 기(氣)가 서로 시작과 끝이 되니 서로 떨어진 적이 없다.

以奇數統耦數而各居其所者, 四正之位, 奇數居之; 四維之位, 耦數居之. 陰統於陽, 地統於天, 天地同流, 而定分不易也. '揭其全以示人而道其常'者, 數至十而始全, 缺一則不全矣, 故曰

40) 포운용(鮑雲龍), 『천원발미(天原發微)』 권4 하(下).

'數之體.' '主於陽以統陰而肇其變'者, 始於一, 終於九, 所以起因乘歸除之法, 故曰'數之用.' 然生成之理則明矣, 而正維之位所自定者, 唯趙氏·鮑氏之說, 爲能推明其義, 諸家皆不及也.

홀수로 짝수를 통괄하여 각각 제 자리에 자리 잡는 것은 네 정방위에는 홀수가 자리 잡고, 네 모퉁이에는 짝수가 자리 잡는다. 음이 양에 통괄되고 땅이 하늘에 통괄되어 하늘과 땅이 함께 유행하지만 정해진 분수는 바뀌지 않는다. '전체를 들어 사람들에게 그 항상됨을 말해 준다'는 것은 수가 10에 이르러야 비로소 완전해지고 하나라도 모자라면 완전하지 않기 때문에 '수의 본체'라고 말했다. '양을 위주로 음을 통괄하여 그 변화를 시작한다'는 것은 1에서 시작하여 9에서 끝나는데 그것으로 곱해서 나머지를 셈하는 방법이 일어났기 때문에 '수의 작용'이라고 말했다. 그러나 생겨나고 이루어지는 이치는 분명하고 정방위와 모퉁이의 자리가 본래 정해진 것이니, 오직 조여매(趙汝楳)와 포운용(鮑雲龍)의 주장이 그 의미를 미루어 밝힐 수 있고, 여러 학자들의 주장은 모두 거기에 미치지 못한다.

[계몽 1-2-3]

曰 : "其皆以五居中者, 何也?" 曰 : "凡數之始, 一陰一陽而已矣. 陽之象圓, 圓者徑一而圍三. 陰之象方, 方者徑一而圍四. 圍三者以一爲一, 故參其一陽而爲三. 圍四者以二爲一, 故兩其一陰而爲二. 是所謂'參天·兩地'者也. 三·二之合, 則爲五矣. 此「河圖」·「洛書」之數, 所以皆以五爲中也."

물었다. "「하도」와 「낙서」가 모두 5를 중앙에 둔 것은 무엇 때문인가?"

대답했다. "무릇 수의 시작은 1음(陰)과 1양(陽)일 뿐이다. 양의 상(象)은 둥글고, 둥근 것은 지름이 1일 때 둘레가 3이다. 음의 상(象)은 네모나고, 네모난 것은 한 변이 1일 때 둘레는 4이다. 둘레가 3인 것은 1(天1)을 하나로 셈하므로 그 1양(陽)을 세 배하여 3이 된다. 둘레가 4인 것은 2(地2)를 하나로 셈하므로 그 1음(陰)을 두 배하여 2가 된다. 이것이 이른바 '삼천(參天)·양지(兩地)'[41]이다. 3과 2를 합하면 5가 된다. 이것이 「하도」와 「낙서」의 수에서 모두 5를 중앙으로 하는 까닭이다."

案

三·二之合, 五也; 一·四之合, 亦五也; 一一·二二之積, 又五也; 三三·四四之積, 又五之積也. 此五所以爲數之會而位之中與!

3과 2의 합은 5이고, 1과 4의 합도 또한 5이며, 1×1과 2×2의 누적도 5이고, 3×3과 4×4의 누적도 5의 누적이다. 이것이 5가 수의 모임이 되고 자리의 중앙이 되는 까닭일 것이다!

[계몽 1-2-4]

然「河圖」以生數爲主, 故其中之所以爲五者, 亦具五生數之

41) '삼천(參天)·양지(兩地)': 하늘의 수는 3배하고 땅의 수는 2배한다는 의미이다.

象焉. 其下一點, 天一之象也, 其上一點, 地二之象也, 其左一點, 天三之象也, 其右一點, 地四之象也, 其中一點, 天五之象也.

그러나 「하도」는 생수(生數)를 위주로 하므로, 그 중앙이 5가 되는 것 또한 5개의 생수의 상(象)을 갖추고 있다. 중앙의 5개의 점 가운데, 아래의 한 점은 하늘 1의 상이고, 위의 한 점은 땅 2의 상이며, 왼쪽 한 점은 하늘 3의 상이고, 오른쪽 한 점은 땅 4의 상이며, 중앙의 한 점은 하늘 5의 상이다.

「洛書」以奇數爲主, 故其中之所以爲五者, 亦具五奇數之象焉. 其下一點, 亦天一之象也, 其左一點, 亦天三之象也, 其中一點, 亦天五之象也, 其右一點, 則天七之象也, 其上一點, 則天九之象也.

「낙서」는 홀수를 위주로 하므로, 그 중앙이 5가 되는 것 또한 5개의 홀수의 상(象)을 갖추고 있다. 중앙의 5개의 점 가운데, 아래의 한 점은 또한 하늘 1의 상이고, 왼쪽 한 점은 또한 하늘 3의 상이며, 중앙의 한 점은 또한 하늘 5의 상이고, 오른쪽 한 점은 하늘 7의 상이며, 위의 한 점은 하늘 9의 상이다.

其數與位, 皆三同而二異, 蓋陽不可易而陰可易. 成數雖陽, 固亦生之陰也.

「하도」·「낙서」의 수와 자리가 모두 3개는 같고 2개가 다른 것은 양은 바뀔 수 없지만 음은 바뀔 수 있기 때문이다. 성수(成數)는 비록 양이지만 본디 또한 생수(生數)의 음이다.

曰:“中央之五, 旣爲五數之象矣, 然其爲數也奈何?” 曰:“以數言之, 通乎一圖, 由內及外, 固各有積實可紀之數矣. 然「河圖」之一·二·三·四各居其五象本方之外, 而六·七·八·九·十者又各因五而得數以附於其生數之外.「洛書」之一·三·七·九亦各居其五象本方之外, 而二·四·六·八者又各因其類以附於奇數之側. 蓋中者爲主而外者爲客, 正者爲君而側者爲臣, 亦各有條而不紊也.”

물었다. “중앙의 5가 이미 5라는 수의 상(象)이 되었지만, 그 수의 역할은 어떠한가?”
대답했다. “수로서 말하면 하나의 도(圖)를 관통하여 안에서부터 밖으로 본디 각각 더해서 계산할 수 있는 수(數)가 있다.[42] 그러나 「하도」의 1·2·3·4는 각각 그 5의 상의 본래 방위(중앙)의 바깥에 자리 잡고, 6·7·8·9·10은 또 각각 5를 더해 수를 얻어 그 생수의 바깥에 붙어 있다. 「낙서」의 1·3·7·9도 또한 각각 그 5의 상의 본래 방위(중앙)의 바깥에 자리 잡고, 2·4·6·8은 또 각각 그 부류에 따라 홀수의 옆에 붙어 있다. 가운데 있는 것이 주인이 되고 바깥에 있는 것이 손님이 되며, 정방위에 있는 것이 군주가 되고 그 옆에 있는 것이 신하가 되니, 또한 각각 조리가 있어 문란하지 않다.”

42) 본디 각각 더해서 계산할 수 있는 수(數)가 있다: 웅절(熊節) 편, 웅강대(熊剛大) 주(注), 『성리군서구해(性理群書句解)』 권9, 「도(圖)」에서 이 구절에 대하여 ‘各各有所積之實數可計算也.’라고 주석을 붙였다.

集說

● 翁氏泳曰："「河圖」東北陽方, 則主之以奇, 而與合者耦; 西南陰方, 則主之以耦, 而與合者奇."

옹영(翁泳)[43]이 말했다. "「하도」에서 동북쪽이 양의 방향이니 홀수를 주인으로 하고 더불어 합하는 것이 짝수이며, 서남쪽이 음의 방향이니 짝수를 주인으로 하고 더불어 합하는 것은 홀수이다."

● 吳氏曰愼曰："陽始北而終西, 一·三陽尙微, 故居內; 七·九陽盛而著於外也. 必實其中而後能著乎外, 故五居中. 陰始南而終東, 二·四陰尙微, 故居內; 六·八陰盛而凝於外也. 必堅乎外而後能實其內, 故十居中. 自中而外, 陽之生長; 自外而中, 陰之收藏. 觀於草木之枝葉果實, 亦可見矣."

오왈신(吳曰愼)이 말했다. "양(陽)은 북쪽에서 시작하여 서쪽에서 끝나니, 1과 3의 양은 아직 은미하기 때문에 안에 자리 잡고, 7과 9의 양은 융성하여 밖으로 드러난다. 반드시 그 가운데를 채운 뒤에 밖으로 드러날 수 있기 때문에 5는 가운데 자리 잡는다. 음(陰)은 남쪽에서 시작하여 동쪽에서 끝나니, 2와 4의 음은 아직 은미하기 때문에 안에 자리 잡고, 6과 8의 음은 융성하여 밖에 응결되어 있다. 반드시 그 밖을 견고히 한 뒤에 그 안을 채울 수 있기 때문에 10은 가운데 자리 잡는다. 가운데에서 밖으로 나가는 것은 양이 생

43) 옹영(翁泳) : 자는 영숙(永叔) , 사재(思齋)이다. 송대 건양(建陽 : 현 복건성 건양) 사람으로 채원정의 아들 채연(蔡淵)의 제자이다. 저술은 『주석하락강의(注釋河洛講義)』, 『하락운행강의(河洛運行講義)』, 『역해(易解)』, 『소학집해(小學集解)』 등이 있다.

장하는 것이고, 밖에서 가운데로 들어오는 것은 음이 거두어 저장하는 것이다. 초목의 가지와 잎 열매를 살펴보면 또한 알 수 있다."

● "五, 生數之終, 十, 成數之終, 而藏於中. 此太和之所以保合深固, 而生機之所以充實於內也."

(오왈신이 말했다.) "5는 생수(生數)의 끝이고 10은 성수(成數)의 끝이니 가운데 저장된다. 이는 큰 조화(造化)가 깊고도 견고하게 보존하고 화합하는 근거이며, 생명의 기틀이 안에서 충실하게 되는 근거이다."

案

此段卽與上'生數統成數, 奇數統耦數'一段相發明. 以生數統成數者, 生數常居內而爲主, 成數常居外而爲客. 如一歲之寒暑往來, 一月之明魄死生, 一日之晝夜進退, 其自生而長者, 皆爲主者也, 其自盛而衰者, 皆爲客者也. 此「河圖」之大義也.

이 단락은 바로 위의 '생수(生數)로 성수(成數)를 통괄하고, 홀수로 짝수를 통괄한다'라는 단락과 서로 드러내어 밝히고 있다. 생수로 성수를 통괄한다는 것은 생수가 항상 안에 자리 잡아서 주인이 되고, 성수는 항상 밖에 자리 잡아서 손님이 된다는 뜻이다. 예컨대 한 해에 추위와 더위가 오고가며, 한 달에 달빛이 차고 기울며, 하루에 밤과 낮이 나아가고 물러나는 것과 같이 생겨나는 것에서 장성하는 것은 모두 주인이 되고, 융성함에서 쇠퇴하는 것은 모두 손님이 된다. 이것이 「하도」의 큰 의미이다.

以奇數統耦數者, 奇數居四正而爲君, 耦數居四側而爲臣. 如天之以圓而運旋, 則樞在四正, 地之以方而奠位, 則維在四隅, 天尊而地卑之位也, 陽主而陰輔之分也. 此「洛書」之大義也. 翁氏·吳氏之論「河圖」, 深得朱子內外賓主之意, 其於「洛書」雖未及, 然前文趙氏·鮑氏之說, 足以通之矣.

홀수로 짝수를 통괄한다는 것은 홀수가 네 정방위에 자리 잡아 임금이 되고 짝수가 네 측면에 자리 잡아 신하가 된다는 뜻이다. 예컨대 하늘이 둥글게 돌아가니 그 회전축이 네 정방위에 있고, 땅이 네모나게 자리를 정하니 오직 네 귀퉁이에 있는 것과 같이 하늘은 높고 땅은 낮은 지위이며, 양은 주인이 되고 음은 보좌하는 신분이다. 이것이 「낙서」의 큰 의미이다. 옹영(翁泳)과 오왈신(吳曰愼)이 「하도」를 논한 것은 주자의 안과 밖, 손님과 주인의 뜻을 깊이 터득한 것이며, 「낙서」에 대해 비록 미치지는 못하지만 앞글의 조여매(趙汝楳)와 포운용(鮑雲龍)의 학설과 통하기에는 충분하다.

[계몽 1-2-5]

曰 : "其多寡之不同, 何也?" 曰 : "「河圖」主全, 故極於十而奇偶之位均. 論其積實, 然後見其偶贏而奇乏也. 「洛書」主變, 故極於九而其位與實皆奇贏而偶乏也. 必皆虛其中也, 然後陰陽之數均於二十而無偏耳."

물었다. "「하도」와 「낙서」의 수가 많고 적음이 다른 것은 무엇 때문인가?"
대답했다. "「하도」는 완전함을 위주로 하기 때문에 10에서 끝나고 홀수와 짝수의 자리가 균등하다. 그 실수(實數)의 누적을 따져본 다음에야 짝수의 합계가 많고 홀수의 합계가 적다는 것을 안다. 「낙서」는 변화를 위주로 하기 때문에 9에서 끝나고 그 자리와 실수가 모두 홀수의 합계가 많고 짝수의 합계가 적다. 반드시 모두 그 중앙의 수를 비운 다음에야 음과 양의 수가 균등하게 20이 되어 치우침이 없다."

案

此段亦與上段數之體·數之用相發明.

이 단락 또한 위 단락의 수의 본체와 수의 작용이 서로 드러내어 밝히고 있다.

[계몽 1-2-6]

曰:"其序之不同, 何也?" 曰:"「河圖」以生出之次言之, 則始下, 次上, 次左, 次右, 以復于中, 而又始于下也. 以運行之次言之, 則始東, 次南, 次中, 次西, 次北, 左旋一周而又始于東也. 其生數之在內者, 則陽居下左而陰居上右也, 其成數之在外者, 則陰居下左而陽居上右也.
「洛書」之次, 其陽數, 則首北, 次東, 次中, 次西, 次南. 其陰數, 則首西南, 次東南, 次西北, 次東北也. 合而言之, 則首北, 次西南, 次東, 次東南, 次中, 次西北, 次西, 次東北, 而究于南也. 其運行, 則水克火, 火克金, 金克木, 木克土, 右旋一周而土復克水也. 是亦各有說矣."

물었다. "「하도」와 「낙서」의 수 배열의 순서가 다른 것은 무엇 때문인가?"
대답했다. "「하도」는 생겨나오는 차례로 말하면, 아래(1·6, 水)에서 시작하여 다음이 위(2·7, 火)이고, 그 다음이 왼쪽(3·8, 木)이며, 그 다음이 오른쪽(4·9, 金)이고, 중앙(5·10, 土)으로 돌아가서 다시 아래(1·6, 水)에서 시작한다. 운행하는 차례로 말하면, 동쪽(3·8, 木)에서 시작하여, 다음이 남쪽(2·7, 火)이고, 그 다음이 중앙(5·10, 土)이며, 그 다음이 서쪽(4·9, 金)이고, 그 다음이 북쪽(1·6, 水)이며, 왼쪽으로 한 바퀴를 돌아서 다시 동쪽(3·8, 木)에서 시작한다. 그 안쪽에 있는 생수(生數)는 양이 아래(1)와 왼쪽(3)에 자리 잡고, 음이 위(2)와 오른쪽(4)에 자리 잡으며, 그 바깥쪽에 있는 성수(成數)는 음이 아래(6)와 왼쪽(8)에 자리 잡고, 양이 위(7)와 오른쪽(9)에 자리 잡는다.
「낙서」의 차례는, 그 양의 수는 북쪽(1)에서 시작하여 다음이 동쪽(3)이고 그 다음이 중앙(5)이며, 그 다음이 서쪽(7)이고, 그 다음이 남쪽(9)이다. 음의 수는 서남쪽(2)에서 시작하여 다음이 동남쪽(4)이고, 그 다음이 서북쪽(6)이며, 그 다음이 동북쪽(8)이다. 음의 수와 양의 수를 합쳐서 말하면, 북쪽(1)에서 시작하여 다음이 서남쪽(2)이고, 그 다음이 동쪽(3)이며, 그 다음이 동남쪽(4)이고, 그 다음이 중앙(5)이며, 그 다음이 서북쪽(6)이고, 그 다음이 서쪽(7)이며, 그 다음이 동북쪽(8)이고, 남쪽(9)에서 끝맺는다. 그 운행은 수(水)가 화(火)를 이기고, 화가 금(金)을 이기며, 금이 목(木)을 이기고, 목이 토(土)를 이기며, 오른쪽으로 한 바퀴를 돌아서 토가 다시 수를 이긴다. 이것 또한 각각 설명이 있다.[44]"

曰:"其七八·九六之數不同, 何也?" 曰:"「河圖」六·七·八·九, 旣附于生數之外矣. 此陰陽老少·進退饒乏之正也. 其九者, 生數一·三·五之積也, 故自北而東, 自東而西, 以成於四之外. 其六者, 生數二·四之積也, 故自南而西, 自西而北, 以成於一之外. 七則九之自西而南者也. 八則六之自北而東者也. 此又陰陽老少互藏其宅之變也.
「洛書」之縱橫十五, 而七八·九六迭爲消長, 虛五分十, 而一含九, 二含八, 三含七, 四含六, 則參伍錯綜, 無適而不遇其合焉. 此變化無窮之所以爲妙也."

물었다. "「하도」와 「낙서」의 7·8과 9·6의 수가 다른 것은 무엇 때문인가?"
대답했다. "「하도」의 6·7·8·9는 이미 생수의 바깥에 붙어 있다. 이는 음·양의 노(老)·소(少)와 나아감[進]·물러남[退]의 넉넉함[饒]·부족함[乏]의 관계에서 '바른 자리[正]'이다. 그 중에 9는 생수인 1·3·5를 누적한 것이므로 북쪽에서 동쪽으로 가고, 동쪽에서 서쪽으로 가서 4의 바깥에서 이루어진다. 그 가운데 6은 생수인 2·4를 누적한 것이므로 남쪽에서 서쪽으로 가고, 서쪽에서 북쪽으로 가서 1의 바깥에서 이루어진다. 7은 9가 서쪽에서 남쪽으로 간 것이다. 8은 6이 북쪽에서 동쪽으로 간 것이다. 이는 또 음·양의 노·소가 제 집을 서로 상대방 속에 감춰두고 있는 변화이다.
「낙서」의 수는 가로 세로로 합계가 15인데, 7·8과 9·6이 갈마들며

44) 이것 또한 각각 설명이 있다 : 웅절 편, 웅강대 주(注), 『성리군서구해(性理群書句解)』 권9 「도(圖)」에서, 이 구절에 대하여 '各各皆有意義.'라고 주석을 붙였다.

줄어들고 불어나서 5를 비워 두고 10을 분할하여, 1은 9를 함유하고 2는 8을 함유하며 3은 7을 함유하고 4는 6을 함유하니, '이리저리 뒤섞이고 가로 세로로 엇갈려도[參伍錯綜]'[45] 그 어느 경우라도 그 합이 되지 않는 경우가 없다. 이것이 변화가 무궁하여 오묘하게 되는 까닭이다."

曰 : "然則聖人之則之也奈何?" 曰 : "則「河圖」者, 虛其中, 則「洛書」者, 總其實也. 「河圖」之虛五與十者, 太極也. 奇數二十, 偶數二十者, 兩儀也. 以一·二·三·四爲六·七·八·九者, 四象也. 析四方之合以爲乾坤離坎, 補四偶之空以爲兌震巽艮者, 八卦也. 「洛書」之實, 其一爲五行, 其二爲五事, 其三爲八政, 其四爲五紀, 其五爲皇極, 其六爲三德, 其七爲稽疑, 其八爲庶徵, 其九爲福極. 其位與數, 尤曉然矣."

물었다. "그렇다면 성인이 본받았다는 것은 무엇인가?"

---

45) '이리저리 뒤섞이고 가로 세로로 엇갈려도[參伍錯綜]' : 『역』「계사」상 10장에서, "參伍以變, 錯綜其數. 通其變, 遂成天地之文, 極其數, 遂定天下之象. 非天下之至變, 其孰能與於此."라고 하였으며, 주희는 『주역본의(周易本義)』 주에서, "此尙象之事. 變則象之未定者也. 參者, 三數之也. 伍者, 五數之也. 旣參以變, 又伍以變, 一先一後, 更相考覈, 以審其多寡之實也. 錯者, 交而互之. 一左一右之謂也. 綜者, 總而挈之. 一低一昂之謂也. 此亦皆謂揲蓍求卦之事. 蓋通三揲兩手之策, 以成陰陽老少之畫. 究七·八·九·六之數, 以定卦爻動靜之象也. 參伍錯綜皆古語, 而參伍尤難曉. 按荀子云, 窺敵制變, 欲伍以參. 韓非曰, 省同異之言, 以知朋黨之分, 偶參伍之驗, 以責陳言之實. 又曰, 參之以比物, 伍之以合參. 『史記』曰, 必參而伍之. 又曰, 參伍不失. 『漢書』曰, 參伍其實, 以類相準. 此足以相發明矣."라고 하였다.

대답했다. "「하도」에서 본받은 것은 그 중앙을 비운 것이고, 「낙서」에서 본받은 것은 그 실용(實用)을 총괄한 것이다.[46] 「하도」에서 5와 10을 비운 것은 태극(太極)이다. 홀수의 합계 20과 짝수의 합계 20은 양의(兩儀 : 음양)이다. 1·2·3·4로서 6·7·8·9를 만든 것은 4상(四象)이다. 4개의 방위에 합쳐 있는 것을 갈라서 건(☰)·곤(☷)·리(☲)·감(☵)으로 하고, 4개의 모퉁이에 비어있는 것을 보충하여 태(☱)·진(☳)·손(☴)·간(☶)으로 한 것은 8괘(八卦)이다. 「낙서」의 실용은 그 첫째는 5행(五行)이고, 그 둘째는 5사(五事)이며, 그 셋째는 8정(八政)이고, 그 넷째는 5기(五紀)이며, 그 다섯째는 황극(皇極)이고, 그 여섯째는 3덕(三德)이며, 그 일곱째는 계의(稽疑)이고, 그 여덟째는 서징(庶徵)이며, 그 아홉째는 복극(福極)이다.[47] 그 자리와 수가 더욱 분명하다."

集說

● 『朱於語類』云 : "「洛書」本文只有四十五點. 班固云, '六十五字, 皆「洛書」本文.' 古字畫少, 恐或有模樣, 但今無所考. 漢儒此說未是, 恐只是以義起之, 不是數如此. 蓋皆以天道人事參互言之. 五行最急, 故第一. 五事又參之, 故第二. 身旣修, 可推之

46) 「낙서」에서 본받은 것은 그 실용(實用)을 총괄한 것이다 : 웅절 편, 웅강대 주(注), 『성리군서구해(性理群書句解)』 권9 「도(圖)」에서, 이 구절에 대하여 '法「洛書」, 則皆總其實用.'이라고 주석을 붙였다.

47) 그 첫째는 5행(五行)이고 … 그 아홉째는 복극(福極)이다 : 『서경』「홍범(洪範)」 제6에서, "初一曰五行, 次二曰敬用五事, 次三曰農用八政, 次四曰協用五紀, 次五曰建用皇極, 次六曰乂用三德, 次七曰明用稽疑, 次八曰念用庶徵, 次九曰嚮用五福威用六極."이라고 하였다.

於政, 故八政次之. 政旣成, 又驗之於天道, 故五紀次之. 又繼之皇極居五, 蓋能推五行, 正五事, 用八政, 修五紀, 乃可以建極也. 六三德, 乃是權衡此皇極者也. 德旣修矣, 稽疑庶徵繼之者, 著其驗也. 又繼之以福極, 則善惡之效, 至是不可加矣. 皇極非大中也, 皇乃天子, 極乃極至, 言皇建此極也."[48]

『주자어류』에서 말했다. "「낙서」의 본문은 다만 45개의 점이 있을 따름이다. 반고(班固)는 '65개 글자[49]가 모두 「낙서」의 본문이다.'[50]라고 하였는데, 옛 글자는 획이 적어서 혹시 어떤 모양이 있었는지 모르겠지만, 지금은 상고할 수 없다. 한대 학자의 이러한 주장은 옳지 않으니, 아마 의미로 그렇게 했을 뿐 수가 이와 같은 것은 아닌 듯하다. 대개 모두 천도(天道)와 인간사를 서로 뒤섞어 말한 것이다. 5행(五行)이 가장 긴요하므로 첫째이다. 5사(五事)는 또 (몸에) 헤아려보기 때문에 둘째이다. 몸이 수양되었으면 정사(政事)에 미루어 볼 수 있으니 8정(八政)을 그 다음으로 했다. 정사가 이미 이루어지면 또 천도에 증험하기 때문에 5기(五紀)를 그 다

48) 『주자어류』 권79, 78조목에는, "洛書本文只有四十五點. 班固云, '六十五字, 皆洛書本文.' 古字畫少, 恐或有模樣, 但今無所考. 漢儒說此未是, 恐只是以義起之, 不是數如此. 蓋皆以天道人事參互言之. 五行最急, 故第一. 五事又參之於身, 故第二. 身旣修, 可推之於政, 故八政次之. 政旣成, 又驗之於天道, 故五紀次之. 又繼之皇極居五, 蓋能推五行, 正五事, 用八政, 修五紀, 乃可以建極也. 六三德, 乃是權衡此皇極者也. 德旣修矣, 稽疑庶徵繼之者, 著其驗也. 又繼之以福極, 則善惡之效, 至是不可加矣. 皇極非大中, 皇乃天子, 極乃極至, 言皇建此極也."라고 되어 있다.

49) 65개 글자 : 앞의 각주 『서경』「홍범(洪範)」 제6의 65개 글자를 가리킨다.

50) 65개 글자가 모두 「낙서」의 본문이다 : 『전한서(前漢書)』 권27상, 「오행지(五行志)」 제7상(上)에서, "凡此六十五字, 皆「洛書」本文."라고 하였다.

음으로 했다. 또 계속해서 황극(皇極)을 다섯째로 자리 잡은 것은, 5행을 미루어 5사를 바로 잡고 8정을 쓰고 5기를 수양하여 이에 표준[極]을 세울 수 있기 때문이다. 3덕을 여섯째로 한 것은 바로 이 황극을 재는 것이다. 덕이 이미 수양되었으니, 계의(稽疑)와 서징(庶徵)으로 계속한 것은 그 징험을 드러내는 일이다. 또 복극(福極)으로 계속하였으니 선과 악의 효험이 여기에 이르러 더 보탤 것이 없다. 황극은 대중(大中)이 아니라, '황'은 곧 천자이고 '극'은 곧 지극함이니, 황제가 이 지극함을 세운다는 것을 말한다."

● 吳氏曰愼曰: "「河圖」虛中宮以象太極, 故周子曰'無極而太極'; 「洛書」主中五以爲皇極, 故曰'皇建其有極.'"

오왈신(吳曰愼)이 말했다. "「하도」는 그 중앙의 궁(宮)을 비워서 태극을 상징했기 때문에 주자(周子: 周敦頤)는 『태극도설』에서 '무극이면서 태극이다'라 하였고, 「낙서」는 중앙의 5를 위주로 하여 황극을 삼았기 때문에 『서경』「홍범(弘範)」에서 '임금이 표준[極]을 세웠다'라고 하였다."

● "陰·陽皆自內始生, 窮外而盡, 觀四時之寒暑相推, 萬物之榮枯生死可見. 「河圖」生數始於內, 成數終於外; 「先天圓圖」, 震一陽至乾三陽, 巽一陰至坤三陰, 皆自內而外. 內者爲主而漸長, 外者爲客而漸消. 此法象之不可易者也."

(오왈신이 말했다.) "음과 양은 모두 안에서 처음 생겨나서 밖으로 끝까지 가서 다하니, 사계절에서 추위와 더위가 서로 밀치는 것과 만물의 무성함·시듦, 삶·죽음을 살펴보면 알 수 있다. 「하도」에서 생수가 안에서 시작하고 성수가 밖에서 끝나며, 「선천원도」에서 진

괘의 하나의 양(陽)이 건괘의 세 개의 양에 이르고, 손괘의 하나의 음이 곤괘의 세 개의 음에 이르는 것은 모두 안에서 밖에 이르는 것이다. 안은 주인이 되어 점차적으로 자라나고, 밖은 손님이 되어 점차적으로 사라진다. 이것이 법상(法象)이 바뀔 수 없다는 뜻이다."

● "「洛書」上三數象天, 中三數象人, 下三數象地. 人能參天地, 贊化育, 建中和, 故歸重於五皇極焉."

(오왈신이 말했다.) "「낙서」에서 위 3의 배수[9 : 3×3]는 하늘을 상징하고 가운데 3의 배수[3 : 3×1]는 사람을 상징하며, 아래 3개의 배수[6 : 3×2]는 땅을 상징한다. 사람이 하늘·땅과 셋이 되어 화육을 돕고 중화(中和)를 세울 수 있기 때문에 「홍범」에서 다섯 번째인 황극으로 중점이 귀결된다."

案

吳氏三條, 於「圖」·「書」·卦·疇, 深有發明. 所謂無極·有極云者, 則『易』·「範」之第一義也. 其以「先天圖」合「河圖」, 語尤眞切. 聖人所謂則之者, 爲其理之符契耳, 豈必規規於點畫方位而求密合哉?

위에서 오왈신(吳曰愼)이 말한 세 조목은 「하도」·「낙서」·8괘·9주에 대하여 드러내어 밝힌 것이 깊다. 이른바 무극·유극 운운이라고 하는 것은 『역』과 「홍범」에서 가장 중요한 의미이다. 「선천도」를 「하도」에 합치시킨 것은 그 말이 더욱 참되고 절실하다. 성인이 이른바 본받는다고 하는 것은 그 이치가 부합하게 되는 것일 뿐이니, 어찌 반드시 점과 획의 방위에 누추하게 얽매여 엄밀한 합치를 추구하겠는가?

「洛書」以四正之參數象天, 四隅之兩數象地, 中宮之合數象人. 吳氏分三重者, 似亦本於『大戴禮』·『子華子』之說. 然今以「洪範」考之, 蓋始於一·二·三, 中於四·五·六, 終於七·八·九, 而各以相天道, 建主極, 協民居, 爲之先後次第. 自日用飮食修己治人之近, 層累增高, 至於上下同流而後已焉, 皆所謂得其理而不規規於點畫方位以求密合者.

「낙서」는 네 정방위의 3의 배수로 하늘을 상징하고, 네 귀퉁이의 2의 배수로 땅을 상징하며, 중앙의 합한 수로 사람을 상징하였다. 오왈신(吳曰愼)이 3의 배수로 나눈 것은 또한 『대대예기』와 『자화자』의 말에 근본을 둔 것 같다. 그러나 이제 「홍범」으로 고찰해보면, 대개 1·2·3으로 시작하여 4·5·6으로 가운데가 되고 7·8·9로 끝맺어, 각각 하늘의 도를 돕고 중심 되는 극(極 : 표준)을 세우며 백성들의 거처를 조화롭게 하는 것으로 선후의 순서로 삼는다. 일용 음식과 수기·치인의 친근함에서 겹겹이 쌓아 올라가 위와 아래가 함께 유행한 뒤에야 그치는 데까지 모두 이른바 그 이치를 터득하고, 점과 획의 방위에 누추하게 얽매여 엄밀한 합치를 추구하지 않는 것이다.

大抵『易』卦以八爲節, 其根起於兩儀也; 「範」疇以九爲節, 其根起於三才也. 知『易』·「範」所起之根, 則知「圖」·「書」所蘊之妙矣.

대개 『역』의 괘는 8을 단위로 하고 그 뿌리는 양의(兩儀)에서 일어나며, 「홍범」의 9주는 9를 단위로 하고 그 뿌리는 삼재(三才)에서 일어난다. 『역』과 「홍범」이 일어나는 뿌리를 알면 「하도」와 「낙서」가 온축하고 있는 오묘함을 알 것이다.

[계몽 1-2-7]

曰 : "「洛書」而虛其中, 則亦太極也. 奇偶各居二十, 則亦兩儀也. 一·二·三·四而含九·八·七·六, 縱橫十五而互爲七八·九六, 則亦四象也. 四方之正以爲乾·坤·離·坎, 四隅之偏以爲兌·震·巽·艮, 則亦八卦也. 「河圖」之一·六爲水, 二·七爲火, 三·八爲木, 四·九爲金, 五十爲土, 則固「洪範」之五行, 而五十有五者, 又九疇之子目也. 是則「洛書」固可以爲『易』, 而「河圖」亦可以爲「範」矣. 且又安知「圖」之不爲「書」, 「書」之不爲「圖」也耶!"

말했다. "「낙서」에서 그 중앙을 비우면 또한 태극이다. 홀수와 짝수가 각각 20씩 자리 잡으면 또한 양의(兩儀)이다. 1·2·3·4가 9·8·7·6을 함유하고 가로 세로로 합계 15가 서로 7·8과 9·6이 되면 또한 4상(四象)이다. 4개의 정방위를 건·곤·리·감으로 하고 4개의 치우친 모퉁이를 태·진·손·간으로 하면 또한 8괘(八卦)이다. 「하도」에서 1·6이 수(水)가 되고, 2·7이 화(火)가 되며, 3·8이 목(木)이 되고, 4·9가 금(金)이 되며, 5·10이 토(土)가 되면 본디 「홍범」의 5행이고, (그 합계인) 55는 또 9주(九疇)의 세목이다. 이렇다면 「낙서」는 본디 『역』이 될 수 있고, 「하도」 또한 「홍범」이 될 수 있다. 그러니 어찌 「하도」는 「낙서」가 되지 않고 「낙서」는 「하도」가 되지 않는다고 여기겠는가!"

曰 : "是其時雖有先後, 數有多寡, 然其爲理則一而已. 但『易』乃伏羲之所先得乎「圖」, 而初無所待於「書」, 「範」則大禹之所獨得乎「書」, 而未必追考於「圖」耳. 且以「河圖」而虛十, 則「洛書」四十有五之數也; 虛五, 則大衍五十之數也. 積

五與十, 則「洛書」縱橫十五之數也, 以五乘十, 以十乘五, 則又皆大衍之數也. 「洛書」之五, 又自含五而得十而通爲大衍之數矣. 積五與十, 則得十五而通爲「河圖」之數矣. 苟明乎此, 則橫斜曲直無所不通, 而「河圖」·「洛書」又豈有先後彼此之間哉!"

말했다. "「하도」가 복희 때 나오고 「낙서」가 우임금 때 나온 것이 비록 선후가 있고 수에 많고 적음이 있지만, 그 이치는 하나일 따름이다. 단지 『역』은 복희가 「하도」에서 먼저 터득한 것이니 애초에 「낙서」를 기다릴 것이 없으며, 「홍범」은 우임금이 「낙서」에서 홀로 터득한 것이니 꼭 「하도」를 거슬러 상고할 필요가 없었을 뿐이다. 또한 「하도」의 수 55에서 10을 비우면 「낙서」의 수 45이고, 5를 비우면 대연(大衍)의 수 50이다. 5와 10을 누적하면 「낙서」의 가로세로의 합계인 15이고, 5를 10에 곱하거나 10을 5에 곱하면 또한 모두 대연의 수(50)이다. 「낙서」의 5는 또 본래 5를 함유하여 10을 얻으니, 통틀어서 대연의 수가 된다. 5와 10을 누적하면 15를 얻으니, 통틀어서 「하도」의 수가 된다. 진실로 이것을 분명히 알 수 있으면 가로로 보거나 비스듬히 보거나, 굽게 보거나 바르게 보아도 통하지 않는 것이 없으니, 「하도」와 「낙서」가 또 어찌 선후와 피차의 다름이 있겠는가!"

제2장 원괘획原卦畫

괘와 획의 근원을 추구함

● 朱子答袁樞曰 : “伏羲之『易』, 初無文字, 只有一圖以寓其象·數, 而天地萬物之理, 陰陽始終之變具焉. 文王之『易』, 卽今之『周易』, 而孔子所爲作「傳」者是也. 孔子旣因文王之『易』以作「傳」, 則其所論, 固當專以文王之『易』爲主. 然不推本伏羲作『易』畫卦之所由, 則學者只從中半說起,[1] 不識向上根原矣, 故十翼之中, 如‘八卦成列’·‘因而重之’, 太極·兩儀·四象·八卦, 而天·地·山·澤·雷·風·水·火之類, 皆本伏羲畫卦之意. 今新書「原卦畫」一篇, 亦分兩義, 伏羲在前, 文王在後.[2]

주자가 원추(袁樞 : 주자 문인)에게 답하여 말했다. “복희씨의 『역』은 애초에 문자가 없었고 다만 하나의 도(圖)로서 그 상(象)과 수(數)를 담았는데, 천지만물의 이치와 음양이 시작하고 끝나는 변화가 갖추어졌다. 문왕의 『역』은 바로 지금의 『주역』이니 공자가 「전(傳)」을 지은 것이 이것이다. 공자가 이미 문왕의 『역』을 따라 「전(傳)」을 지었다면, 공자가 논한 것은 오로지 문왕의 『역』을 위주로

1) 學者只從中半說起 : 주희, 『주문공문집』 권38, 「답원기중(答袁機仲)」에는 “學者必將誤認文王所演之『易』便爲伏羲始畫之易, 只從中半說起[배우는 사람들은 반드시 문왕이 연역한 『역』이 곧 복희씨가 처음 획을 그은 역이라고 오인하여, 다만 중간에서부터 말하기 시작할 뿐]”이라고 되어 있다.

2) 주희, 『주문공문집』 권38, 「답원기중(答袁機仲)」.

해야 마땅하다. 그러나 복희씨가 『역』을 지으면서 괘를 그은 유래를 근본에서 추구하지 않으면, 배우는 사람들은 다만 중간에서 말하기 시작할 뿐 위로 그 근원에 대해서는 알지 못할 것이다. 그러므로 십익(十翼) 가운데 예컨대 ([계사하 1-1]에서) '8괘가 열(列)을 이루니 상(象)이 그 가운데 있고, 그것을 따라 거듭하니 효(爻)가 그 가운데 있다'라고 하여 태극·양의·4상·8괘가 되고, 하늘·땅·산·연못·우레·바람·물·불이 되는 따위와 같은 것은 모두 복희씨가 괘를 그은 뜻에 뿌리를 둔 것이다. 이제 새로 「원괘획(原卦畫)」편을 쓴 것도 또한 두 가지 의미를 나누었으니, 복희씨가 앞에 있고 문왕이 뒤에 있다."

[계몽 2-1]

古者包羲氏之王天下也, 仰則觀象於天, 俯則觀法於地, 觀鳥獸之文, 與地之宜, 近取諸身, 遠取諸物. 於是始作八卦, 以通神明之德, 以類萬物之情.[1]

옛날 복희씨가 천하를 다스릴 때 우러러보아 하늘에서 형상을 살피고, 굽어보아 땅에서 법칙을 살폈으며, 날짐승과 길짐승의 문양과 지세에 맞는 것들을 살폈으며, 가까이는 (자신의) 몸에서 찾아 얻고 멀리는 만물에서 찾아 얻었다. 이에 비로소 8괘를 지어 신명한 덕을 통달하고, 만물의 실정을 분류하였다.

1) 『역』「계사하」 제2장.

[계몽 2-2]

> 易有太極, 是生兩儀, 兩儀生四象, 四象生八卦.[2)]
> 역에는 태극이 있으니, 이것이 양의를 낳고, 양의는 4상을 낳으며, 4상은 8괘를 낳는다.

[계몽 2-2-1]

「大傳」又言包義畫卦所取如此, 則『易』非獨以「河圖」而作也. 蓋盈天地之間, 莫非太極·陰陽之妙, 聖人於此, 仰觀俯察, 遠求近取, 固有以超然而默契於其心矣. 故自兩儀之未分也, 渾然太極, 而兩儀·四象·六十四卦之理已粲然於其中. 自太極而分兩儀, 則太極固太極也, 兩儀固兩儀也. 自兩儀而分四象, 則兩儀又爲太極, 而四象又爲兩儀矣.

「계사전」에서 또 복희가 괘를 그을 때 찾아서 얻은 것이 이와 같다고 말했으니, 『역』은 단지 「하도」에만 근거해서 지은 것이 아니다. 천지 사이에 가득 찬 것이 태극과 음·양의 오묘함 아닌 것이 없는데, 성인은 여기에서 우러러보고 굽어 살피며 멀리에서 구하고 가까이에서 찾아 얻을 때, 본래 초연히 그 마음에 묵묵히 깨달은 것이 있었다. 그러므로 양의(兩儀)가 아직 나뉘지 않았을 때는 혼연히 태극이지만, 양의와 4상과 64괘의 리가 이미 그 가운데 또렷하다. 태

2) 『역』「계사상」 제12장.

극으로부터 양의가 나뉘면 태극은 본디 태극이고 양의는 본디 양의이다. 양의로부터 4상이 나뉘면 양의는 또 태극이 되고, 4상은 또 양의가 된다.

自是而推之, 由四而八, 由八而十六, 由十六而三十二, 由三十二而六十四, 以至於百·千·萬·億之無窮, 雖其見於摹畫者, 若有先後而出於人爲, 然其已定之形, 已成之勢, 則固已具於渾然之中, 而不容毫髮思慮作爲於其間也.

이로부터 미루어 나가 4에서 8이 되고, 8에서 16이 되며, 16에서 32가 되고, 32에서 64가 되어 백·천·만·억의 끝없는 수에 이르니, 비록 모사한 획에 나타난 것이 선후가 있어 인위에서 나온 것 같지만, 이미 정해진 형체와 이미 이루어진 추세는 본래 이미 혼연한 가운데 갖추어졌으니, 그 사이에 털끝만한 사려와 작위도 용납하지 않는다.

程子所謂'加一倍法'者, 可謂一言以蔽之, 而邵子所謂'畫前有易'者, 又可見其眞不妄矣. 世儒於此或不之察, 往往以爲聖人作『易』, 蓋極其心思探索之巧而得之. 甚者至謂凡卦之畫, 必由蓍而後得, 其誤益以甚矣.

정자(程子 : 程顥)의 이른바 '배로 늘려가는 방법[加一倍法]'[3]이라는 것은 한 마디 말로 이를 포괄하였고, 소자(邵子 : 邵雍)의 이른바 '획을 긋기 전에 역(易)이 있었다'[4]는 또 그것이 진정 함부로 한 것

3) 배로 늘려가는 방법[加一倍法] : 정호·정이, 『하남정씨외서』 권12.

이 아님을 알 수 있다. 세상의 학자들이 간혹 이 점을 살피지 못하고, 종종 성인이 『역』을 지은 것은 그 심사숙고하는 빼어난 능력을 끝까지 발휘하여 그렇게 할 수 있었다고 여긴다. 심한 사람은 괘의 획이 반드시 점을 친 뒤에 얻은 것이라고까지 하니, 그 오해는 더욱 심각하다.

集說

● 謝氏良佐曰 : "堯夫易數甚精, 明道聞說甚熟. 一日因監試無事, 以其說推算之皆合. 出謂堯夫曰, '堯夫之數, 只是加一倍法, 以此知『太玄』都不濟事.'"[5]

사량좌(謝良佐)가 말했다. "요부(堯夫 : 邵雍)의 역수(易數)는 매우 정밀하고, 명도(明道 : 程顥)가 그 이론을 들은 것은 매우 익숙했다. 어느 날 시험감독 직무에 별다른 일이 없기에 소옹의 이론으로 그것을 미루어 계산해 보니 모두 부합했다. 나와서 요부를 일러 '요부의 수는 다만 「배로 늘려가는 방법[加一倍法]」[6]일 뿐이니, 이것으로 양웅(揚雄)의 『태현경』이 전혀 쓸모없다는 것을 알았다'라고 말했다."

● 朱子答虞大中曰 : "太極 · 兩儀 · 四象 · 八卦, 此乃『易』學綱領, 開卷第一義, 孔子發明伏羲畫卦自然之形體. 孔子而後, 千載不

4) 획을 긋기 전에 역(易)이 있었다 : 소옹, 『황극경세서』「관물외편」.
5) 사량좌(謝良佐), 『상채어록(上蔡語錄)』 권3.
6) 배로 늘려가는 방법[加一倍法] : 정호 · 정이, 『하남정씨외서』 권12.

傳, 惟康節·明道二先生知之. 蓋康節始傳先天之學而得其說, 且以此爲伏羲之『易』也. 「說卦」天地定位一章, 「先天圖」乾一至坤八之序, 皆本於此. 然康節猶不肯大段說破. 『易』之心髓, 全在此處, 不敢容易輕說, 其意非偶然也. 明道以爲加一倍法, 其發明孔子之言又可謂最切要矣."[7]

주자가 우대중(虞大中 : 주자 문인)에게 답하여 말했다. "태극·양의·4상·8괘는 『역』을 배우는 강령이고 책에서 가장 중요한 의미이니, 공자는 복희가 괘를 그은 것이 저절로 그러한 형체라는 것을 드

7) 이 글은 다음의 글들에서 모아 편집한 것이다. 『주문공문집』 권37, 「여곽충회(與郭沖晦)」에서, "'『易』有太極, 是生兩儀, 兩儀生四象, 四象生八卦.' 熹竊謂此一節乃孔子發明伏羲畫卦自然之形體次第, 最爲切要. 古今說者惟康節·明道二先生爲能知之. 故康節之言曰, '一分爲二, 二分爲四, 四分爲八, 八分爲十六, 十六分爲三十二, 三十二分爲六十四, 猶根之有幹, 幹之有枝, 愈大則愈小, 愈細則愈繁.' 而明道先生以爲加一倍法, 其發明孔子之言又可謂最切要矣."라고 한 것과 『주문공문집』 권38, 「답원기중(答袁機仲)」에서, "孔子而後, 千載不傳, 至康節先生始得其說. 然猶不肯大段說破, 蓋『易』之心髓全在此處, 不敢容易輕說, 其意非偶然也."라고 한 것, 그리고 『주문공문집』 권45, 「답우사붕(答虞士朋)」에서, "'『易』有太極, 是生兩儀'者, 一理之判, 始生一奇一偶, 而爲一畫者二也. '兩儀生四象'者, 兩儀之上, 各生一奇一偶, 而爲二畫者四也. '四象生八卦'者, 四象之上, 各生一奇一偶, 而爲三畫者八也. 爻之所以有奇有偶, 卦之所以三畫而成者, 以此而已. 是皆自然流出, 不假安排. 聖人又已分明說破, 亦不待更著言語, 別立議論而後明也. 此乃易學綱領, 開卷第一義, 然古今未見有識之者. 至康節先生, 始傳先天之學而得其說, 且以此爲伏羲氏之易也. 「說卦」'天地定位'一章, 「先天圖」乾一·兌二·離三·震四·巽五·坎六·艮七·坤八之序, 皆本於此. 若自八卦之上, 又放此而生之, 至於六畫, 則八卦相重而成六十四卦矣."라고 말한 것이다.

러내 밝혔다. 공자 이후 천년동안 전해지지 않다가, 오직 강절(康節 : 邵雍)과 명도(明道 : 程顥) 두 선생이 그것을 알았다. 강절이 처음 '선천의 학문[先天之學]'을 전수하면서 그 이론을 터득하고, 이를 복희의 '역'이라고 하였다. 『역』「설괘전」(3장)의 '하늘과 땅이 자리를 정했다.[天地定位]'는 장(章)과 「선천도」의 건1에서 곤8까지의 순서는 모두 이에 근본을 두고 있다. 그러나 강절은 오히려 (그것을) 거창하게 설파하려 하지 않았다. 『역』의 핵심이 전부 이곳에 있기 때문에 쉽사리 가볍게 설명할 수 없었으니, 그 의도가 우연이 아닐 것이다. 명도는 '배로 늘려가는 방법[加一倍法]'이라고 하였으니, 공자의 말을 밝힌 것이 또 가장 적절하다고 할 수 있을 것이다."

태극(太極)

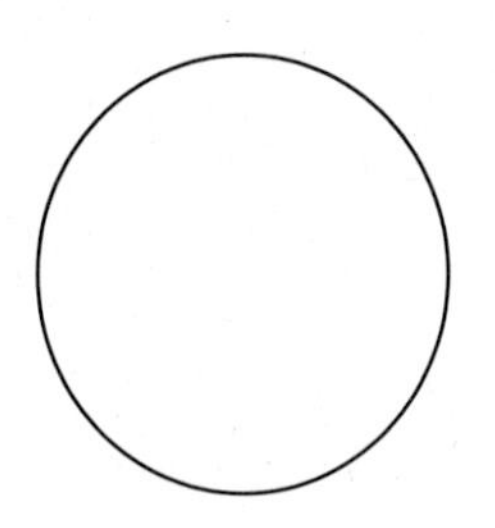

易有太極.

역에 태극이 있다.

[계몽 2-2-2]

太極者, 象數未形而其理已具之稱, 形器已具而其理无朕之目, 在「河圖」·「洛書」, 皆虛中之象也. 周子曰, '无極而太極', 邵子曰, '道爲太極', 又曰, '心爲太極', 此之謂也.

태극은 상(象)과 수(數)가 아직 나타나지 않았지만 그 리(理)가 이미 갖추어진 것을 말하고, 형(形)과 기(器)가 이미 갖추어졌지만 그 리가 조짐이 없는 것을 가리키니, 「하도」와 「낙서」에서는 모두 중앙을 비운 모습이다. 주자(周子 : 周惇頤)가 '무극이면서 태극이다'[8)]

8) 무극이면서 태극이다 : 주돈이, 『태극도설』.

라고 하였으며, 소자(邵子 : 邵雍)가 '도가 태극이다'[9]라고 하고 또 '마음이 태극이다'[10]라고 한 것이 이를 말한다.

案

太極之在『易』書者雖無形, 然乾卽太極也. 偏言之, 則可以與坤對, 亦可以與六子並列; 專言之, 則地一天也, 六子亦一天也. 故程子曰, '夫天, 專言之則道也, 以形體言謂之天, 以主宰言謂之帝,[11] 以妙用言謂之神, 以性情言謂之乾.' 其言可謂至矣. 雖然, 畫卦之初, 亦未有乾之名, 其始於一畫者, 卽是也. 摹作圓形者, 始自周子, 朱子蓋借之以發易理之宗. 學者不可誤謂伏羲畫卦, 眞有是象也.

『역』에서 태극은 비록 형체가 없지만 건(乾)이 곧 태극이다. 한편으로 말하면 곤(坤)과 짝이 될 수 있고, 또한 여섯 자식과 병렬할 수도 있으며, 전체적으로 말하면 땅도 하나의 하늘이고 여섯 자식도 또한 하나의 하늘이다. 그러므로 정자(程子 : 程頤)는 '형체로 말하면 하늘이라 하고, 주재(主宰)로 말하면 제(帝)라 하며, 오묘한 작용으로 말하면 신(神)이라 하고, 성정(性情)으로 말하면 건(乾)이라고 한다'[12]라고 했다. 그 말은 지극하다고 할 수 있을 것이다. 비

9) 도가 태극이다 : 소옹, 『황극경세서』 권14, 「관물외편(觀物外篇)」 하.
10) 마음이 태극이다 : 소옹, 『황극경세서』 권14, 「관물외편(觀物外篇)」 하.
11) 以主宰言謂之帝 : 정이(程頤), 『이천역전(伊川易傳)』 권1에는 이 구절 뒤에 "以功用謂之鬼神[공용으로 말하면 귀신이라고 하며]"라는 말이 더 있다.
12) 형체로 말하면 하늘이라 하고…성정(性情)으로 말하면 건(乾)이라고 한다 : 정이(程頤), 『이천역전(伊川易傳)』 권1.

록 그러하지만, 애초에 괘를 그을 때는 또한 건(乾)이라는 명칭이 없었을 것이니, 그 하나의 획에서 시작한 것이 바로 이것이다. 그것을 원형으로 그린 사람은 주자(周子 : 周敦頤)에서 비롯되었고, 주자(朱子 : 朱熹)는 그것을 빌어 역의 이치의 근간으로 발휘하였다. 배우는 사람들은 복희씨가 괘를 그은 것에 참으로 이러한 모습이 있었다고 오해해서는 안 된다.

양의(兩儀)

양의(陽儀)	음의(陰儀)
━━	━ ━

是生兩儀
이것이 양의를 낳는다.

[계몽 2-2-3]

太極之判, 始生一奇一偶, 而爲一畫者二, 是爲兩儀. 其數則陽一而陰二. 在「河圖」·「洛書」, 則奇偶是也. 周子所謂"太極動而生陽, 動極而靜, 靜而生陰, 靜極復動, 一動一靜互爲其根, 分陰分陽, 兩儀立焉," 邵子所謂'一分爲二'者, 皆謂此也.

태극이 나뉨에 비로소 하나의 홀(⚊)과 하나의 짝(⚋)을 낳아서 한 획이 되는 것이 2개이니, 이것이 양의이다. 그 수는 양이 1이고 음이 2이다. 「하도」와 「낙서」에서 홀수와 짝수라고 한 것이 이것이다. 주자(周子 : 周惇頤)가 이른바 "태극이 움직여 양을 낳고, 움직임이 극단에 이르면 고요해진다. 고요하여 음을 낳고, 고요함이 극단에 이르면 다시 움직인다. 한 번 움직이고 한 번 고요함이 서로 그 뿌리가 된다. 음으로 나뉘고 양으로 나뉘어 양의(兩儀)가 정립된다."[13]는 것과 소자(邵子 : 邵雍)가 이른바 '1이 나뉘어 2가 된다.'[14]는 것이 모두 이것을 말한다.

集說

● 朱子答袁樞曰："如所論兩儀, 有曰, '乾之畫奇, 坤之畫偶', 只此'乾·坤'字便未穩當. 蓋儀, 匹也, 如俗語所謂'一雙'·'一對'云耳. 自此再變至第三畫, 八卦已成, 方有乾·坤之名. 當其爲一畫之時, 方有一奇一偶, 只可謂之陰·陽, 未得謂之乾·坤也."[15]

주자가 원추(袁樞)에게 답하여 말했다. "(그대가) 양의(兩儀)를 논의하면서 '건의 획은 홀수이고 곤의 획은 짝수'라고 하였으나, 다만 이 '건'과 '곤'이라는 글자가 온당하지 않다. 양의는 짝을 이루는 것이니, 예컨대 속어에서 이른바 '한 쌍'·'한 짝'이라고 하는 것과 같을 뿐이다. 이것으로부터 다시 변하여 제3획에 이르러 8괘가 이루어져야 비로소 건과 곤이라는 명칭이 있게 된다. 한 획이 되었을 때는 이제 막 하나의 홀수와 하나의 짝수가 있게 되니, 다만 음·양이라고 할 수 있을 뿐, 아직 건·곤이라고 할 수 없다."

13) 태극이 움직여 양을 낳고 … 음으로 나뉘고 양으로 나뉘어 양의(兩儀)가 정립된다 : 주돈이, 『태극도설』.
14) 1이 나뉘어 2가 된다 : 소옹, 『황극경세서』 권13, 「관물외편(觀物外篇)」 상.
15) 주희, 『주문공문집』 권38, 「답원기중(答袁機仲)」.

4상(四象)

태양(太陽)1	소음(少陰)2	소양(少陽)3	태음(太陰)4
⚌	⚍	⚎	⚏

兩儀生四象.

양의(兩儀)가 4상을 낳는다.

[계몽 2-2-4]

兩儀之上各生一奇一偶, 而爲二畫者四, 是爲四象. 其位則太陽一, 少陰二, 少陽三, 太陰四. 其數則太陽九, 少陰八, 少陽七, 太陰六. 以「河圖」言之, 則六者, 一而得於五者也. 七者, 二而得於五者也. 八者, 三而得於五者也. 九者, 四而得於五者也. 以「洛書」言之, 則九者, 十分一之餘也. 八者, 十分二之餘也. 七者, 十分三之餘也. 六者, 十分四之餘也. 周子所謂'水·火·木·金', 邵子所謂'二分爲四'者, 皆謂此也.

양의(兩儀)의 위에 각각 하나의 홀(⚊)과 하나의 짝(⚋)을 낳아 두 획이 되는 것이 4개이니, 이것이 4상이 된다. 그 위치는 태양이 1의 자리, 소음이 2의 자리, 소양이 3의 자리, 태음이 4의 자리이다. 그 수는 태양이 9, 소음이 8, 소양이 7, 태음이 6이다. 「하도」로 말하면, 6은 1이 5를 얻은 것이고, 7은 2가 5를 얻은 것이며, 8은 3이

5를 얻은 것이고, 9는 4가 5를 얻은 것이다. 「낙서」로 말하면, 9는 10에서 1을 분할한 나머지이고, 8은 10에서 2를 분할한 나머지이며, 7은 10에서 3을 분할한 나머지이고, 6은 10에서 4를 분할한 나머지이다. 주자(周子 : 周惇頤)가 이른바 '수·화·목·금'[16]이라는 것과 소자(邵子 : 邵雍)가 이른바 '2가 나뉘어 4가 된다.'[17]는 것이 모두 이를 말한다.

集說

● 朱子答程逈曰 : "所謂兩儀爲乾·坤初爻, 四象爲乾·坤初二相錯而成, 則恐立言有未瑩者. 蓋方其兩儀, 則未有四象也, 方其爲四象, 則未有八卦也, 安得先有乾·坤之名, 初二之辨哉? 兩儀只可謂之陰陽, 四象方有太·少之別, 其序以太陽·少陰·少陽·太陰爲次. 此序旣定, 遞升而倍之, 適得乾一·兌二·離三·震四·巽五·坎六·艮七·坤八之序也."[18]

주자가 정형(程逈)에게 답하여 말했다. "(그대가) 이른바 양의(兩儀)는 건·곤의 초효(初爻)이고 4상은 건·곤의 초효와 2효가 서로 뒤섞여 이루어졌다고 한 것은, 그 주장이 분명하지 못한 듯하다. 이제 막 양의(兩儀)일 때는 아직 4상이 있지 않고 이제 막 4상일 때는 아직 8괘가 있지 않은데, 어찌 먼저 건·곤이라는 명칭과 초효·2효라는 분별이 있을 수 있겠는가? 양의는 다만 음과 양이라고 할 수 있으며, 4상이 되어서야 비로소 태(太)와 소(少)의 구별이 있

16) 주돈이, 『태극도설』.
17) 2가 나뉘어 4가 된다 : 소옹, 『황극경세서』 권13, 「관물외편(觀物外篇)」 상.
18) 주희, 『주문공문집』 권37, 「답정가구(答程可久)」.

게 되고 그 순서는 태양·소음·소양·태음의 차례이다. 이 순서가 이미 정해지고 나서 교대로 올라가 배가(倍加)하여 꼭 맞게 건1·태2·리3·진4·손5·감6·간7·곤8의 순서를 얻는다."

● 又答袁樞曰: "四象之名, 所包甚廣. 大抵須以兩畫相重, 四位成列者爲正. 而一·二·三·四者, 其位之次也; 七·八·九·六者, 其數之實也. 其以陰陽·剛柔分之者, 合天地而言也. 其以陰·陽太少分之者, 專以天道而言也. 若專以地道言之, 則剛·柔又自有太少矣. 推而廣之, 縱橫錯綜, 凡是一物無不各有四者之象, 不但此數者而已矣."[19]

(주자가) 또 원추(袁樞)에게 답하여 말했다. "4상의 명칭은 포괄하는 것이 매우 넓다. 대개 반드시 두 획이 서로 겹치고 네 자리가 배열을 이룬 것만이 바른 것이 된다. 1·2·3·4는 그 위치의 순서이고, 7·8·9·6은 그 수의 실제이다. 음·양과 강(剛)·유(柔)로 그것을 나누는 것은 하늘과 땅을 합하여 하는 말이고, 음·양의 태(太)·소(少)로 그것을 나누는 것은 오로지 하늘의 도로 말하는 것이다. 만약 오로지 땅의 도로 말하면, 강(剛)·유(柔)에는 또 본래 태(太)·소(少)가 있다. 그것을 미루어 넓혀가서 가로 세로로 뒤섞으면 그 어떤 것도 각각 네 가지 상을 가지지 않음이 없으니, 이 몇 가지 경우뿐만이 아니다."

● 『語類』云: "『易』中七·八·九·六之數, 向來只從揲蓍處推起, 雖亦脗合, 然終覺曲折太多, 不甚簡易, 疑非所以得數之原. 因看四象次第, 偶得其說, 極爲捷徑.[20]

19) 주희, 『주문공문집』 권38, 「답원기중(答袁機仲)」.

『주자어류』에서 말했다. "『역』가운데 7·8·9·6이라는 숫자는 그동안 단지 산가지를 세는 것에서 추론해 내었는데, 비록 꼭 들어맞았지만 끝내 곡절이 너무 심해 별로 간단명료하지 않다고 느껴, 그 수(數)를 얻는 근원이 아니라고 의심했다. 이에 4상의 순서를 보다가 우연히 그 이론을 터득하니 더없는 지름길이었다.

蓋因一·二·三·四, 便見六·七·八·九. 老陽位一便含九, 少陰位二便含八, 少陽位三便含七, 老陰位四便含六, 數不過十. 惟此一義先儒未曾發. 先儒但說中間進退而已."[21]

대개 1·2·3·4에 따라서 6·7·8·9를 본다. 노양은 1의 자리에 위치하여 9를 머금고, 소음은 2의 자리에 위치하여 8을 머금으며, 소양은 3의 자리에 위치하여 7을 머금고, 노음은 4의 자리에 위치하여 6을 머금으니, 그 수는 10을 넘지 않는다. 오직 이 의미만은 선대 학자들이 아직 드러낸 적이 없었다. 선대 학자들은 다만 중간에서 나아가고 물러나는 것을[22] 말했을 따름이다."

---

20) 『주문공문집』 권44, 「답채계통(答蔡季通)」.

21) 『주자어류』 권65, 31조목에는, "至錄云 : '因一·二·三·四, 便見六·七·八·九在裏面. 老陽占了第一位, 便含箇九, 少陰占第二位, 便含箇八, 少陽占第三位, 便含箇七, 老陰占第四位, 便含箇六, 數不過十. 惟此一義先儒未曾發. 先儒但只說得他中間進退而已.'"라고 되어 있다.

22) 중간에서 나아가고 물러나는 것을 : 이황은 『계몽전의(啓蒙傳疑)』「원괘획(原卦畫)」 제2에서, "중간에서 나아가고 물러난다는 것은, 노양과 노음 간에 손가락 사이에 걸고 끼운 산가지를 계산하는 과정에서 서로 나아가고 물러나서 소양과 소음이 되는 것을 말한다. 그 설명은 명시책(「明蓍策」 : 시초로 점치는 것을 밝힘)편에 있다.[中間進退謂二老之間, 掛扐過揲, 互爲進退, 而爲二少, 說見「明蓍策」篇.]"라고 하였다.

8괘(八卦)

건(乾)1	태(兌)2	리(離)3	진(震)4	손(巽)5	감(坎)6	간(艮)7	곤(坤)8
☰	☱	☲	☳	☴	☵	☶	☷

四象生八卦.

4상은 8괘를 낳는다.

[계몽 2-2-5]

四象之上各生一奇一偶, 而爲三畫者八, 於是三才略具, 而有八卦之名矣. 其位則乾一·兌二·離三·震四·巽五·坎六·艮七·坤八. 在「河圖」, 則乾·坤·離·坎, 分居四實, 兌·震·巽·艮, 分居四虛. 在「洛書」, 則乾·坤·離·坎, 分居四方, 兌·震·巽·艮, 分居四隅. 『周禮』所謂'三『易』經卦皆八', 「大傳」所謂'八卦成列', 邵子所謂'四分爲八'者, 皆指此而言也.

4상의 위에 각각 하나의 홀(━)과 하나의 짝(╍)을 낳아서 세 획이 되는 것이 8개이니, 이에 삼재(三才 : 천·지·인)가 대략 갖추어지고 8괘라는 이름이 있게 된다. 그 위치는 건1·태2·리3·진4·손5·감6·간7·곤8이다.

「하도」에서는 건·곤·리·감이 나뉘어 '네 곳의 실위(實位)'[23]에 자리 잡고, 태·진·손·간이 나뉘어 '네 곳의 허위(虛位)'[24]에 자리 잡는다. 「낙서」에서는 건·곤·리·감이 나뉘어 '네 정방[四方]'에 자리 잡고, 태·진·손·간이 나뉘어 '네 모퉁이[四隅]'에 자리 잡는다. 『주례』에서 이른바 "세 가지 『역』(『연산』·『귀장』·『주역』)의 경괘(經卦)[25]는 모두 여덟이다."[26]라고 한 것과 「계사전」에서 이른바 '8괘가 배열을 이룬다.'[27]라고 한 것, 그리고 소자(邵子 : 邵雍)가 이른바 '4가 나뉘어 8이 된다.'[28]라고 한 것이 모두 이를 가리켜 말한 것이다.

23) 네 곳의 실위(實位) : '네 곳의 수(數)가 채워져 있는 자리[四實]'를 말한다.

24) 네 곳의 허위(虛位) : '네 곳의 수가 없는 빈자리[四虛]'를 말한다.

25) 경괘(經卦) : 『역』의 기본이 되는 괘를 말한다.

26) 세 가지 『역』(『연산』·『귀장』·『주역』)의 경괘(經卦)는 모두 여덟이다 : 『주례(周禮)』「춘관 종백(春官宗伯)」 제3, 「태복(太卜)」.

27) 8괘가 배열을 이룬다 : 『역』「계사하」 제1장.

28) 4가 나뉘어 8이 된다 : 소옹, 『황극경세서』 권13, 「관물외편(觀物外篇)」 상.

16괘(十六卦)

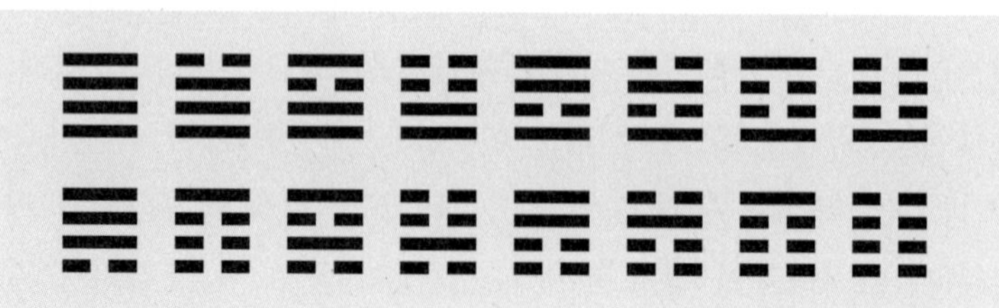

[계몽 2-2-6]

八卦之上各生一奇一偶, 而爲四畫者十六, 於『經』无見. 邵子所謂八分爲十六者, 是也. 又爲兩儀之上各加八卦, 又爲八卦之上各加兩儀也.

8괘의 위에 각각 하나의 홀(⚊)과 하나의 짝(⚋)을 낳아서 네 획이 되는 것이 16개인데, 『경』에는 보이지 않는다. 소자(邵子 : 邵雍)가 이른바 '8이 나눠어 16이 된다.'[29]라고 한 것이 이것이다. (이는) 또한 양의(兩儀)의 위에 각각 8괘를 더한 것이고, 또한 8괘의 위에 각각 양의를 더한 것이다.

案

四畫十六者, 爲八卦之上, 各加兩儀, 又爲四象之上, 各加四象也. 於『經』雖無見, 然及六十四卦旣成之後, 以其自二至五, 四爻互之, 或自初至四, 或自三至上, 或自四而又至初, 或自五而

29) 8이 나눠어 16이 된다 : 소옹, 『황극경세서』 권13, 「관물외편(觀物外篇)」 상.

又至二, 或自上而又至三, 錯綜顚倒互之, 皆得乾·坤·旣濟·未濟·剝·復·姤·夬·漸·歸妹·大過·頤·解·蹇·睽·家人諸卦, 適合十六之數, 孔子於「雜卦」發其端矣. 漢儒互卦之說, 蓋本諸此也. 邵子詩云, '四象相交, 成十六事', 卽以此四畫者, 爲四象相交者爾. 學者誤以上文天地否·泰十六卦當之, 失其指矣.

4개의 획을 지닌 16개의 괘는 8괘의 위에 각각 양의(兩儀)를 더한 것과 또 4상의 위에 각각 4상을 더한 것이다. 『경』에는 보이지 않지만 64개의 괘가 이미 이루어진 뒤에 그 제2효에서 제5효에 이르기까지 4개 효를 호괘(互卦)로 하여 혹은 초효에서 제4효에 이르기까지, 혹은 제3효에서 상효에 이르기까지, 혹은 제4효에서 또 초효에 이르기까지, 혹은 제5효에서 또 제2효에 이르기까지, 혹은 상효에서 또 제3효에 이르기까지 뒤섞고 뒤바뀌면서 호괘가 된 것이 모두 건(乾)괘·곤(坤)괘·기제(旣濟)괘·미제(未濟)괘·박(剝)괘·복(復)괘·구(姤)괘·쾌(夬)괘·점(漸)괘·귀매(歸妹)괘·대과(大過)괘·이(頤)괘·해(解)괘·건(蹇)괘·규(睽)괘·가인(家人)괘 등을 얻어 16개로 부합하니, 공자가 「잡괘전」에서 그 단서를 열었다. 한(漢)대 학자들의 호괘 이론은 대개 여기에 근본을 둔다. 소자(邵子 : 邵雍)의 시(詩)에서 '4상이 서로 교류하여 16개의 일을 이룬다'[30]라고 한 것은 곧 이 4개의 획으로 된 것을 4상이 서로 교류한 것으로 여겼을 뿐이다. 배우는 사람들이 잘못하여 윗글의 천지 비(否)괘와 태(泰)괘의 16개 괘를 거기에 해당시키는 데, 이는 그 취지를 잃은 것이다.

30) 4상이 서로 교류하여 16개의 일을 이룬다 : 소옹, 『격양집(擊壤集)』 권17.

32괘(三十二卦)

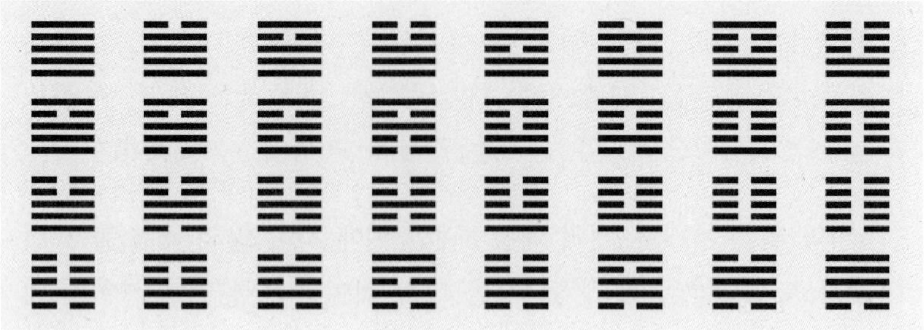

[계몽 2-2-7]

四畫之上各生一奇一偶, 而爲五畫者三十二. 邵子所謂十六分爲三十二者, 是也. 又爲四象之上各加八卦, 又爲八卦之上各加四象也.

네 획의 위에 각각 하나의 홀(⚊)과 하나의 짝(⚋)을 낳아서 다섯 획이 되는 것이 32개이다. 소자(邵子 : 邵雍)가 이른바 '16이 나뉘어 32가 된다.'[31]라고 한 것이 이것이다. 또한 4상의 위에 각각 8괘를 더한 것이고, 또한 8괘의 위에 각각 4상을 더한 것이다.

案

五畫三十二者, 自初至三, 可互一卦, 自三至五, 又可互一卦. 六十四卦旣成之後, 依此法錯綜顚倒互之, 則得復·姤·頤·大過·

31) 16이 나뉘어 32가 된다 : 소옹, 『황극경세서』 권13, 「관물외편(觀物外篇)」 상.

屯·鼎·恒·益·豐·渙·坎·離·蒙·革·同人·師·臨·遯·咸·損·節·旅·中孚·小過·大壯·觀·大有·比·夬·剝·乾·坤諸卦, 亦適合三十二之數. 先儒亦有以是說互卦者, 如損·益皆互頤, 頤象離爲龜, 故損·益二五言'十朋之龜'之類.

5개의 획을 지닌 32개의 괘는 초효에서 제3효에 이르기까지가 하나의 호괘가 될 수 있고, 제3효에서 제5효에 이르기까지도 또 하나의 호괘가 될 수 있다. 64개의 괘가 이미 이루어진 뒤에 이 방법에 의거하여 뒤섞고 뒤바뀌면서 호괘가 된 것이 곧 복(復)괘·구(姤)괘·이(頤)괘·대과(大過)괘·준(屯)괘·정(鼎)괘·항(恒)괘·익(益)괘·풍(豐)괘·환(渙)괘·감(坎)괘·리(離)괘·몽(蒙)괘·혁(革)괘·동인(同人)괘·사(師)괘·임(臨)괘·둔(遯)괘·함(咸)괘·손(損)괘·절(節)괘·여(旅)괘·중부(中孚)괘·소과(小過)괘·대장(大壯)괘·관(觀)괘·대유(大有)괘·비(比)괘·쾌(夬)괘·박(剝)괘·건(乾)괘·곤(坤)괘 등을 얻어 또한 32개로 부합한다. 선대 학자들이 또한 이것으로 호괘를 말하는 자가 있으니, 예컨대 손(損䷨)괘와 익(益䷩)괘는 모두 이(頤䷚)괘를 호괘로 하는데, 이괘는 리(離☲)를 상징하여 거북이 되기 때문에 손괘 육오효 효사와 익괘 육이효 효사에서 '열 명의 친구와 같은 보배로운 거북'이라고 말한 것과 같은 따위이다.

64괘(六十四卦)

		天	☰	澤	☱	火	☲	雷	☳	風	☴	水	☵	山	☶	地	☷
天	☰	䷀	乾	䷉	履	䷌	同人	䷘	無妄	䷫	姤	䷅	訟	䷠	遯	䷋	否
澤	☱	䷪	夬	䷹	兌	䷰	革	䷐	隨	䷛	大過	䷮	困	䷞	咸	䷬	萃
火	☲	䷍	大有	䷥	睽	䷝	離	䷔	噬嗑	䷱	鼎	䷿	未濟	䷷	旅	䷢	晋
雷	☳	䷡	大壯	䷵	歸妹	䷶	豊	䷲	震	䷟	恒	䷧	解	䷽	小過	䷏	豫
風	☴	䷈	小畜	䷼	中孚	䷤	家人	䷩	益	䷸	巽	䷺	渙	䷴	漸	䷓	觀
水	☵	䷄	需	䷻	節	䷾	既濟	䷂	屯	䷯	井	䷜	坎	䷦	蹇	䷇	比
山	☶	䷙	大畜	䷨	損	䷕	賁	䷚	頤	䷑	蠱	䷃	蒙	䷳	艮	䷖	剝
地	☷	䷊	泰	䷒	臨	䷣	明夷	䷗	復	䷭	升	䷆	師	䷎	謙	䷁	坤

[계몽 2-2-8]

五畫之上各生一奇一偶，而爲六畫者六十四，則兼三才而兩之，而八卦之乘八卦亦周．於是六十四卦之名立而『易』道大成矣．
『周禮』所謂三『易』之別皆六十有四，「大傳」所謂‘因而重之爻在其中矣’，邵子所謂‘三十二分爲六十四’者，是也．

다섯 획의 위에 각각 하나의 홀(⚊)과 하나의 짝(⚋)을 낳아서 여섯 획이 되는 것이 64개이니, 삼재를 포함하여 두 개씩 하고[32] 8괘가

8괘를 탄 것도 두루 다했다. 이에 64괘의 명칭이 세워지고 『역』의 도가 크게 이루어졌다.

『주례』의 이른바 세 가지 『역』(『연산』·『귀장』·『주역』)의 별괘(別卦)[33]는 모두 64개라고 한 것[34]과 「대전」에서 이른바 "(8괘를) 이어 그것을 중첩하니, (6)효라고 하는 것이 그 가운데 있다"[35]라고 한 것, 그리고 소자(邵子 : 邵雍)가 이른바 '32가 나뉘어 64가 된다'[36]라고 한 것이 이것이다.

若於其上各卦又生一奇一偶, 則爲七畫者百二十八矣; 七畫之上又各生一奇一偶, 則爲八畫者二百五十六矣; 八畫之上又各生一奇一偶, 則爲九畫者五百十二矣; 九畫之上又各生一奇一偶, 則爲十畫者千二十四矣; 十畫之上又各生一奇一偶, 則爲十一畫者二千四十八矣; 十一畫之上又各生一奇一偶, 則爲十二畫者四千九十六矣. 此焦貢『易林』變卦之數, 蓋

32) 삼재를 포함하여 두 개씩 하고 : 『역』「계사하」 제10장에서, "『역(易)』이라는 책은 광대하여 모두 구비해서 천도(天道)가 있고 인도(人道)가 있고 지도(地道)가 있으니, 삼재(三才)를 겸하여 두 번 하였다. 그러므로 육(六)이니, 육(六)은 다름이 아니라 삼재(三才)의 도(道)이다.[『易』之爲書也, 廣大悉備, 有天道焉, 有人道焉, 有地道焉. 兼三才而兩之, 故六]"라고 하였다.

33) 별괘(別卦) : 겹친 괘의 수를 말한다.(『주례(周禮)』 가공언(賈公彦) 소 : 別者, 重之數.)

34) 『주례』의 이른바 세 가지 『역』(『연산』·『귀장』·『주역』)의 별괘(別卦)는 모두 64개라고 한 것 : 『주례』「춘관 종백(春官宗伯)」 제3, 태복(太卜)」.

35) (8괘를) 이어서 그것을 중첩하니, (6)효라고 하는 것이 그 가운데 있다 : 『역』「계사하」 제1장.

36) 32가 나뉘어 64가 된다 : 소옹, 『황극경세서』 권13, 「관물외편(觀物外篇)」 상.

以六十四乘六十四也.

今不復爲圖於此而畧見第四篇中. 若自十二畫上又各生一奇一偶, 累至二十四畫, 則成千六百七十七萬七千二百一十六變. 以四千九十六自相乘, 其數亦與此合. 引而伸之, 蓋未知其所終極也. 雖未見其用處, 然亦足以見『易』道之無窮矣.

만약 그 위에 각각의 괘가 또 각각 하나의 홀(⚊)과 하나의 짝(⚋)을 낳으면 일곱 획이 되는 것이 128개이고, 일곱 획 위에 또 각각 하나의 홀(⚊)과 하나의 짝(⚋)을 낳으면 여덟 획이 되는 것이 256개이며, 여덟 획 위에 또 각각 하나의 홀(⚊)과 하나의 짝(⚋)을 낳으면 아홉 획이 되는 것이 512개이고, 아홉 획 위에 또 각각 하나의 홀(⚊)과 하나의 짝(⚋)을 낳으면 열 획이 되는 것이 1,024개이며, 열 획 위에 또 각각 하나의 홀(⚊)과 하나의 짝(⚋)을 낳으면 열 한 획이 되는 것이 2,048개이고, 열 한 획 위에 또 각각 하나의 홀(⚊)과 하나의 짝(⚋)을 낳으면 열 두 획이 되는 것이 4,096개이다. 이것이 초공(焦貢)[37]이 지은 『역림(易林)』의 변괘(變卦)의 수이니, 64에 64를 곱한 것이다.

지금 여기에 다시 그림을 그리지는 않겠지만 제4편(「考變占」: 변효로 점치는 것을 살핌)에서 대략 설명할 것이다. 만약 열 두 획 위로부터 또 각각 하나의 홀(⚊)과 하나의 짝(⚋)을 낳아 스물 네 획에까지 쌓아 가면, 16,777,216개의 변화를 이룬다. 4,096을 제곱하면

37) 초공(焦貢) : 한대 사람으로 이름을 또한 초공(焦贛)이라고도 하며, 자는 연수(延壽)이다. 『한서(漢書)』「유림전(儒林傳)」에서, "경방(京房)은 양(梁)나라 사람 초연수(焦延壽)에게서 『역』을 전수받았고, 초연수는 맹희(孟喜)에게서 『역』을 배웠다."고 하였다. 저술에는 『역림(易林)』이 있는데, 일명 『초씨역림(焦氏易林)』이라고 한다.

그 수가 또한 이와 부합한다. 이를 늘여서 확장하면 그 끝을 알 수 없다. 비록 아직 그 용도를 알 수 없지만, 또한 『역』의 도리가 끝이 없다는 것을 충분히 알 수 있다.

案

『易林』之數, 蓋古占筮之法. 「洪範」占法, '曰貞曰悔', 夫以八卦變爲六十四言之, 則八卦貞也, 重卦悔也. 『春秋傳』'貞風悔山'是也. 以六十四卦變爲四千九十六言之, 則六十四卦貞也, 變卦悔也. 『春秋傳』'貞屯悔豫'是也. 因卦畫之生生無盡, 故占筮之變化無窮. 焦贛能知其法, 而至各綴之以辭, 則鑿矣. 邵·朱二子, 所爲傳心之要者在此.

『역림』의 수는 대개 옛 점서의 방법이다. 「홍범」의 점법에 '정(貞)이라 하고 회(悔)라고 한다'는 것은 8괘가 변하여 64괘가 된 것으로 말한 것이니, 8괘는 정(貞)이고 중괘(重卦)는 회(悔)이다. 『춘추좌전』에서 '정(貞)은 바람이고 회(悔)는 산이다'라고 한 것이 이것이다. 64괘가 변하여 4,096괘가 된 것으로 말하면 64괘는 정이고 변괘는 회이다. 『춘추좌전』에서 '정은 준(屯)괘이고 회는 예(豫)괘이다'라고 한 것이 이것이다. 괘의 획이 다함이 없이 낳고 또 낳기 때문에 점서의 변화가 무궁하다. 초공은 그 법도를 알았지만, 각각에 설명을 꿰어 맞추는 데 이른 것은 천착이다. 소옹과 주희가 마음을 전하는 요체로 삼은 것이 여기에 있다.

集說

● 朱子答林栗曰 : "太極·兩儀·四象·八卦, 生出次第, 位置行列, 不待安排而粲然有序. 以至於第四分而爲十六, 第五分而爲三十二, 第六分而爲六十四, 則其因而重之, 亦不待用意推排, 而與前之三分焉者, 未嘗不脗合也. 比之並累三陽以爲乾, 連疊三陰以爲坤, 然後以意交錯而成六子, 又先畫八卦於內, 復畫八卦於外, 以旋相加而爲六十四卦者, 其出於天理之自然, 與人爲之造作, 蓋不同矣."[38]

주자가 임율(林栗)에게 답하여 말했다. "태극·양의·4상·8괘가 생겨 나오는 순서와 위치의 배열은 안배할 필요 없이 또렷이 질서가 있다. 네 번째 나뉘어져 16이 되고, 다섯 번째 나뉘어져 32가 되며, 여섯 번째 나뉘어져 64가 되는 경우에도, 그렇게 이어서 중첩한 것이 또한 의도적으로 헤아려 배열할 필요 없이 앞에서 세 번 나누어진 것과 꼭 들어맞지 않은 적이 없다. 세 개의 양을 함께 쌓아서 건(乾☰)괘로 하고 세 개의 음을 연이어 쌓아서 곤(坤☷)괘로 한 뒤에 의도적으로 교착(交錯)해서 육자(六子 : 진·손·감·리·간·태의 6괘)를 이루고,[39] 또 먼저 안(아래)에 8괘를 긋고 다시 밖(위)에

38) 『주문공문집』 권37, 「답임황중(答林黃中)」에는, "太極, 兩儀, 四象, 八卦, 生出次第, 位置行列, 不待安排而粲然有序. 以至於第四分而爲十六, 第五分而爲三十二, 第六分而爲六十四, 則其因而重之, 亦不待用意推移, 而與前之三分焉者, 未嘗不脗合也. 比之並累三陽以爲乾, 連疊三陰以爲坤, 然後以意交錯而成六子, 又先畫八卦於內, 復畫八卦於外, 以旋相加而後得爲六十四卦者, 其出於天理之自然, 與人爲之造作, 蓋不同矣."라고 되어 있다.

39) 세 개의 양을 함께 … 육자(六子 : 진·손·감·리·간·태의 6괘)를 이루고 : 본문 [설괘 10-1]에서, "건괘는 하늘이므로 아버지라고 일컫고, 곤괘는 땅이므로 어머니라고 일컫는다. 진괘는 한 번 찾아 구해서 아들을 얻었기 때문에 장남(長男)이라고 하고, 손괘는 한 번 찾아 구해서 딸을 얻었기 때문에 장녀(長女)라고 한다. 감괘는 다시 한 번 찾아 구해서

8괘를 그어 돌아가면서 서로 더하여 64괘를 만드는 것과 비교하면, 천리의 자연스러움에서 나온 것과 인위의 조작에서 나온 것은 같지 않을 것이다.[40)]"

● 又答袁樞曰: "若要見得聖人作易根原, 直截分明, 不如且看卷首「橫圖」. 自始初只有兩畫時, 漸次看起, 以至生滿六畫之後, 其先後·多寡旣有次第, 而位置分明不費辭說. 於此看得, 方見六十四卦全是天理自然挨排出來. 聖人只是見得分明, 便只依本畫出, 元不曾用一豪智力添助. 蓋本不煩智力之助, 亦不容智力得以助於其間也. 及至卦成之後, 逆順縱橫, 都成義理, 千般萬種, 其妙無窮, 卻在人看得如何? 而各因所見爲說, 雖若各不相資, 而實未嘗相悖也.

(주자가) 또 원추(袁樞)에게 답하여 말했다. "만약 성인이 역을 만든 근원을 간단하고 분명하게 이해하려면, 또한 책 첫머리의 「횡도(橫圖)」를 보는 것 만한 것이 없다. 처음에 다만 2개의 획만 있었을 때부터 점차적으로 보기 시작하여 6개의 획이 가득 생겨난 뒤까지

아들을 얻었기 때문에 중남(中男)이라고 하고, 리괘는 다시 한 번 찾아 구해서 딸을 얻었기 때문에 중녀(中女)라고 한다. 간괘는 세 번 찾아 구해서 아들을 얻었기 때문에 소남(少男)이라고 하고, 태괘는 세 번 찾아 구해서 딸을 얻었기 때문에 소녀(少女)라고 한다.[乾, 天也, 故稱乎父, 坤, 地也, 故稱乎母, 震一索而得男, 故謂之長男, 巽一索而得女, 故謂之長女, 坎再索而得男, 故謂之中男, 離再索而得女, 故謂之中女, 艮三索而得男, 故謂之少男, 兌三索而得女, 故謂之少女.]"라고 하였다.

40) 천리의 자연스러움에서 나온 것과 인위의 조작에서 나온 것은 같지 않을 것이다: '천리의 자연스러움'은 가일배법을 통해 8괘에서 16괘·32괘를 거쳐 64괘가 되는 과정이고, '인위의 조작'은 설괘전의 표현에 따라 8괘에 8괘를 바로 중첩하여 64괘가 되는 과정을 말한다.

이르면, 그 앞과 뒤, 많고 적음은 이미 차례가 있고 위치가 분명하여 설명이 필요하지 않다. 여기에서 이해할 수 있어야 비로소 64괘가 전부 천리(天理)의 저절로 그러함이 차례대로 펼쳐져 나온 것임을 알게 된다. 성인은 다만 이를 분명하게 이해하여 바로 본떠서 획을 그었을 뿐, 원래 조금도 지적인 능력을 보탠 적이 없다. 본래 지적인 능력의 도움을 번거롭게 필요하지 않았고, 또 지적인 능력이 그 사이에 도움을 주는 것을 용납하지도 않기 때문이다. 괘가 이루어진 뒤에는 거슬러보거나 순조롭게 보거나, 세로로 보거나 가로로 보아도 모두 의리(義理)를 이루어 온갖 것이 오묘하기 그지없으니, 또한 사람의 관점으로 본들 어떻게 하겠는가? 그런데 각각 그 이해한 것에 따라 주장을 하니, 비록 각각 서로 의뢰하지 않는 것 같지만, 실은 서로 어그러진 적이 없다.

蓋自初未有畫時, 說到六畫滿處者, 邵子所謂'後天之學'也; 卦成之後, 各因一義推說, 邵子所謂'先天之學'也. 先天·後天, 旣各自爲一義, 而後天說中, 取義又多不同, 彼此自不相妨, 不可執一而廢百也."[41]

대개 애초에 아직 획이 있지 않았을 때부터 6개의 획이 가득한 곳을 말하는 것은 소자(邵子: 邵雍)의 이른바 '선천(先天)의 학문'이고, 괘가 이루어진 뒤에 각각 하나의 의미를 따라 미루어 말하는 것은 소자의 이른바 '후천(後天)의 학문'이다. 선천과 후천이 이미 각자 하나의 의미가 되었는데, 후천의 설명 가운데 의미를 취한 것이 또 같지 않은 것이 많아 피차간에 본래 서로 방해하지 않으니, 하나에 집착하여 백 가지를 버려서는 안 된다."

41) 주희, 『주문공문집』 권38, 「답원기중(答袁機仲)」.

● 『語類』問 : "自一陰一陽, 見一陰一陽又各生一陰一陽之象. 以「圖」言之, '兩儀生四象, 四象生八卦', 節節推去, 固容易見. 就天地間著實處, 如何驗得?" 曰 : "一物上又自各有陰陽. 如人之男·女, 陰·陽也, 逐人身上, 又各有這血氣, 血陰而氣陽也. 如晝夜之間, 晝陽而夜陰也, 而晝陽自午後又屬陰, 夜陰自子後又屬陽, 便是陰陽各生陰陽之象."[42]

『주자어류』에서 물었다. "하나의 음과 하나의 양에서 하나의 음과 하나의 양이 또 각각 하나의 음과 하나의 양을 낳는 상(象)이 있다. 「태극도」로 말하면 '양의가 4상을 낳고 4상이 8괘를 낳는다'는 것이니 하나씩 미루어 가면 본디 쉽게 알 수 있다. 하늘과 땅 사이에 실제 부합하는 곳에서는 어떻게 증험할 수 있는가?"
(주자가) 대답했다. "하나의 사물에는 또 본래 각각 음과 양이 있다. 예컨대 사람에서는 여자와 남자가 음과 양이지만, 사람의 몸을 좇아서 보면 또 각각 혈(血)과 기(氣)가 있으니, 혈(血)은 음이고 기(氣)는 양인 것과 같다. 예컨대 낮과 밤에서 낮은 양이고 밤은 음이지만, 낮인 양에 정오 이후는 또 음에 속하고, 밤인 음에 자정 이후는 또 양에 속하는 것과 같으니, 이것이 바로 음과 양이 각각 음과 양을 낳는 상(象)이 있다는 것이다.'[43]

● 又云 : "「先天圖」直是精微, 不起於康節. 希夷以前元有, 只是秘而不傳. 次第是方士輩所相傳授. 『參同契』中, 亦有些意思相似. 揚雄『太玄』全模放『易』. 他底用三數, 『易』卻用四數. 他本

42) 주희, 『주자어류』 권65, 17조목.

43) 주자(朱子 : 朱熹)가 … 상이 있다는 것이다. : 『주자어류』 권65, 17조목에서 이라고 하였다.

是模『易』, 故就他模底句上看『易』, 也可略見得『易』意思."[44]

(주자가) 또 말했다. "「선천도」는 정말 정밀하고 자세하지만, 강절(康節 : 邵雍)에게서 비롯하지 않았다. 희이(希夷 : 陳摶) 이전에 원래 있었으나 비밀로 하여 전수되지 않았을 뿐이다. 그 차례는 방사(方士)들이 서로 전수하였다. 『참동계』 중에서도 또한 약간의 의미가 있는 것 같다.[45] 양웅(揚雄)의 『태현』[46]은 완전히 『역』을 모방한 것이다. 『태현』은 3의 수를 사용했고, 『역』은 또한 4의 수를 사용했다. 『태현』은 본래 『역』을 모방한 것이기 때문에 『태현』에서 모방한 구절에서 『역』을 보면 또한 『역』의 의미를 대략 알 수 있다."

● 又云 : "自有『易』以來, 只有邵子說得此圖如此齊整. 如揚雄『太玄』, 便零星補湊得可笑. 若不補, 又却欠四分之一, 補得來, 又却多四分之三. 如『潛虛』之數用五, 只似如今算位一般. 其直一畫則五也, 下橫一畫則爲六, 橫二畫則爲七, 蓋亦補湊之書也."[47]

44) 『주자어류』 권65, 78조목.

45) 『참동계』 중에서도 또한 약간의 의미가 있는 것 같다 : 특히 「수화광곽도(水火匡郭圖)」를 가리킨다.

46) 『태현』 : 서한의 양웅이 『주역』을 모방하여 만든 책이다. 역의 2진법이 아니라 3진법을 사용한다. 1현(玄), 3방(方), 9주(州), 81가(家), 729찬(贊)으로 나뉜다. 3(1·2·3)찬(贊)이 4차례 조합하여 81수(首 : 역의 64괘에 해당함)를 구성하고, 또한 9(1·1, 1·2, 1·3, 2·1, 2·2, 2·3, 3·1, 3·2, 3·3)찬(贊)을 두어 각 찬에 사(辭 : 역의 효사에 해당함)를 썼다. 북송 사마광의 『태현경집주』가 유명하다.

47) 『주자어류』 권100, 16조목에는, "然自有『易』以來, 只有康節說一箇物事如此齊整. 如揚子雲『太玄』便零星補湊得可笑. 若不補, 又卻欠四分

(주자가) 또 말했다. “『역』이 있은 이래로 오직 소자(邵子 : 邵雍)만 이 이처럼 가지런하게 이 그림을 설명하였다. 예컨대 양웅(揚雄)의 『태현』은 자질구레하게 보충하고 모은 것이 가소롭다. 보충하지 않으면 도리어 4분의 1이 부족하고, 보충하면 또 도리어 4분의 3이 많다.[48] 예컨대 (사마광의) 『잠허』[49]의 수(數)는 5를 쓰는데, 다만 요즘의 산가지 놓는 위치와 거의 마찬가지일 뿐이다. 그 곧은 한 획이 5인데, 그 아래에 수직으로 한 획을 놓으면 6이 되고, 그 아래에 수직으로 두 획을 놓으면 7이 되니, 또한 보충하고 모은 책이다.”

之一, 補得來, 又卻多四分之三. 如『潛虛』之數用五, 只似如今算位一般. 其直一畫則五也, 下橫一畫則爲六, 橫二畫則爲七, 蓋亦補湊之書也.”라고 되어 있다.

48) 보충하지 않으면 도리어 4분의 1이 부족하고, 보충하면 또 도리어 4분의 3이 많다. : 『태현경』에서, 양웅은 2찬(贊)을 1일로 잡고 729찬을 둘로 나누면 364와 2분의 1일 밖에 안 되므로, 기(踦)찬(2분의 1일)과 영(贏)찬(4분의 1일)을 추가로 보태서 그가 생각한 1년 즉 365와 4분의 1일을 채웠다. 그러므로 ‘보태지 않으면 도리어 4분의 1이 부족하고’는 영(贏)찬(4분의 1일)을 가리키는 것으로 볼 수 있고, ‘보충하면 또 도리어 4분의 3이 많다.’는 기(踦)찬(2분의 1일)과 영(贏)찬(4분의 1일)의 합계를 가리키는 것으로 볼 수 있겠다.

49) 『잠허』 : 북송의 사마광이 양웅의 『태현』을 모방하여 만든 책이다. 5행을 근본으로 하여 5의 제곱인 25로 『태현』의 9의 제곱인 81을 변경했다. 1~5(15)는 생수(生數), 25(5×5)는 천수(天數), 6~10(40)은 성수(成數), 55(생수+성수)는 천지의 수, 천수 25×3才=75는 명수(命數), 명수(命數) 75에서 허(虛)5를 한 70을 서수(筮數)로 하였다. 역은 64괘, (태)현은 81수(首), (잠)허는 55명(名)이라고 하며, 역은 6효, 현은 9찬(贊), 허는 7변(變)이라 한다. 역의 괘는 내외(內外)가 있고, 현의 수(首)는 4위(位)가 있으며, 허의 체(體)는 10등(等)이 있다.

● 黃氏瑞節曰 : "「先天圖」, 與「太極圖」同時而出. 周·邵二子不相聞, 則二圖亦不相通, 此勿論也. 陳瑩中云, '司馬文正與康節同時友善, 而未嘗有一言及先天之學.' 邵伯溫云, '伊川在康節時, 於先天之學非不問, 不語之也.' 卽二先生之論, 則「先天圖」在當時豈猶未甚著耶! 陳瑩中云, '先天之學, 以心爲本. 其在『經世書』者, 康節之餘事耳.' 又云, '闡先聖之幽, 微先天之顯, 不在康節之書乎!' 然朱子以前, 表章尊敬此圖者, 了翁爲有見也."

황서절(黃瑞節)[50]이 말했다. "「선천도」는 「태극도」와 동시에 나왔다. 주돈이와 소옹 두 선생이 서로 만나지 않았으니, 두 그림이 서로 통하지 않는 것도 말할 필요가 없다. 진형중(陳瑩中 : 陳瓘)[51]은 '사마문정(司馬文正 : 司馬光)은 강절(康節 : 邵雍)과 동시대에 친근한 사이였으나, 선천학을 한 마디도 언급한 적이 없다.'고 하였다. 소백온(邵伯溫)[52]은 '이천(伊川 : 程頤)이 소강절에게 머물렀을 때

50) 황서절(黃瑞節) : 자는 관락(觀樂)이다. 송·원대 안복(安福) 사람으로 송대에 태화주학(泰和州學)을 역임했으나, 원대에서는 은거하여 학문에 힘썼다. 주희가 편찬한 『태극해의』, 『통서해』, 『정몽해』, 『역학계몽』, 『가례』, 『율려신서(律呂新書)』, 『황극경세(皇極經世)』에 주석을 가하여 『주자성서(朱子成書)』라는 책을 지었다.

51) 진관(陳瓘, 1057~1124) : 자는 형중(瑩中)이고 자호는 요옹(了翁)이다. 송대 남검주(南劍州 : 복건성 사현〈沙縣〉) 사람이다. 북송 휘종(徽宗) 때 좌사간(左司諫)으로 있으면서 직언을 한 것으로 유명하다. 젊어서는 불교를 연구하였고, 특히 화엄경을 좋아하여 자호를 화엄거사(華嚴居士)라고하기도 하였다. 나중에는 『역』을 깊이 연구하여 『요옹역설(了翁易說)』 1권을 찬술하였다. 그 밖에 『요재집(了齋集)』 42권과 『약론(約論)』 17권 등의 저술이 있었으나, 대부분 산실되었다.

52) 소백온(邵伯溫, 1057~1134) : 자는 자문(子文)이고 송대 낙양(洛陽 : 현 하남성 소속) 사람으로서, 소옹의 아들이다. 철종 때 천거로 특별히 대명부조

선천학에 대해 질문하지 않은 것은 아니지만, (소옹은) 선천학을 알려주지 않았다.'[53]고 하였다. 이 두 사람의 주장으로 보면, 「선천도」가 당시에 어찌 그렇게도 저명하지 않았겠는가! 진형중은 '선천학은 마음을 근본으로 삼는다. 그 『황극경세서』에 있는 내용은 소강절이 부차적으로 한 일일 뿐이다.'고 하였다. (진관은) 또 '앞선 성인의 깊은 뜻을 밝히고, 선천의 두드러진 것을 자세하게 설명한 것이 소강절의 책에 있지 않은가!'[54]라고 하였다. 그렇다면 주자 이전에 이 「선천도」를 드높이고 존경한 사람으로는 요옹(了翁 : 陳瓘)이 안목이 있었다."

교(大名府助教)를 제수 받고 여러 지방관직을 역임하였다. 저술로는 『역변혹(易辨惑)』, 『황극계술(皇極系述)』, 『황극경세서(皇極經世序)』, 『관물내외편해(觀物內外篇解)』, 『소씨문견록(邵氏聞見錄)』, 『변무(辨誣)』 등이 있다.

53) 소박(邵博 : 소백온의 아들), 『문견후록(聞見後錄)』 권5.

54) 이 단락에 나오는 진관의 말은 모두 소박(邵博)의 『문견후록(聞見後錄)』 권5에 실려 있는데, 진관이 양중립(楊中立)과 유정부(游定夫)에 보낸 답서(答書)에 실려 있다고 한다.

복희8괘도(伏羲八卦圖)

복희64괘도(伏羲六十四卦圖)

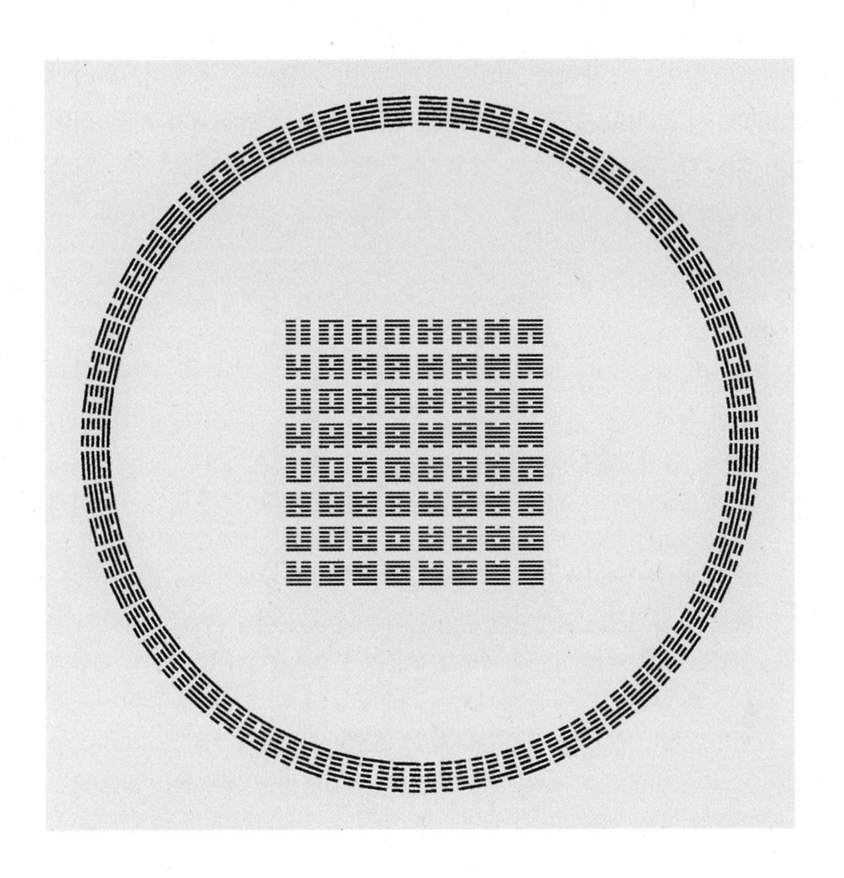

[계몽 2-3]

天地定位, 山澤通氣, 雷風相薄, 水火不相射, 八卦相錯. 數往者順, 知來者逆. 是故『易』逆數也.[55)]

하늘과 땅이 제 자리를 잡고, 산과 못이 기(氣)를 통하며, 우레와 바람이 서로 치고, 물과 불이 서로 해치지 않아,[56)] 8괘가 서로 섞인다. 지나간 것을 헤아리는 일은 '순응함[順]'이고 올 것을 아는 일은 '예측함[逆]'이다. 그러므로 『역』은 예측해서 헤아리는 일이다.

55) 『역』「설괘전」 3장.

56) 물과 불이 서로 해치지 않아 : 『주자어류』 권77, 42조목에서, "물었다. "射'는 음이 '석(石)'이라고도 하고, 음이 '역(亦)'이라고도 하는데 어느 것이 옳습니까?' (주자가) 대답했다. '음은 '석'이다. 물과 불은 풍뢰산택과는 무리를 이루지 못해 본래 서로 상극인 사물인데 지금은 오히려 상응하여 서로 해치지 않는다.' 물었다. '만약 서로 싫어하거나 해치지 않는다는 것을 가지고 말한다면 위의 글의 '기운이 통한다'·'서로 부딪친다'는 글과 서로 무리를 이루니 어떻게 되는지 모르겠습니다?' (주자가) 대답했다. "불상석'은 곧 아래에 나오는 문장인 '서로 어그러지지 않는다'는 뜻이며, '서로 어그러지지 않는다'는 것은 곧 서로 해치지 않는 것이다. 물과 불은 원래 서로 해치는 것이니 아직 구하지 않은 물과 불은 또한 중간에 떼어놓는 것이 있어야 하며, 떼어놓는 것이 없다면 서로 해치게 된다. 이것이 곧 해치지 않음으로써 그 상응하는 것을 밝히는 것이다.'[問 : "'射', 或音'石', 或音'亦', 孰是?" 曰 : "音'石'. 水火與風雷·山澤不相類, 本是相剋底物事, 今卻相應而不相害." 問 : "若以不相厭射而言, 則與上文'通氣'·'相薄'之文相類, 不知如何?" 曰 : ""不相射', 乃下文'不相悖'之意, '不相悖', 乃不相害也. 水火本相害之物, 便如未濟之水火, 亦是中間有物隔之; 若無物隔之, 則相害矣. 此乃以其不害, 而明其相應也]" 라고 하였다.

[계몽 2-4]

雷以動之, 風以散之, 雨以潤之, 日以烜之, 艮以止之, 兌以說之, 乾以君之, 坤以藏之.[57]

우레로 만물을 진동시키고, 바람으로 만물을 흩트리며, 비로 만물을 적시게 하고, 해로 만물을 건조시키며, 간(艮 : 산)으로 만물을 멈추게 하고, 태(兌 : 못)로 만물을 기쁘게 하며, 건(乾 : 하늘)으로 만물에 군림하고, 곤(坤 : 땅)으로 만물을 저장한다.

[계몽 2-4-1]

邵子曰 : "此一節明伏義八卦也. '八卦相錯'者, 明交相錯而成六十四也. '數往者順', 若順天而行, 是左旋也. 皆已生之卦也, 故云'數往'也. '知來者逆', 若逆天而行, 是右行也. 皆未生之卦也, 故云'知來'也. 夫『易』之數, 由逆而成矣. 此一節直解「圖」意, 若逆知四時之謂也."[58]

소자(邵子 : 邵雍)가 말했다. "이 구절은 복희의 8괘를 밝혔다. '8괘가 서로 섞인다.'는 것은 서로 교착해서 64괘를 이룸을 밝혔다. '지나간 것을 세는 것은 순응함이다.'라는 것은 하늘에 순응하여 운행함과 같으니, 왼쪽으로 도는 것이다. 모두 이미 생겨난 괘이므로

57) 『역』「설괘전」 4장.
58) 소옹, 『황극경세서』 권13, 「관물외편」 상.

'지나간 것을 헤아린다.'고 말했다. '앞으로 올 것을 아는 일은 예측함이다.'라는 것은 하늘에 거역해서 운행함과 같으니, 오른쪽으로 운행하는 것이다. 모두 아직 생겨나지 않은 괘이므로 '올 것을 안다.'고 말했다. 『역』의 헤아림은 예측하는 일로부터 이루어진다. 이 구절은 「선천도」의 의미를 직접 해석한 것이니, 사계절을 예측해서 아는 일과 같은 것을 말한다."

〈以「横圖」觀之, 有乾一而後有兌二, 有兌二而後有離三, 有離三而後有震四, 有震四而巽五·坎六·艮七·坤八, 亦以次而生焉. 此『易』之所以成也. 而「圓圖」之左方, 自震之初爲冬至, 離·兌之中爲春分, 以至於乾之末而交夏至焉, 皆進而得其已生之卦, 猶自今日而追數昨日也. 故曰'數往者順.' 其右方自巽之初爲夏至, 坎·艮之中爲秋分, 以至於坤之末而交冬至焉, 皆進而得其未生之卦, 猶自今日而逆計來日也. 故曰'知來者逆.' 然本『易』之所以成, 則其先後始終, 如「横圖」及「圓圖」右方之序而已. 故曰'『易』逆數也.'〉

〈「횡도」로 보면 건1이 있은 다음에 태2가 있고, 태2가 있은 다음에 리3이 있으며, 리3이 있은 다음에 진4가 있고, 진4가 있고서 손5·감6·간7·곤8이 또한 차례대로 생겨난다. 이것이 『역』이 이루어지는 근거이다. 그러나 「원도」의 왼쪽에서 진괘의 처음이 동지가 되는 것으로부터 리괘·태괘의 중간이 춘분이 되어 건괘의 끝에서 하지로 교체하는데 이르기까지는, 모두 나아가서 이미 생겨난 괘를 얻는 것이니 마치 오늘로부터 어제를 좇아서 세는 것과 같다. 그러므로 '지나간 것을 세는 것은 순응함이다.'라고 말했다. 그 오른쪽에서 손괘의 처음이 하지가 되는 것으로부터 감괘·간괘의 중간이 추분이 되어 곤괘의 끝에서 동지로 교체하는데 이르기까지는, 모두 나아가서 아직 생겨나지 않은 괘를 얻는 것이니 마치 오늘로부터 내일을 예측해서 헤아리는 것과 같다. 그러므로 '앞으로 올 것을 아는 일은 예측함이다.'라고 말했다. 그러나 본래 『역』이 이루어지는 것은 그 선후와 시종(始終)이 「횡도」 전체의 순서 및 「원도」의 오른쪽의 순서와 같을 따름이다. 그러므로 '『역』은 예측해서 헤아리는 일이다.'라고 말했다.〉

集說

● 『朱子語類』云 : "若自乾一橫排至坤八, 此則全是自然. 故「說卦」云, '『易』逆數也.' 〈皆自已生以得未生之卦.〉 若如「圓圖」, 則須如此, 方見陰陽消長次第. 〈震一陽, 離·兌二陽, 乾三陽, 巽一陰, 坎·艮二陰, 坤三陰.〉 雖似稍涉安排, 然亦莫非自然之理."[59]

『주자어류』에서 말했다. "만약 건1로부터 가로로 배열하여 곤8에까지 이르면, 이는 전적으로 자연스러운 것이다. 그러므로 「설괘전」에서 '『역』은 예측하여 헤아리는 일이다.'라고 하였다. 〈모두 이미 생겨난 괘로부터 아직 생겨나지 않은 괘를 얻는다.〉 「원도」같으면 반드시 이와 같아야만 비로소 음과 양의 줄어들고 불어남의 차례를 볼 수 있다. 〈진괘는 양이 하나이고 리괘와 태괘는 양이 두 개이며, 건괘는 양이 세 개이다. 손괘는 음이 하나이고 감괘와 간괘는 음이 두 개이며, 곤괘는 음이 세 개이다.〉 조금 안배한 것 같을지라도 또한 자연스러운 이치가 아님이 없다."

附錄

● 項氏安世曰 : "'數往者順', 以指上文; '知來者逆', 以指下文;

59) 『주자어류』 권65, 61조목.

'是故『易』逆數也', 此一句以起下文八句也. 上文據八卦已成之後, 對而數之, 其序順而理明, 故曰'數往者順.' 下文據八卦始畫之初, 左右對畫, 而上下逆生, 故曰'知來者逆', 非聖人於順之外別爲逆象也. 此之逆象, 卽上文之順象."[60]

항안세(項安世)가 말했다. "'지나간 것을 헤아리는 일은 '순응함[順]'이다'라는 것은 그것으로 윗글을 가리키고, '올 것을 아는 일은 '예측함[逆]'이다'라는 것은 그것으로 아래 글을 가리키며, '그러므로 『역』은 예측해서 헤아리는 일이다'라는 것은 이 구절로 아래 글 8개 구절을 일으켰다. 윗글은 8괘가 이미 이루어진 뒤에 짝을 지어 그것을 헤아리는 일에 의거하여 그 순서가 순응하고 이치가 분명하기 때문에 '지나간 것을 헤아리는 일은 '순응함[順]'이다'라고 했다. 아래 글은 8괘를 처음 획을 그을 때 좌우로 짝을 지어 획을 그어 아래 위가 거슬러 생겨나는 것에 의거하기 때문에 '올 것을 아는 일은 '예측함[逆]'이다'라고 했으니, 성인이 순응하는 것 이외에 별도로 거스르는 상(象)을 만든 것이 아니다. 여기의 거스르는 상은 곧 윗글의 순응하는 상이다."

● 章氏潢曰 : "自乾純陽, 歷兌·離以至一陽之震, 自坤純陰, 歷艮·坎以至一陰之巽, 非數往之順乎? 自震一陽, 歷離·兌以至乾之純陽, 自巽一陰, 歷坎·艮以至坤之純陰, 非知來之逆乎? 左旋則總爲知來, 右旋則總爲數往, 但『易』以知來爲主. 生生不窮, 是以逆而數之."[61]

60) 항안세(項安世), 『주역완사(周易玩辭)』 권15.

61) 장황(章潢), 『도서편(圖書編)』 권5.

장황(章潢)이 말했다. "순수한 양(陽)인 건(乾)에서 태(兌)·리(離)를 거쳐 하나의 양인 진(震)에 이르는 것과 순수한 음(陰)인 곤(坤)에서 간(艮)·감(坎)을 거쳐 하나의 음인 손(巽)에 이르는 것은 지나간 것을 헤아리는 순응함이 아닌가? 하나의 양인 진에서 리·태를 거쳐 순수한 양인 건에 이르는 것과 하나의 음인 손에서 감·간을 거쳐 순수한 음인 곤에 이르는 것은 올 것을 아는 예측함이 아닌가? 왼쪽으로 도는 것은 줄곧 올 것을 아는 일이 되고, 오른쪽으로 도는 것은 줄곧 지나간 것을 헤아리는 일이 되지만, 『역』은 올 것을 아는 일을 위주로 한다. 끊임없이 낳고 또 낳으니, 이 때문에 예측하고 헤아리는 일이다."

案

邵子所謂左旋者, 猶言向左而旋耳; 所謂右行者, 猶言向右而行耳. 與曆家所謂左旋·右轉, 義正相反, 各爲一說也. 其所謂已生·未生, 正指陰陽生生而言, 如章氏之說, 而項氏說尤得前後聯貫語氣. 蓋其順數者, 旣如上文所列矣. 而圖之作, 主於逆數, 故其終始生成, 又如下文之所敘也. 朱子之解, 似又自爲一說, 學者分別觀之.

소자(邵子 : 邵雍)의 이른바 좌선(左旋)은 왼쪽으로 도는 것을 말하는 것과 같을 뿐이고, 이른바 우행(右行)은 오른쪽으로 운행하는 것을 말하는 것과 같을 뿐이다. 그것은 책력가들이 말하는 좌선(左旋)·우전(右轉)과 의미가 정반대이니, 각각 하나의 이론이 된다. 이른바 이미 생겨난 것과 아직 생겨나지 않은 것은 바로 음양이 낳고 낳는 뜻을 가리켜 말한 것이니 장황(章潢)의 설명과 같지만, 항안세(項安世)의 설명이 앞뒤로 연결되는 논리 측면에서 더욱 뛰어나다.

대개 순응하여 헤아리는 일은 이미 윗글에서 나열한 것과 같다. 그런데 그림을 그린 것이 예측해서 헤아리는 일을 위주로 하기 때문에 그 끝나고 시작하며 생겨나고 이루어지는 것이 또 아래 글에서 서술하는 바와 같다. 주자(朱子)의 해석은 또 스스로 하나의 이론이 되는 것 같으니, 배우는 사람들은 분별해서 살펴보아야 한다.

[계몽 2-4-2]

又曰 : "太極旣分, 兩儀立矣. 陽上交於陰, 陰下交於陽, 而四象生矣. 陽交於陰, 陰交於陽, 而生天之四象; 剛交於柔, 柔交於剛, 而生地之四象.[62] 八卦相錯, 而後萬物生焉. 故一分爲二, 二分爲四, 四分爲八, 八分爲十六, 十六分爲三十二, 三十二分爲六十四,[63] 猶根之有幹, 幹之有枝,[64] 愈大則愈小, 愈細則愈繁."[65]

62) 而生地之四象 : 소옹, 『황극경세서』 권13, 「관물외편」 상(上)에는 이 구절 뒤에 "於是八卦成矣[이에 8괘가 이루어진다.]"라는 말이 더 있다.

63) 三十二分爲六十四 : 소옹, 『황극경세서』 권13, 「관물외편」 상(上)에는 이 구절 뒤에 "故曰, '分陰分陽, 迭用柔剛, 易六位而成章也.' 十分爲百, 百分爲千, 千分爲萬[그러므로 (『역』「설괘전」 제2장에서)'음(陰)으로 나뉘고 양(陽)으로 나뉘며 유(柔)와 강(剛)을 차례로 쓰기 때문에 역(易)이 여섯 자리에 문장(文章)을 이룬 것이다'라고 하였다. 10이 나누어 1백이 되고 1백이 나누어 1천이 되며, 1천이 나누어 1만이 된다.]"라는 말이 더 있다.

64) 幹之有枝 : 소옹, 『황극경세서』 권13, 「관물외편」 상(上)에는 "枝之有葉[가지에 잎이 있다.]"라는 말이 더 있다.

65) 소옹, 『황극경세서』 권13, 「관물외편」 상(上).

(소옹이) 또 말했다. "태극이 나누어지고 나서 양의가 확립된다. 양이 위로 음과 교착(交錯)하고 음이 아래로 양과 교착하여 4상(四象)이 생긴다. 양이 음과 교착하고 음이 양과 교착하여 하늘의 4상을 낳으며, 강(剛)이 유(柔)와 교착하고 유가 강과 교착하여 땅의 4상을 낳는다. 8괘가 서로 뒤섞인 뒤에 만물이 생긴다. 그러므로 1이 나뉘어 2가 되고, 2가 나뉘어 4가 되며, 4가 나뉘어 8이 되고, 8이 나뉘어 16이 되며, 16이 나뉘어 32가 되고, 32가 나뉘어 64가 되니, 마치 뿌리에 줄기가 있고 줄기에 가지가 있는 것과 같아 커질수록 더욱 작아지고 가늘어질수록 더욱 번다해진다."

集說

● 『朱子語類』, 問 : "『程易』乾辭下解云, '聖人始畫八卦, 三才之道備矣. 因而重之, 以盡天下之變, 故六畫而成卦.' 或疑此說, 却是聖人始畫八卦, 每卦便是三畫, 聖人因而重之爲六畫, 似與邵子一分爲二而至六十四爲六畫, 其說不同."

『주자어류』에서 물었다. "『이천역전(伊川易傳)』에서 건괘 괘사 아래에 '성인이 처음 8괘를 긋자 3재(三才)의 도(道)가 갖추어졌다. 그것을 따라 중첩하여 천하의 변화를 극진히 표현했으므로, 6획으로 괘를 이루었다.'[66]고 풀이해서 말했다. 그런데 어떤 사람이, 성인이 처음 8괘를 그은 것은 매 괘가 3획인데 성인이 그것을 따라 중첩하여 6획을 만들었다는 정자의 설명은, 1이 나뉘어 2가 되는 방식으로 64에 이르러 6획이 된다는 소자(邵子 : 邵雍)의 설명과 다른 것 같다고 의심합니다."

66) 『이천역전(伊川易傳)』 권1, 「건(乾)」.

曰 : "程子之意, 只云三畫上疊成六畫, 八卦上疊成六十四耳, 與邵子說誠異. 蓋康節此意, 不曾說與程子, 程子亦不曾問之, 故一向只隨他所見去. 但程子說'聖人始畫八卦', 不知聖人畫八卦時, 先畫甚卦. 此處便曉不得."67)

(주자가) 대답했다. "정자(程子 : 程頤)의 뜻은 다만 3획 위에 (3획을) 겹쳐 6획을 이루고 8괘 위에 (8괘를) 겹쳐 64괘를 이루었다고 말한 것일 뿐이니, 소자(邵子 : 邵雍)의 설명과는 진실로 다르다. 대개 강절(康節 : 邵雍)은 이 내용을 정자와 말한 적이 없고 정자도 이것을 물은 적이 없으므로, 줄곧 그의 소견만을 따랐을 뿐이다. 다만 정자는 '성인이 처음 8괘를 그었다'라고 말했으니, 성인이 8괘를 그었을 때 무슨 괘를 먼저 그었는지 알 수 없다. 이 점은 분명하게 알 수 없다."

[계몽 2-4-3]

"是故乾以分之, 坤以翕之, 震以長之, 巽以消之. 長則分, 分

67) 『주자어류』 권67, 24조목에는, 問 : "『易傳』如何看?" 曰 : "且只恁地看." 又問 : "『程易』於『本義』如何?" 曰 : "『程易』不說『易』文義, 只說道理極處, 好看." 又問 : "乾繇辭下解云, '聖人始畫八卦, 三才之道備矣. 因而重之, 以盡天下之變, 故六畫而成卦.' 據此說, 卻是聖人始畫八卦, 每卦便是三畫, 聖人因而重之爲六畫, 似與邵子一生兩, 兩生四, 四生八, 八生十六, 十六生三十二, 三十二生六十四, 爲六畫, 不同." 曰: "程子之意, 只云三畫上疊成六畫, 八卦上疊成六十四卦, 與邵子說誠異. 蓋康節此意不曾說與程子, 程子亦不曾問之, 故一向只隨他所見去. 但他說'聖人始畫八卦', 不知聖人畫八卦時, 先畫甚卦? 此處便曉他不得."이라고 되어 있다.

則消, 消則翕也. 乾·坤定位也, 震·巽一交也, 兌·離·坎·艮再交也. 故震陽少而陰尚多也, 巽陰少而陽尚多也, 兌·離陽浸多也, 坎·艮陰浸多也."[68]

(소옹이 말했다.) "그러므로 건(乾☰)으로 나누고 곤(坤 ☷)으로 모으며 진(震☳)으로 자라게 하고 손(巽☴)으로 사라지게 한다. 자라면 나누어지고 나누어지면 사라지며 사라지면 모인다. 건·곤이 제자리를 잡고 진·손은 한 번 교착하고 태(兌☱)·리(離☲)·감(坎☵)·간(艮☶)은 두 번 교착한다. 그러므로 진은 양이 적고 음이 여전히 많으며 손은 음이 적고 양이 여전히 많으며, 태·리는 양이 점점 많아지고 감·간은 음이 점점 많아진다."

[계몽 2-4-4]

又曰: "無極之前, 陰含陽也; 有象之後, 陽分陰也. 陰爲陽之母, 陽爲陰之父; 故母孕長男而爲復, 父生長女而爲姤; 是以陽起於復, 而陰起於姤也."[69]

(소옹이) 또 말했다. "무극(無極) 이전에는 음이 양을 머금었고,[70] 상(象)이 있은 뒤에는 양이 음을 나누었다.[71] 음은 양의 어머니가

68) 소옹, 『황극경세서』 권13, 「관물외편」 상(上).

69) 소옹, 『황극경세서』 권13, 「관물외편」 상(上).

70) 음이 양을 머금었고: 웅절(熊節) 편, 웅강대(熊剛大) 주(注), 『성리군서구해(性理群書句解)』 권10, 「도(圖)」에서 이 구절에 대하여 '이 때는 순전히 음으로 음의 고요함이다. 그러나 이미 그 가운데 양의 움직임을 포함하고 있다.[此時純陰, 陰靜. 然已包得陽動在其中]'라고 주석을 붙였다.

되고 양은 음의 아버지가 되므로, 어머니가 장남을 잉태하여 복(復䷗)괘가 되고 아버지가 장녀를 낳아 구(姤䷫)괘가 되었다. 이 때문에 양은 복괘에서 일어나고 음은 구괘에서 일어난다."

集說

● 『朱子語類』, 問 : "無極如何說前?" 曰 : "邵子就「圖」上說循環之意. 自姤至坤是陰含陽, 自復至乾是陽分陰. 坤·復之間乃無極."[72)]

어떤 사람이 물었다. "무극에 대해 어떻게 그 이전을 말합니까?" 주자가 대답했다. "소자(邵子 : 邵雍)가 「원도」에서 순환하는 뜻을 말했다. 구괘로부터 곤괘에 이르는 것은 음이 양을 머금었고, 복괘로부터 건괘에 이르는 것은 양이 음을 나누는 일이다. 곤괘와 복괘의 사이가 무극이다."

問 : "無極之前, 旣有前後, 須有有無." 曰 : "本無間斷."[73)]

71) 양이 음을 나누었다 : 웅절 편, 웅강대 주(注), 『성리군서구해』 권10, 「도(圖)」에서 이 구절에 대하여 '양이 움직여 음을 열었으니, 둘로 나누었다.[陽動而闢陰, 分兩矣]'라고 주석을 붙였다.

72) 『주자어류』 권65, 71조목에는, 問 : "邵先生說'無極之前'. 無極如何說前?" 曰 : "邵子就「圖」上說循環之意. 自姤至坤, 是陰含陽; 自復至乾, 是陽分陰. 復坤之間乃無極, 自坤反姤是無極之前."이라고 되어 있다.

73) 『주자어류』 권65, 72조목에는, "無極之前"一段. 問 : "旣有前後, 須有有無?" 曰 : "本無前後."라고 되어 있다. 이황은 『계몽전의』「원괘획(原卦畫)」 제2에서 '간단(間斷)'을 '전후(前後)'로 보아야 한다고 바로잡고 있다.

물었다. “무극 이전에 이미 전후(前後)가 있다면 반드시 유무(有無)가 있을 것입니다.”
대답했다. “본래 틈이나 끊어짐이 없다.”

問 : “「先天圖」陰陽自兩邊生, 若將坤爲太極與「太極」不同, 如何?” 曰 : “姑自據他意思說,[74] 卽不曾契勘濂溪底. 若論他太極, 中間虛者便是. 他亦自說, ‘「圖」從中起.’[75] 他兩邊生, 卽是陰根陽, 陽根陰, 這箇有對, 從中出者卽無對.”[76]

물었다. “「선천도」에 음양이 양쪽에서 생겨나와 마치 곤(坤)으로 태극을 삼은 듯하여 「태극도」과 같지 않은데, 어찌된 일입니까?” 대답했다. “잠시 원래 그 자신의 생각에 의거해서 말하였으니, 염계(濂溪 : 周敦頤)에게 맞추어본 적이 없었을 것이다. 만약 그의 태극을 논한다면 (「선천도」) 중간의 빈 것이 바로 그것이다. 그도 스스로 말하기를, ‘「선천도」는 그 가운데에서 일어난다.’고 하였다. 그 양쪽에서 생겨나온다는 것은 바로 음이 양에 근거하고 양이 음에 근거한다는 것이니, 이것은 상대가 있지만 그 가운데에서 나온 것은 상대가 없다.”

74) 姑自據他意思說 : 주자, 『주자어류』 권65, 58조목에는 “他自據他意思說[그는 원래 그 자신의 생각에 의거해서 말하였으니]”라고 되어 있다.
75) 소옹, 『황극경세서』 권13 「관물외편상(觀物外篇上)」에는, “先天學心法也, 故圖皆自中起. 萬化萬事, 生乎心也.”라고 되어 있다.
76) 『주자어류』 권65, 58조목에는, 問 : “「先天圖」陰陽自兩邊生, 若將坤爲太極, 與「太極圖」不同, 如何?” 曰 : “他自據他意思說, 卽不曾契勘濂溪底. 若論他太極, 中間虛者便是. 他亦自說‘「圖」從中起’, 今不合被「橫圖」在中間塞卻. 待取出放外, 他兩邊生者, 卽是陰根陽, 陽根陰. 這箇有對, 從中出卽無對.”라고 되어 있다.

案

周子所謂'無極而太極'者, 以陰陽之本體言之, 『中庸』所謂'天命之性'也. 邵子所謂'無極'者, 以動靜之樞紐言之, 『中庸』所謂'未發之中'也. 天命之性, 固周流而無不在, 然人生而靜, 天之性也, 則沖漠無朕之時, 乃本體之眞之所以具, 故周子亦言'主靜', 程子言'其本也, 眞而靜.' 三子之說, 實相發明而不相悖也.

주자(周子 : 周敦頤)의 이른바 '무극이면서 태극이다'는 음양의 본체로 말한 것이니, 『중용』의 이른바 '하늘이 명령하는 성(性)'이다. 소자(邵子 : 邵雍)의 이른바 '무극'은 움직임과 고요함의 관건으로 말한 것이니, 『중용』의 이른바 '아직 발동하지 않은 중(中)'이다. 하늘이 명령한 성은 본디 두루 흘러서 있지 않은 곳이 없지만 '사람이 태어날 때 고요한 것은 하늘의 성(性)이니',[77] 텅 비고 고요하여 아무런 조짐도 없을 때 이에 본체의 참됨이 갖추어지는 근거이기 때문에 주자(周子 : 周敦頤)도 또한 '고요함에 중심을 둔다'[78]라고 말했고, 정자(程子 : 程頤)도 '그 근본은 참되고 고요하다'[79]라고 말했다. 세 분 선생님들의 말은 실로 서로 밝혀 드러내었지 서로 어그

77) 사람이 태어날 때 고요한 것은 하늘의 성(性)이니 : 『예기(禮記)』「악기(樂記)」에서 "사람이 태어날 때 고요한 것은 하늘의 성(性)이고, 외물에 감응하여 움직이는 것은 성의 욕망이다.[人生而靜, 天之性也. 感於物而動, 性之欲也.]"라고 하였다.

78) 고요함에 중심을 둔다 : 주돈이, 『태극도설』에서 "성인은 중·정·인·의로 안정시키되〈성인의 도는 인·의·중·정일 뿐이다.〉 고요함에 중심을 두어〈욕심이 없기 때문에 고요하다〉 인극을 정립하였다.[聖人定之以中正仁義〈聖人之道, 仁義中正而已矣〉而主靜〈無欲故靜〉, 立人極焉.]"라고 하였다.

79) 그 근본은 참되고 고요하다 : 정이, 『하남정씨 문집』 권9, 「안자소호하학론(顔子所好何學論)」

러지지 않는다.

[계몽 2-4-5]

又曰 : "震始交陰而陽生, 巽始消陽而陰生. 兌, 陽長也; 艮, 陰長也. 震·兌, 在天之陰也; 艮·巽, 在地之陽也. 故震·兌, 上陰而下陽, 巽·艮, 上陽而下陰. 天以始生言之, 故陰上而陽下, 交泰之義也. 地以旣成言之, 故陽上而陰下, 尊卑之位也. 乾·坤定上下之位, 坎·離列左右之門. 天地之所闔闢, 日月之所出入, 春夏秋冬, 晦朔弦望, 晝夜長短, 行度盈縮, 莫不由乎此矣."[80]

(소옹이) 또 말했다. "진(震☳)괘는 처음으로 음과 교착하여 양이 생겼고, 손(巽☴)괘는 처음으로 양을 사라지게 하여 음이 생겼다. 태(兌☱)괘는 양이 자란 것이고, 간(艮☶)괘는 음이 자란 것이다. 진괘와 태괘는 하늘에 있는 음이고, 손괘와 간괘는 땅에 있는 양이다. 그러므로 진괘와 태괘는 위가 음이고 아래가 양이며, 손괘와 간괘는 위가 양이고 아래가 음이다. 하늘은 처음 낳는 것으로 말하였기 때문에 음이 위이고 양이 아래이니, '교착하여 크게 소통하는[交泰]' 뜻이 있다. 땅은 이미 이룬 것으로 말하였기 때문에 양이 위이고 음이 아래이니, 높음과 낮음의 자리가 있다. 건괘와 곤괘는 위와 아래의 제 자리를 잡고, 감괘와 리괘는 좌우의 문을 늘어놓았다. 하늘과 땅이 열리고 닫히며 해와 달이 나오고 들어가니, 이 때문에 봄

80) 소옹, 『황극경세서』 권13, 「관물외편」 상(上).

·여름·가을·겨울과 그믐·초하루·상현·하현·보름과 밤낮의 길고 짧음과 운행하는 도수의 남음과 모자람이 여기에 말미암지 않는 것이 없다."

〈朱子曰: "'震始交陰而陽生', 是說「圓圖」震與坤接而一陽生也. '巽始消陽而陰生', 是說「圓圖」巽與乾接而一陰生也."〉[81]

〈주자가 말했다. "'진괘(☳)는 처음으로 음과 교착하여 양이 생겼다.'는 것은 「원도」에 진괘가 곤괘와 접촉하여 하나의 양이 생김을 말하였다. '손괘(☴)는 처음으로 양을 사라지게 하여 음이 생겼다.'는 것은 「원도」에 손괘가 건괘와 접촉하여 하나의 음이 생김을 말하였다."〉

集說

● 邵子曰: "陽爻, 晝數也; 陰爻, 夜數也. 天地相銜, 陰陽相交, 故晝夜相離, 剛柔相錯. 春·夏, 陽也, 故晝數多, 夜數少; 秋·冬, 陰也, 故晝數少, 夜數多."[82]

소자(邵子: 邵雍)가 말했다. "양효는 낮의 수이고, 음효는 밤의 수이다. 하늘과 땅이 서로 머금고 음과 양이 서로 교류하기 때문에 밤과 낮은 서로 이어지고 굳셈과 유순함이 서로 교착한다. 봄·여름은 양이기 때문에 낮의 수가 많고 밤의 수가 적으며, 가을·겨울

81) 『주역전의대전(周易傳義大全)』「주역주자도설(周易朱子圖說)」에는, 朱子曰: "此條是說「圓圖」震與坤接, 是震始交陰而一陽生也. 巽與乾接, 是巽始消陽而一陰生也."라고 되어 있다.

82) 소옹, 『황극경세서』 권13, 「관물외편」 상(上).

은 음이기 때문에 낮의 수가 적고 밤의 수가 많다."

● 胡氏方平曰:"此一節先論震·巽·艮·兌四維之卦, 而後及於乾·坤·坎·離四正之位. '震始交陰而陽生', 以震接坤言也; 至兌二陽, 則爲陽之長. '巽始消陽而陰生', 以巽接乾言也; 至艮二陰, 則爲陰之長.

호방평(胡方平)[83]이 말했다. "이 한 구절은 먼저 진괘·손괘·간괘·태괘 등 사유괘(四維卦 : 네 개의 모서리 괘)를 논하고 그 뒤에 건괘·곤괘·감괘·리괘 등 사정위(四正位 : 네 개의 정방위 괘)에 대해 언급하였다. '진괘는 처음으로 음과 교착하여 양이 생겼다.'는 것은 진괘가 곤괘와 접촉한 것으로 말하였고, 태괘의 두 개의 양의 경우는 양이 자라난 것이다. '손괘는 처음으로 양을 사라지게 하여 음이 생겼다.'는 것은 손괘가 건괘와 접촉한 것으로 말하였다. 간괘의 두 개의 음의 경우는 음이 자라난 것이다.

'震·兌在天之陰'者, 邵子以震爲天之少陰, 兌爲天之太陰. 惟其爲陰, 故陰爻皆在上而陽爻皆在下. 天以生物爲主, 始生之初, 非交泰不能, 故陰上陽下而取交泰之義. '巽·艮在地之陽'者, 邵子以巽爲地之少剛, 艮爲地之太剛. 惟其爲剛, 故陽爻皆在上而陰爻皆在下. 地以成物爲主, 旣成之後, 則尊卑定, 故陰下陽上

83) 호방평(胡方平) : 자는 사노(師魯)이고 호는 옥재(玉齋)이며 송대 무원(婺源 : 현 강서성 무원현) 사람이다. 동몽정(董夢程)에게서 배웠는데, 동몽정은 주희의 고족제자이자 사위인 황간(黃幹)의 제자이다. 따라서 그는 아들 호일계(胡一桂)와 함께 주희의 학설을 독실하게 신봉하였다. 저술은 필생의 역작인 『역학계몽통석(易學啟蒙通釋)』이 있다.

而取尊卑之位.

‘진괘와 태괘는 하늘에 있는 음이다.’는 소자가 진괘로 하늘의 소음(少陰)을 삼고 태괘로 하늘의 태음(太陰)을 삼은 것이다. 그것이 오직 음이기 때문에 음효가 모두 위에 있고 양효가 모두 아래에 있다. 하늘은 만물을 낳는 것을 위주로 하니, 처음 생긴 초기에 교착하여 크게 소통하지 않으면 불가능하기 때문에, 음이 위에 있고 양이 아래에 있어 교착하여 크게 소통하는 뜻을 취하였다. ‘손괘와 간괘는 땅에 있는 양이다.’는 소자가 손괘로 땅의 소강(少剛)을 삼고 간괘로 땅의 태강(太剛)을 삼은 것이다. 그것이 오직 강(剛)이기 때문에 양효가 모두 위에 있고 음효가 모두 아래에 있다. 땅은 만물을 이루는 것을 위주로 하니, 이미 이루어진 뒤에는 높음과 낮음이 정해지기 때문에, 음이 아래에 있고 양이 위에 있어 높음과 낮음의 자리를 취하였다.

‘乾·坤定上下之位’, ‘天地之所闔闢也’; ‘坎·離列左右之門’, ‘日月之所出入也.’ 歲而春夏秋冬, 月而晦朔弦望, 日而晝夜行度, 莫不胥此焉出, 豈拘拘爻畫·陰陽之間哉?”[84]

‘건괘와 곤괘는 위와 아래의 제 자리를 잡는다.’는 것은 ‘하늘과 땅이 열리고 닫히는 곳’이고, ‘감괘와 리괘는 좌우의 문을 늘어놓았다.’는 것은 ‘해와 달이 드나드는 곳’이다. 일 년에 봄·여름·가을·겨울과 한 달에 그믐·초하루·상현·하현·보름과 하루에 밤낮의 운행하는 도수가 모두 여기에서 나오지 않음이 없으니, 어찌 효획과 음양의 사이에 구애될 것인가?”

84) 호방평, 『역학계몽통석』 권상(上), 「원괘획(原卦畫)」 제2.

[계몽 2-4-6]

又曰 : "乾四十八而四分之, 一分爲陰所剋也. 坤四十八而四分之, 一分爲所剋之陽也. 故乾得三十六, 而坤得十二也.[85]
〈(1)兌·離以下更思之. (2)今按兌·離二十八陽, 二十陰; 震二十陽, 二十八陰. 艮·坎二十八陰, 二十陽; 巽二十陰, 二十八陽.〉"

(소옹이) 또 말했다. "건(乾☰ : 64괘 가운데 내괘가 건괘인 괘)괘는 효의 총 수가 48효인데 이를 넷으로 나눌 때 그 하나(12효)는 음이 이긴 것이 된다. 곤(坤☷ : 64괘 가운데 내괘가 곤괘인 괘)괘는 효의 총 수가 48효인데 이를 넷으로 나눌 때 하나(12효)는 양이 이긴 것이 된다. 그래서 건(乾☰ : 64괘 가운데 내괘가 건괘인 괘)괘는 36개의 양효를 얻고, 곤(坤☷ : 64괘 가운데 내괘가 곤괘인 괘)괘는 12개의 양효를 얻는다. 〈(1) 태(兌☱)괘·리(離☲)괘 아래로 더 생각해야 한다. (2) 지금 살펴보건대, 태괘와 리괘는 양효가 28개이고 음효가 20개이며, 진괘(震☳)괘는 양효가 20개이고 음효가 28개이다. 간(艮☶)괘와 감(坎☵)괘는 음효가 28개이고 양효가 20개이며, 손(巽☴)괘는 음효가 20개이고 양효가 28개이다.〉

[계몽 2-4-7]

又曰 : "乾·坤縱而六子橫, 易之本也."[86]

(소옹이) 또 말했다. "건괘와 곤괘가 세로로 세워져 있고 여섯 자식이 가로로 늘어서 있는 것이 역(易)의 근본이다."

85) 소옹, 『황극경세서』 권13, 「관물외편」 상(上).
86) 소옹, 『황극경세서』 권13, 「관물외편」 상(上).

[계몽 2-4-8]

又曰 : "陽在陰中, 陽逆行; 陰在陽中, 陰逆行. 陽在陽中, 陰在陰中, 則皆順行. 此眞至之理, 按「圖」可見之矣."87)

(소옹이) 또 말했다. "양이 음의 영역에 있으면 양은 역행하고, 음이 양의 영역에 있으면 음은 역행한다. 양이 양의 영역에 있고 음이 음의 영역에 있으면 모두 순행한다. 이는 참으로 지극한 이치이니 「원도(「圓圖」)」를 살펴보면 알 수 있다."

[계몽 2-4-9]

又曰 : "復至乾, 凡百一十有二陽; 姤至坤, 凡八十陽; 姤至坤, 凡百一十有二陰; 復至乾, 凡八十陰."88)

(소옹이) 또 말했다. "복(復䷗)괘에서 건(乾䷀)괘까지는 양효가 모두 112개이고, 구(姤䷫)괘에서 곤(坤䷁)괘까지는 양효가 모두 80개이며, 구괘에서 곤괘까지는 음효가 모두 112개이고, 복괘에서 건괘까지는 음효가 모두 80개이다."

[계몽 2-4-10]

又曰 : "坎·離者, 陰陽之限也; 故離當寅, 坎當申. 而數常踰

87) 소옹, 『황극경세서』 권13, 「관물외편」 상(上).

88) 소옹, 『황극경세서』 권13, 「관물외편」 상(上).

之者, 陰陽之溢也. 然用數不過乎中也. 〈此更宜思. 離當卯, 坎當酉, 但以坤爲子半可見矣.〉"

(소옹이) 또 말했다. "감(坎☵)괘와 리(離☲)괘는 음과 양의 한계점이다. 그러므로 리괘는 인(寅)에 해당하고, 감괘는 신(申)에 해당한다. 그래서 수(數)가 항상 넘치는 데, 이는 음과 양이 넘치는 것이다. 그러나 사용하는 수는 중(中)을 지나치지 않는다." 〈이는 다시 더 생각해야 한다. 리괘는 묘(卯)에 해당하고, 감괘는 유(酉)에 해당하지만, 곤괘를 자반(子半)으로 여긴 것을 알 수 있다.〉

集說

● 蔡氏元定曰 "此論陰陽往來皆以馴致, 不截然爲陰爲陽也. 以坎·離而言, 離中當卯, 坎中當酉; 然離之所生已起於寅〈震中〉, 坎之所生已起於申〈巽中〉矣. 故邵子謂離當寅, 坎當申也. 坤當子半, 乾當午半, 卽離卯·坎酉之謂也."[89]

채원정(蔡元定)이 말했다. "이는 음과 양의 왕래가 모두 점차적으로 이루어지니 딱 자른 듯이 음이 되거나 양이 되지 않음을 논한 것이다. 감괘(☵)와 리괘(☲)로 말하면, 리괘의 중(中)은 묘(卯)에 해당하고, 감(坎)의 중(中)은 유(酉)에 해당한다. 그러나 리괘가 생겨난 것은 이미 인(寅)〈진괘(☳)의 중(中)〉에서 시작하고, 감괘가 생겨난 것은 이미 신(申)〈손괘(☴)의 중(中)〉에서 시작한다. 그러므로 소자(邵子 : 邵雍)가 '리괘는 인(寅)에 해당하고 감괘는 신(申)에 해

89) 왕식(王植), 『황극경세서해(皇極經世書解)』 권13에 채원정(蔡元定)의 말로 기재되어 있다.

당한다.'고 하였다. 곤괘가 자반(子半)에 해당하고 건괘가 오반(午半)에 해당한다는 것은 바로 리괘가 묘(卯)에 해당하고 감괘가 유(酉)에 해당함을 말한다."

[계몽 2-4-11]

又曰 : "先天學, 心法也, 故「圖」皆自中起, 萬化萬事生於心也."[90]

(소옹이) 또 말했다. "선천학(先天學)은 심법(心法[91])이다. 그러므로 「선천도」는 모두 가운데에서 일어나며, 온갖 변화와 온갖 일은 마음에서 생겨난다."

[계몽 2-4-12]

又曰 : "「圖」雖無文, 吾終日言而未嘗離乎是. 蓋天地萬物之理盡在其中矣."[92]

(소옹이) 또 말했다. "「선천도」에는 비록 글이 없지만 내가 하루 종일 말한다고 해도 여기에서 벗어난 적이 없다. 천지만물의 이치가 모두 이 가운데 있다."

---

90) 소옹, 『황극경세서』 권13 「관물외편상(觀物外篇上)」.
91) 심법(心法) : 마음을 중시하는 원리를 가리킨다. 마음은 또한 '밖'이 아닌 '가운데[中]'를 가리킨다.
92) 소옹, 『황극경세서』 권13 「관물외편상(觀物外篇上)」.

案

自孔子既沒，易道失傳，義理旣已差訛，圖象尤極茫渺．唯「大傳」'帝出乎震'一條，所載八卦方位，顯然明白．故學者有述焉．其餘如卦氣·月候之屬，皆漢儒傅會，非聖人本法也．

공자가 죽은 뒤 역의 도(道)가 전해지지 않아 그 내용이 이미 잘못되고 도(圖)와 상(象)은 더욱 심하게 막연해졌다. 오직 「대전(大傳 : 본문 [설괘 5-1])」의 '천제가 진(震☳)괘에서 나와'라는 한 조목에서만 8괘의 방위를 기재한 것이 두드러지게 명백할 뿐이었다. 그래서 학자들이 거기에 대해 설명한 것이 있었다. 그 나머지 예컨대 괘기(卦氣)·월후(月候)와 같은 따위는 모두 한(漢)대 학자들이 견강부회한 것이지 성인의 본래 법도가 아니다.

至宋康節邵子，乃有所謂「先天圖」者，其說有六十四卦生出之序，則今之「橫圖」，自一畫至六畫，一每分二者，是已．有八卦方位，則今之「小圓圖」，乾南·坤北·離東·坎西者，是已．有六十四卦方位，則今之「大圓圖」，始復·姤終乾·坤者，是已．「大圓圖」中有「方圖」，又所以象天地之相函也．

송(宋)대 강절 소자(康節邵子 : 邵雍)에 이르러 비로소 이른바 「선천도」가 있게 되어, 그 학설에 64괘가 생겨나오는 순서가 있으니, 현재 「횡도(橫圖)」의 1획에서부터 6획에 이르기까지 하나가 매번 둘로 나뉘는 것이 이것이다. 또 그 학설에 8괘의 방위가 있으니, 현재 「작은 원도(圓圖)」의 건은 남쪽이고 곤은 북쪽이며 리는 동쪽이고 감은 서쪽인 것이 이것이다. 또 그 학설에 64괘의 방위가 있으니, 현재 「큰 원도(圓圖)」의 복(復)괘와 구(姤)괘에서 시작하여 건괘와 곤괘에서 끝나는 것이 이것이다. 「큰 원도」 속에는 「방도(方圖)」가 있어 또 그것으로 하늘과 땅이 서로 포함하고 있는 것을 상징한다.

諸圖之義, 廣大高深, 信非聖人不能造作. 然當邵子之時, 伊川程子則未之見, 龜山楊氏見而未之信, 唯明道程子, 稍見其書, 而括以加倍之一言. 然則當時知邵子者, 明道一人而已.

이러한 여러 그림의 의미는 광대하고 심원하니 참으로 성인이 아니면 아무도 그것을 만들어낼 수 없다. 그러나 소옹 당시에 이천 정자(伊川程子 : 程頤)는 그것을 보지 못했고, 구산 양씨(龜山楊氏 : 楊時)는 믿지 않았으며, 오직 명도 정자(明道程子 : 程顥)만이 그 글을 바로 이해하여 '배로 늘려가는 방법[加一倍法]'이라고 총괄해서 말했다. 그렇다면 당시에 소옹을 제대로 안 사람은 정호 한 사람 뿐이었다.

南渡之後, 如林栗·袁樞之徒, 攻邵者尤衆. 雖象山陸氏, 亦以爲「先天圖」非聖人作『易』本指. 獨朱子與蔡氏, 闡發表章, 而邵學始顯明於世. 五百年來, 雖復有爲異論者, 而不能奪也.

남송(南宋)이후에 예컨대 임율(林栗)·원추(袁樞)와 같은 무리처럼 소옹의 학설을 공격한 사람은 더욱 많았다. 상산 육씨(象山陸氏 : 陸九淵)와 같은 사람도 또한 「선천도」가 성인이 『역』을 지은 본래 취지가 아니라고 여겼다. 유독 주자(朱子 : 朱熹)와 채씨(蔡氏 : 蔡元定)만이 그것을 드러내 밝히고 칭찬하여 소옹의 학문이 비로소 세상에 드러나 밝혀지게 되었다. 그 뒤 500년 이래로 다시 이론(異論)을 제기하는 자가 있었지만 소옹의 학술적 권위를 빼앗을 수 없었다.

顧朱子之意, 以爲孔子之後, 諸儒不能傳授, 而使方外得之, 故其流爲丹竈小術, 至康節然後返之於易道. 今以『參同契』諸書觀之, 其六卦月候, 蓋卽納甲之法; 其十二辟卦主歲, 蓋卽卦氣之流. 所爲始於震·復者, 與「先天」偶同爾, 似未足爲「先天」傳受之據.

주자의 뜻을 돌이켜보면 공자 이후에 여러 유학자들은 전수받지 못했고 방외인(方外人 : 도교나 불교도)들이 그것을 전수할 수 있었기 때문에 그 유파가 단조(丹竈 : 단약을 만드는 일)의 자잘한 기술이 되었는데, 소옹에 이른 뒤에 역의 도(道)로 그것을 되돌리게 되었다. 이제 『참동계(參同契)』의 여러 글들로 살펴보면 그 6괘의 월후(月候)[93]는 바로 납갑법(納甲法)[94]이고, 12벽괘로 한 해를 주로 하는 것은 바로 괘기(卦氣)[95]의 부류이다. 이른바 진괘·복괘에서 시

---

93) 6괘의 월후(月候) : 『주자어류』 권65, 74조목에서 "도가에서는 감괘와 리괘를 진정한 수(水)와 화(火)로 보아 6괘의 주인으로 삼고, 6괘를 감괘와 리괘의 작용으로 여긴다. 원래 1달에서 초삼일이 진괘(☳)가 되고 상현은 태괘(☱)가 되며 보름은 건괘(☰)가 되고 보름 뒤는 손괘(☴)가 되며 하현이 간괘(☶)가 되고 그믐이 곤괘(☷)가 되는 것도 또한 이러한 이치에서 벗어나지 않는다.[如道家以坎·離爲眞水·火, 爲六卦之主, 而六卦爲坎·離之用. 自月初三爲震, 上弦爲兌, 望日爲乾, 望後爲巽, 下弦爲艮, 晦日爲坤, 亦不外此.]"라고 하였다.

94) 납갑법(納甲法) : 한대 경방(京房)이 주장한 역학의 한 방법론으로, 역 64괘의 6개 효마다 10간 혹은 5행 등을 배속하여, 그것으로 모든 괘상의 기미와 길흉을 추단하는 방법이다. 모든 납갑은 초효에서 상효를 향해 순서대로 배속되는데, 양괘는 자·인·진·오·신·술(子·寅·辰·午·申·戌)의 순행하는 순서로 붙여나가며, 음괘는 축·해·유·미·사·묘(丑·亥·酉·未·巳·卯)의 역행하는 순서로 붙여 나간다.

95) 괘기(卦氣) : 64괘를 사시(四時)·월령(月令)·기후(氣候) 등에 서로 배치하는 방법을 말한다. 문왕(文王)이 역(易)을 서(序)하여 감(坎)·리(離)·진(震)·태(兌)를 사시괘(四時卦)로 하고, 복(復)에서 건(乾)에 이

작하는 것은 「선천도」와 우연히 같은 뿐 「선천도」가 전수받은 증거가 되기에는 충분하지 않은 것 같다.

唯揚雄作『太玄』, 其法始於三方, 重於九洲, 又重於二十七部, 又重於八十一家, 則與「先天」極·儀·象·卦加倍之法相似也. 流行之序, 始於中·羨·從, 中於更·晬·廓, 終於減·沈·成, 則與「先天」始復終乾, 始姤終坤之序相似也. 首用九九, 策用六六, 則與「先天」卦用八八, 策用七七之數相似也.

오직 양웅이 『태현』을 지어 그 법도가 3방(方)으로 시작하고 9주(洲)로 중첩되며, 또 27부(部)로 중첩되고, 또 81가(家)로 중첩되니, 「선천도」의 태극·양의·4상·8괘의 배로 늘여가는 방법과 서로 비슷하다. 유행의 순서가 중(中)·선(羨)·종(從)에서 시작하여 경(更)·수(晬)·곽(廓)에서 중간이고 감(減)·침(沈)·성(成)에서 끝나니, 「선천도」의 복괘에서 시작하여 건괘에서 끝나고, 구괘에서 시작하여 곤괘에서 끝나는 순서와 서로 비슷하다. 수(首)는 9·9를 쓰고 책(策)은 6·6을 쓰니, 「선천도」의 괘는 8·8을 쓰고 책(策)은 7·7을 쓰는 숫자와 서로 비슷하다.

意者康節讀揚雄之書而心悟作『易』之本與, 然非揚雄之時, 『易』傳未泯, 則雄亦無自而依彷之. 故康節深服『太玄』, 以爲見天地

르고, 구(姤)에서 곤(坤)에 이르는 12괘를 열두 달 소식괘(消息卦)로 했다. 한대 유학자 경방(京房) 등은 나머지 48괘를 열두 달에 배치하여 매월의 4괘와 소식괘(消息卦) 한 괘를 합쳐 5괘, 합계 30효(爻)를 한 달의 날수에 배당하고, 다시 매월의 5괘를 군신들의 위계(位階)에 배치하였다.

之心, 蓋其學所啓發得力處也. 然自邵書旣出, 則『太玄』爲僭經, 爲汨陰陽之敘, 與邵書迥乎如蒼素之不相侔矣.

혹시 소옹이 양웅의 책을 읽고 마음으로 『역』을 지은 근본을 깨닫지 않았나 의심하지만, 양웅의 시대에 『역』의 전수가 끊어지지 않았으니 양웅 역시 아무런 전거 없이 모방하지는 않았을 것이다. 그러므로 소옹이 『태현』에 깊이 탄복하여 천지의 마음을 보았다고 여긴 것은 그 학문이 계발되는 데 힘을 얻었기 때문이다. 그러나 소옹의 책이 출간되고부터는 『태현』은 참람한 경전이 되고 음양의 차례에 골몰하여 소옹의 책과는 푸른색과 흰색이 같을 수 없을 만큼 거리가 멀어지게 되었다.

觀明道程子之意, 蓋以爲康節能自得師, 故於希夷之傳, 揚雄之書, 皆有取焉. 而其淳一不雜, 汪洋浩大, 則非揚·陳之所能及也. 故曰, '堯夫之數, 似『玄』而不同', 又曰, '穆·李皆得之希夷者, 而其言與行事, 概可見矣, 堯夫特因其門戶而入者爾.' 程子之言至當, 後之學者, 欲考「先天」之傳, 不可以不知.

정호(程顥)의 생각을 살펴보면 대개 소옹은 스스로 스승을 얻을 수 있었다고 여기니, 희이(希夷 : 陳摶)[96]의 전수와 양웅의 책에서도

96) 진단(陳摶, ?~989) : 자는 도남(圖南)이고, 자호는 부요자(扶搖子)이다. 황제가 하사한 호는 희이선생(希夷先生)이고, 세칭 백운선생(白雲先生)이라 하였다. 송대 호주진원(亳州眞源 : 현 하남성녹읍〈鹿邑〉) 사람으로 무당산(武當山)·거화산(居華山)에 은거하여 수도하였다. 『역』에 대한 연구에 몰두하였으며, 「무극도(無極圖)」와 「선천도(「先天圖」)」를 그린 것이 소옹과 주렴계 등에게 전수되었다. 저서는 『지현편(指玄篇)』, 『삼봉우언(三峰寓言)』, 『고양편(高陽篇)』, 『조담집(釣潭集)』 등이 있다.

모두 취함이 있었을 것이다. 그러나 그 순일하여 섞이지 않음과 한없이 크고 넓음은 양웅과 진단이 미칠 수 있는 것이 아니다. 그러므로 '소옹의 수는 『태현』과 비슷하지만 같지 않다'[97]라 했고, 또 '목수(穆修)[98]와 이지재(李之才)[99]는 모두 진단에게서 전수받았지만 그 말과 행한 일은 대체로 알 수 있으니, 소옹은 다만 그 문호를 통해 들어간 것일 뿐이다'[100]라고 하였다. 정호의 말이 지극히 온당하니 뒤에 배우는 사람들이 「선천도」의 전수를 고찰할 때 몰라서는 안 된다.

97) 소옹의 수는 『태현』과 비슷하지만 같지 않다 : 정호·정이, 『하남정씨유서』 권18.

98) 목수(穆修, 979~1032) : 자는 백장(伯長)이고, 목참군(穆參軍)으로 불리었다. 송대 운주 문양(鄆州 汶陽 : 현 산동성 문상〈汶上〉) 사람인데, 나중에 채주(蔡州 : 현 하남성 여남〈汝南〉)에 살았다. 태주사리참군(泰州司理參軍)과 영주·채주문학참군(潁州·蔡州文學參軍)을 역임하였다. 소순(蘇舜)·소흠(蘇欽)형제와 친교하고 고문에 뛰어났다. 진단(陳摶)에게서 역수학(易數學)을 배우고 그것을 이지재(李之才)에게 전수해 주었으며, 이지재(李之才)는 또 소옹(邵雍)에게 전수하였다고 한다. 또 충방(种放)에게서 진단의 「태극도」를 얻어 주돈이에게 전수해주었다고 한다. 저서는 『목참군집(穆參軍集)』이 있다.

99) 이지재(李之才, ?~1045) : 자는 정지(挺之)이고 청주(青州 : 현 산동성 청주시〈青州市〉) 사람이다. 북송 인종(仁宗) 천성(天聖) 8년(1030)에 동진사출신(同進士出身)이 되어 권공성령(權共城令)·조맹주사법참군(調孟州司法參軍)·택주첨서판관(澤州簽署判官) 등을 역임하였다. 목수(穆修)에게 역학을 배우고 소옹(邵雍)에게 괘와 괘의 상호관계를 설명하는 괘변도(卦變圖)를 전수하여, 송대 상수역학의 선구자가 되었다. 『송사(宋史)』 권431에 그의 전기가 있다.

100) 목수(穆修)와 이지재(李之才)는 모두 … 그 문호를 통해 들어간 것일 뿐이다 : 정호·정이, 『하남정씨문집』 권4.

문왕8괘도(文王八卦圖)

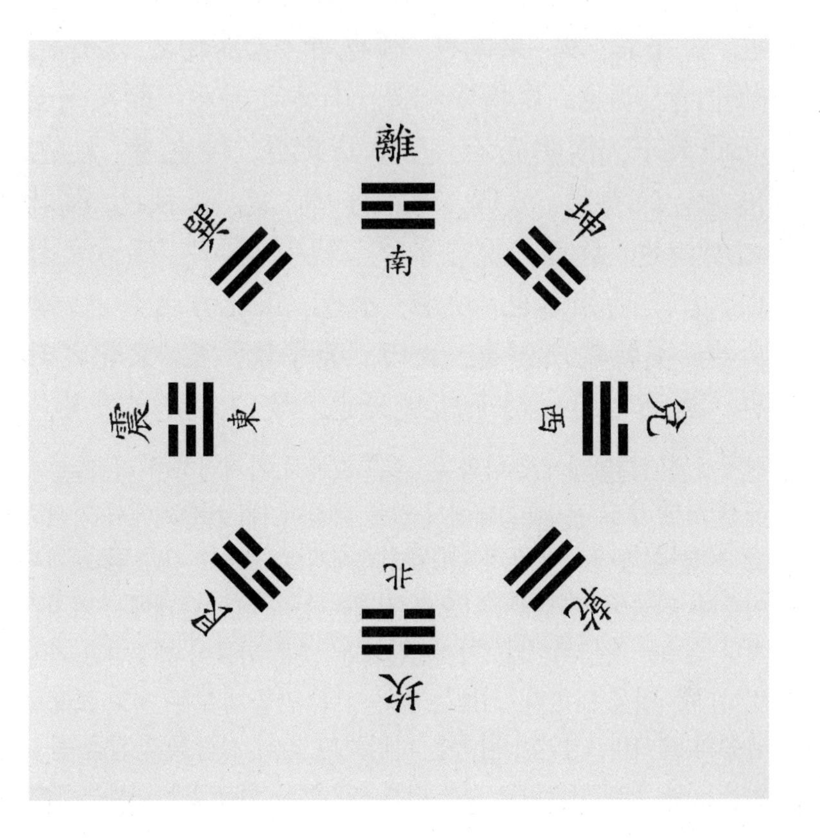

[계몽 2-5]

帝出乎震, 齊乎巽, 相見乎離, 致役乎坤, 說言乎兌, 戰乎乾, 勞乎坎, 成言乎艮. 萬物出乎震, 震, 東方也. 齊乎巽, 巽, 東南也. 齊也者, 言萬物之 潔齊也. 離也者, 明也; 萬物皆相見, 南方之卦也. 聖人南面而聽天下, 嚮明而治, 蓋取諸此也. 坤也者, 地也; 萬物皆致養焉, 故曰, '致役乎坤.' 兌, 正秋也; 萬物之所說也, 故曰, '說言乎兌.' 戰乎乾, 乾, 西方之卦也; 言陰陽相薄也. 坎者, 水也, 正北方之卦也; 勞卦也, 萬物之所歸也, 故曰, '勞乎坎.' 艮, 東北之卦也; 萬物之所成終而所成始也, 故曰, '成言乎艮.'[1)]

천제가 진(震☳)괘에서 나와 손(巽☴)괘에서 가지런하며 리(離☲)괘에서 서로 보고 곤(坤☷)괘에서 일을 다하며 태(兌☱)괘에서 기뻐하고 건(乾☰)괘에서 싸우며 감(坎☵)괘에서 수고롭고 간(艮☶)괘에서 이룬다. 만물이 진괘에서 나오니 진괘는 동쪽이다. 손괘에서 가지런하니 손괘는 동남쪽이다. '가지런하다'는 것은 만물이 깨끗하고 가지런하다는 것을 말한다. 리괘는 밝음이니, 만물이 모두 서로 보므로 남쪽의 괘이다. 성인이 남쪽을 바라보며 천하 사람들의 말을 듣고 밝은 곳을 향해 다스리는 것은 바로 여기에서 취하였다. 곤괘는 땅이니, 만물이 모두 여기에서 길러지므로 '곤괘에서 일을 다 한다.'고 했다. 태괘는 가을이 한창이니, 만물이 기뻐하므로 '태괘에서 기뻐한다.'고 했다. 건괘에서 싸운다는 것은, 건은 서쪽의 괘이니 이는 음·양이 서로 부딪히는 것을 말한다. 감괘는 물로서 정북쪽의 괘이며

1) 『역』「설괘전(說卦傳)」 제5장.

수고로운 괘로서 만물이 귀결하는 곳이므로 '감괘에서 수고롭다.'고 했다. 간괘는 동북쪽의 괘이니, 만물이 여기에서 끝마치고 시작하게 되므로 '간괘에서 이룬다.'고 했다.

神也者, 妙萬物而爲言者也. 動萬物者莫疾乎雷, 撓萬物者莫疾乎風, 燥萬物者莫熯乎火, 說萬物者莫說乎澤, 潤萬物者莫潤乎水, 終萬物始萬物者莫盛乎艮. 故水火相逮, 雷風不相悖, 山澤通氣, 然後能變化, 旣成萬物也.[2)]

신(神)이란 만물을 신묘하게 함을 말하는 것이다. 만물을 움직이는 것은 우레보다 빠른 것이 없고, 만물을 흔드는 것은 바람보다 빠른 것이 없으며, 만물을 건조시키는 것은 불보다 잘 말리는 것이 없고, 만물을 기쁘게 하는 것은 못보다 기쁘게 하는 것이 없으며, 만물을 적시는 것은 물보다 잘 적시는 것이 없고, 만물을 끝내고 만물을 시작하는 것은 간(艮 : 산)보다 왕성한 것이 없다. 그러므로 물과 불이 서로 미치고, 우레와 바람이 서로 어그러지지 않으며, 산과 못이 기(氣)를 통한 다음에야 변화할 수 있고 만물을 충분히 이룰 수 있다.

[계몽 2-5-1]

邵子曰 : "此一節明文王八卦也."[3)]

2) 『역』「설괘전(說卦傳)」 제6장.

3) 소옹, 『황극경세서』 권13 「관물외편(觀物外篇)」 상(上).

소자(邵子 : 邵雍)가 말했다. "이 한 구절은 문왕 8괘를 밝혔다."

[계몽 2-5-2]

又曰 : "至哉文王之作『易』也, 其得天地之用乎! 故乾·坤交而爲泰, 坎·離交而爲旣濟也. 乾生於子, 坤生於午, 坎終於寅, 離終於申, 以應天之時也. 置乾於西北, 退坤於西南, 長子用事, 而長女代母, 坎·離得位, 而兌·艮爲耦, 以應地之方也. 王者〈文王也〉其盡於是矣.[4]"[5] 〈此言文王改易伏羲「卦圖」之意也. 蓋自乾南·坤北而交, 則乾北·坤南而爲泰矣. 自離東·坎西而交, 則離西·坎東而爲旣濟矣. 乾·坤之交者, 自其所已成而反其所由生也. 故再變則乾退乎西北, 坤退乎西南也. 坎·離之變者, 東自上而西, 西自下而東也. 故乾·坤旣退, 則離得乾位, 而坎得坤位也. 震用事者, 發生於東方; 巽代母者, 長養於東南也.〉

(소옹이) 또 말했다. "지극하다, 문왕이 『역』을 지은 것은 아마 하늘과 땅의 작용을 터득하였으리라! 그러므로 건(乾☰)괘와 곤(坤☷)괘가 교착하여 태(泰䷊)괘가 되고, 감(坎☵)괘와 리(離☲)괘가 교착하여 기제(旣濟䷾)괘가 된다. 건(乾☰)괘는 자(子)에서 생기고, 곤(坤☷)괘는 오(午)에서 생기며, 감(坎☵)괘는 인(寅)에서 마치고, 리(離☲)괘는 신(申)에서 마쳐 하늘의 때에 응했다. 건(乾☰)괘를 서북쪽에 두고 곤(坤☷)괘를 서남쪽으로 물리니, 큰아들이 일을 하

4) 王者〈文王也〉其盡於是矣 : 소옹, 『황극경세서』 권13 「관물외편(觀物外篇)」 상(上)에는 "王者之法其盡於是矣[왕의 법도는 여기에서 다 발휘되었다.]"라고 되어 있다.

5) 소옹, 『황극경세서』 권13 「관물외편(觀物外篇)」 상(上).

고 큰딸이 어머니를 대신하며, 감(坎☵)괘와 리(離☲)괘가 자리를 얻고, 태(兌☱)괘와 간(艮☶)괘가 짝이 되어 땅의 방위에 응했다. 왕은 〈문왕을 가리킨다.〉 여기에서 다 발휘하였다" 〈이는 문왕이 복희의 「괘도」를 변경한 뜻을 말한다. 건괘가 남쪽이고 곤괘가 북쪽인 것에서 교착하면, 건괘가 북쪽이고 곤괘는 남쪽이 되어 태괘가 된다. 리괘가 동쪽이고 감괘가 서쪽에서 교착하면, 리괘가 서쪽이고 감괘는 동쪽이 되어 기제괘가 된다. 건괘와 곤괘의 교착은 이미 이루어진 것으로 말미암아 생겨나 되돌아가는 것이다. 그러므로 다시 한 번 변하면 건괘는 서북쪽에 물러나고 곤괘는 서남쪽에 물러난다. 감괘와 리괘의 변화는 동쪽에 있던 것이 위에서 서쪽으로 가고 서쪽에 있던 것은 아래에서 동쪽으로 간다. 건괘와 곤괘가 이미 물러났으니, 리괘가 건괘의 자리를 얻고 감괘는 곤괘의 자리를 얻는다. 진괘가 일을 한다는 것은 동쪽에서 발생한다는 뜻이고, 손괘가 어머니를 대신한다는 것은 동남쪽에서 기른다는 말이다.〉

案

邵子言乾坤交而爲泰者, 釋先天變爲後天之指也. 「先天」之位, 乾南坤北, 今變爲乾北坤南, 故曰交. 然邵子言乾生於子, 坤生於午. 今按「圖」考之, 則乾在西北, 乃亥而非子, 坤在西南, 乃未而非午. 其故何也?

소옹이 건괘와 곤괘가 교류하여 태(泰)괘가 된다고 말한 것은 선천이 변하여 후천이 된다는 취지를 풀이하였다. 「선천도」의 자리에서 건은 남쪽이고 곤은 북쪽이었는데, 이제 변하여 건이 북쪽이고 곤이 남쪽이 되었기 때문에 교류한다고 말했다. 그러나 소옹은 건은 자(子)에서 생겨나고 곤은 오(午)에서 생겨난다고 말했다. 이제 「문왕8괘도」에 따라 고찰해보면 건은 서북쪽에 있으니 바로 해(亥)이지 자(子)가 아니며, 곤은 서남쪽에 있으니 바로 미(未)이지 오(午)가 아니다. 그 까닭은 무엇인가?

曰, '陽自靜以之動, 故氣肇於子. 然自亥月而已朕兆胚胎, 故古人以亥爲陽月, 言天道於是始也. 陰自動以之靜, 故功著於午. 然至未而後育養蕃庶, 故古人以未爲中央, 言土德於是王也. 亥字從草爲荄, 從木爲核, 皆朕兆胚胎之意. 未從日爲昧, 言日於是始向昧谷, 而萬物將西成也. 樂律黃鍾子爲天統, 然自應鍾亥而陽氣已應於內, 故曰應鍾. 林鍾未爲地統, 故班固引「西南得朋」釋之.

대답한다. '양은 고요함에서 움직임으로 가기 때문에 기(氣)는 자(子)에서 시작한다. 그러나 해월(亥月)에서 이미 조짐이 배태되기 때문에 옛 사람들은 해(亥)를 양월로 삼았으니, 하늘의 도(道)가 여기에서 시작함을 말한다. 음은 움직임에서 고요함으로 가기 때문에 그 공로가 오(午)에서 드러난다. 그러나 미(未)에 이른 뒤에 양육함이 무성하기 때문에 옛 사람들은 미(未)를 중앙으로 삼았으니, 토(土)의 덕이 여기에서 왕성함을 말한다. 해(亥)라는 글자는 풀 초(草)변을 붙이면 해(荄 : 풀의 뿌리)가 되고, 나무 목(木)변을 붙이면 핵(核 : 씨앗)이 되니, 모두 조짐이 배태되는 뜻이다. 미(未)라는 글자는 날 일(日)변을 붙이면 매(昧 : 어두움)가 되니, 해는 여기에서 매곡(昧谷 : 서쪽에 해가 들어가는 곳)을 향해가기 시작하고 만물은 서쪽에서 성숙할 것임을 말한다. 음악의 율려에 황종(黃鍾)의 자(子)가 하늘의 기강이 되지만 응종(應鍾)의 해(亥)에서 양기가 이미 안으로 호응하기 때문에 응종(應鍾)이라고 했다. 임종(林鍾)의 미(未)는 땅의 기강이 되기 때문에 반고(班固)는 (『역』 곤괘 괘사에서) 「서쪽과 남쪽은 벗을 얻는다」라는 말을 인용하여 그것을 풀이했다.

下至納甲·星命淺術, 亦以亥爲天門, 未爲坤始, 疑皆本於後天以爲說也. 若乃火雖始於東而盛於南, 水雖始於西而盛於北. 雷霆之氣, 雖動於寅, 而發聲於卯; 膏澤之潤, 雖暢於巳, 而收功於酉.

아래로 납갑·성명(星命)의 비천한 술수에 이르러서도 또한 해(亥)를 하늘의 문으로 삼고 미(未)를 땅의 시작으로 삼으니, 생각건대 모두 후천에 근본하여 이론을 만든 것 같다. 그런데 화(火)는 비록 동쪽에서 시작하지만 남쪽에서 융성하고 수(水)는 비록 서쪽에서 시작하지만 북쪽에서 융성하다. 우레와 번개의 기(氣)는 비록 인(寅)에서 움직이지만 묘(卯)에서 소리를 내고, 단비의 적심은 비록 사(巳)에서 막힘이 없지만 유(酉)에서 공로를 거둔다.

風在西南, 則涼風也, 成萬物者也, 故『春秋傳』曰「風落山」; 在東南, 則和風也, 生萬物者也, 故薰風之操曰「可以阜吾民之財.」艮在西北, 則動極而靜者也, 故「大傳」曰「艮以止之」; 在東北, 則靜極復動者也, 故「大傳」曰「萬物之所成終而所成始也.」凡此皆先天·後天相爲發明之妙, 要之無非造化之所以流行而發育者.

바람이 서남쪽에 있으면 시원한 바람이고 만물을 이루는 것이기 때문에 『춘추좌전』에서 '바람이 산에 있는 것을 떨어뜨린다'라고 하였으며, 동남쪽에 있으면 온화한 바람이고 만물을 낳는 것이기 때문에 『공자가어』 제35, 「변악해(辯樂解)」에서 따뜻한 바람 곡조에서 「우리 백성의 재산을 불어나게 한다」라고 하였다. 간(艮 : 산)이 서북쪽에 있으면 움직임이 지극하여 고요해지기 때문에 「대전(大傳 : 본문 [설괘 4-1])에서 '간(艮 : 산)으로 만물을 멈추게 한다'라고 하였으며, 간이 동북쪽에 있으면 고요함이 지극하여 움직임을 회복하기 때문에 「대전(大傳 : 본문 [설괘 5-2])에서 '만물이 여기에서 끝마치게 되고 시작한다'라고 하였다. 이들은 모두 선천과 후천이 서로 드러내어 밝히는 오묘함이 되니, 요컨대 조화(造化)가 유행하고 발육하는 근거가 아님이 없는 것이다.

先儒有乾坤不用之說, 考以孔子之言, 則坤曰「致役」, 曰「致養」, 其爲用莫大於是; 至於乾曰「戰」, 則又所以著剛健之體, 有以克勝群陰, 而主宰天命. 八卦之用, 皆其用也, 夫豈不用者哉? 此聖人精意, 不可不表而出之者.'

선대 학자들 가운데 건과 곤을 쓰지 않는다는 주장이 있는데, 공자의 말을 고찰해보면 곤괘에 대하여 (본문 [설괘 5-1~5-2]에서) '일을 다한다'라 하고 '다 길러진다'라고 하였으니, 그 쓰임이 됨이 이보다 큰 것이 없으며, 건괘에 대해서는 (본문 [설괘 5-2]에서) '건괘에서 싸운다'라고 하였으니, 또 그것으로 강건한 본체를 드러내어 여러 음을 이길 수 있고 하늘의 명령을 주재한다. 8괘의 작용이 모두 그 작용인데 어찌 쓰지 않을 수 있겠는가? 이는 성인의 정미한 뜻이니 겉으로 드러내지 않을 수 없는 것이다.'

[계몽 2-5-3]

又曰 : "易者, 一陰一陽之謂也. 震·兌始交者也, 故當朝夕之位. 坎·離交之極者 也, 故當子·午之位. 巽·艮不交而陰·陽猶雜也, 故當用中之偏. 乾·坤, 純陽·純陰也, 故當不用之位也."6)

(소옹이) 또 말했다. "역(易)은 한 번은 음이 되고 한 번은 양이 되는 것을 말한다. 진괘와 태괘는 처음에 교착하는 것이므로 아침과 저녁의 위치에 해당한다. 감괘와 리괘는 교착함이 극한에 이른 것이므로 자(子)와 오(午)의 위치에 해당한다. 손괘와 간괘는 교착하지 않지만 음과 양이 오히려 뒤섞여 있으므로 일을 하는 것 가운데 치우침에 해당한다. 건괘와 곤괘는 순전히 양과 순전히 음이므로 일을 하지 않는 위치에 해당한다."

[계몽 2-5-4]

又曰 : "兌·離·巽得陽之多者也, 艮·坎·震得陰之多者也, 是以爲天地用也. 乾極陽, 坤極陰,[7] 是以不用也."[8]

(소옹이) 또 말했다. "태괘·리괘·손괘는 양을 많이 얻은 것들이고, 간괘·감괘·진괘는 음을 많이 얻은 것들이므로, 하늘과 땅의 일을 함이 된다. 건괘는 양이 극한에 이르고, 곤괘는 음이 극한에 이르므로, 일을 하지 않는다."

6) 소옹, 『황극경세서』 권13 「관물외편(觀物外篇)」 상(上).

7) 乾極陽, 坤極陰 : 소옹, 『황극경세서』 권13 「관물외편(觀物外篇)」 상(上)에는 "乾陽極, 坤陰極[건괘는 양이 극한에 이른 것이고, 곤괘는 음이 극한에 이른 것이다.]"이라고 되어 있다.

8) 소옹, 『황극경세서』 권13 「관물외편(觀物外篇)」 상(上).

[계몽 2-5-5]

又曰 : "震·兌橫而六卦縱, 『易』之用也."[9] 〈嘗考此「圖」而更爲之說曰 : "震東·兌西者, 陽主進, 故以長爲先而位乎左; 陰主退, 故以少爲貴而位乎右也. 坎北者, 進之中也; 離南者, 退之中也. 男北而女南者, 互藏其宅也. 四者, 皆當四方之正位, 而爲用事之卦. 然震·兌始而坎·離終, 震·兌輕而坎·離重也. 乾西北·坤西南者, 父母旣老而退居不用之地也. 然母親而父尊, 故坤猶半用而乾全不用也. 艮東北·巽東南者, 少男進之後而長女退之先, 故亦皆不用也. 然男未就傅, 女將有行, 故巽稍向用而艮全未用也. 四者, 皆居四隅不正之位; 然居東者未用, 而居西者不復用也. 故下文歷擧六子而不數乾坤. 至其水火·雷風·山澤之相偶, 則又用伏羲卦云."〉

(소옹이) 또 말했다. "진괘와 태괘가 가로로 있고, 나머지 6개의 괘들이 세로로 있는 것이 『역』의 작용이다." 〈나(朱熹)는 일찍이 이 「문왕8괘도」를 고찰하고 다음과 같이 말했다. "진괘가 동쪽에 있고 태괘가 서쪽에 있는 것은, 양이 나아감을 위주로 하기 때문에 장남(長男 : 진괘)을 우선으로 하여 왼쪽에 위치한 것이고, 음은 물러감을 위주로 하기 때문에 소녀(少女 : 태괘)를 귀하게 여겨 오른쪽에 위치한 것이다. 감괘가 북쪽에 있는 것은 나아감의 중간이고 리괘가 남쪽에 있는 것은 물러남의 중간이다. 중남(中男 : 감괘)이 북쪽에 있고 중녀(中女 : 리괘)가 남쪽에 있는 것은, 서로 그 본거지를 감추고 있는 것이다. 이들 4개의 괘는 모두 동·서·남·북 사방의 정방위에 해당하고 일을 하는 괘들이다. 그러나 진괘와 태괘는 시작을 의미하고 감괘와 리괘는 마침을 의미하며, 진괘와 태괘는 역할이 가볍고 감괘와 리괘는 역할이 무겁다. 건괘가 서북쪽에 있고 곤괘가 서남쪽에 있는 것은, 아버지와 어머니가 늙어 일하지 않는 곳으로 물러나 자리 잡아서이다. 그러나 어머니는 친하고 아버지는 높기 때문에 곤괘는 오히려 절반은 일을 하지만 아버지는 전혀 일을 하지 않는다. 간괘가 동북쪽에 있고 손괘가 동남쪽에

9) 소옹, 『황극경세서』 권13 「관물외편(觀物外篇)」 상(上).

있는 것은, 소남(少男 : 간괘)은 나아감의 뒤이고 장녀(長女 : 손괘)는 물러남의 앞이기 때문에 또한 모두 일을 하지 않는다. 그러나 소남(少男)은 아직 스승에 배우러 가지 못했고 장녀(長女)는 곧 시집갈 것이기 때문에, 손괘는 점점 일을 하는 데로 나아가지만 간괘는 전혀 일을 하지 않는다. 이들 4개의 괘는 모두 4개 모퉁이의 똑바르지 않은 위치에 자리 잡고 있지만, 동쪽에 자리 잡은 괘들은 아직 일하지 않고, 서쪽에 자리 잡은 괘들은 다시는 일하지 않는다. 그러므로 아래 글에서 6개의 자식 괘들을 열거했지만 건괘와 곤괘를 헤아리지 않았다. 물과 불, 우레와 바람, 산과 못을 서로 짝지음은 또한 복희의 선천괘들을 사용한 것이다.〉"

集說

● 邵子曰 : "乾統三男於東北, 坤統三女於西南."[10]

소자(邵子 : 邵雍)가 말했다. "건(乾)은 동북쪽에서 3명의 남자 자식을 통괄하고, 곤(坤)은 서남쪽에서 3명의 여자 자식을 통괄한다."

案

邵子之言, 可蔽「圖」之全義. 『周易』坤 · 蹇 · 解諸卦彖辭, 皆出於此也. 大抵先天則以東南爲陽方, 西北爲陰方, 故自陽儀而生之卦, 皆居東南, 自陰儀而生之卦, 皆居西北也. 後天則以北東爲陽方, 南西爲陰方, 故凡屬陽之卦, 皆居東北, 屬陰之卦, 皆居西南也. 然先天陽卦雖起於東, 而其重之以敘卦氣, 則所謂'復見天地心'者, 仍以北方爲始. 後天陽卦雖起於北, 而其播之以合歲

10) 소옹, 『황극경세서』 권13 「관물외편(觀物外篇)」 상(上).

序, 則所謂'帝出乎震'者, 仍以東方爲先.

소옹의 말은 「문왕8괘도」의 온전한 의미를 개괄할 수 있다. 『주역』의 곤(坤)괘 · 건(蹇)괘 · 해(解)괘 등의 단사는 모두 여기에서 나왔다. 대개 선천에서는 동남쪽이 양의 방위이고 서북쪽은 음의 방위이기 때문에 양의(陽儀)에서 생겨나는 괘는 모두 동남쪽에 자리 잡고, 음의(陰儀)에서 생겨나는 괘는 모두 서북쪽에 자리 잡는다. 후천에서는 북동쪽을 양의 방위로 삼고 남서쪽을 음의 방위로 삼기 때문에 양에 속하는 괘는 모두 동북쪽에 자리 잡으며, 음에 속하는 괘는 모두 서남쪽에 자리 잡는다. 그러나 선천의 양괘가 비록 동쪽에서 일어났지만 그것이 중첩되어 괘기(卦氣)를 차례 지으면 이른바 '복괘에서 하늘과 땅의 마음을 본다'라고 말한 것은 여전히 북쪽을 시작으로 삼는다. 후천에서 양괘가 비록 북쪽에서 일어나지만 그것이 퍼뜨려져 한 해의 순서와 합쳐지면 이른바 '천제가 진(震)에서 나온다'라고 말한 것은 여전히 동쪽을 우선으로 삼는다.

蓋兩義原不可以偏廢, 必也參而互之, 則造化之妙, 易理之精, 可得而識矣. 歲始於東, 終於北, 而西 · 南在其間. 「後天圖」意主乎陽以統陰, 故自震而坎而艮者, 以陽終始歲功也, 自巽而離而兌者, 以陰佐陽於中也. 震陽生, 故直春生之令, 以始爲始也. 乾則以終爲始, 而莫得其端, 乃「傳」所謂'大始'者也, 所謂'不可爲首'者也. 兌陰成, 故畢西成之事, 陰功之終也. 坤則致役以終事, 而不居其成, 乃「傳」所謂'作成'者也, 所謂'無成而代有終'者也.

대개 이 두 가지 의미는 원래 한쪽을 버려서는 안 되니, 반드시 서로 참조하면 조화(造化)의 오묘함과 역이 지닌 이치의 정미함을 알 수 있을 것이다. 한 해는 동쪽에서 시작하여 북쪽에서 끝나고 서쪽과 남쪽은 그 사이에 있다. 「후천도」는 뜻이 양을 위주로 하여 음을 통괄하기 때문에 진(震)에서 감(坎)이 되고 간(艮)이 되는 것은 그것으로 양이 한 해를 끝내고 시작하는 공로이며, 손(巽)에서 리(離)가 되고 태(兌)가 되는 것은 그것으로 음이 그 가운데 양을 보좌한다. 진(震)에서 양이 생겨나기 때문에 봄에 생겨나는 명령을 곧게 하여 비로소 시작으로 삼았다. 건(乾)은 끝을 시작으로 삼아 그 단서를 알 수 없으니 바로 「전(傳 : 본문 [계사상 1-5])」에서 이른바 '큰 시작'이고, 건괘 단전에서 이른바 '우두머리가 되어서는 안 된다'라는 것이다. 태(兌)에서 음이 이루어지기 때문에 서쪽에서 이루어지는 일을 마쳐 음의 공로가 끝났다. 곤(坤)은 일을 다 하여 일을 끝냈지만 그 성공에 자리 잡지 않으니, 바로 「전(傳 : 본문 [계사상 1-5])」에서 이른바 '이루어 낸다'이고, 본문 [곤괘 문언 2-3]에서 이른바 '이룸이 없지만 대신해 끝마침이 있다'라는 것이다.

是故陽居終始, 而陰在中間, 乃天地萬物之至理. 如草木之種實, 陽也, 華葉, 陰也; 人類之父子, 陽也, 妻妾, 陰也. 始於植種, 終於成實, 而其間華葉盛焉; 始於有父, 終於有子, 而其間嫡媵繁焉. 實生於華, 子生於母, 此陰佐陽之驗. 然而實成則爲來歲之種矣, 子生則爲它日之父矣, 此又所謂以終爲始者, 而元陽之生生不已, 其首尾端倪, 眞不可得而窺矣. 謝氏良佐論'一起於震', 發生也, 又曰, '一起於乾', 探本也, 其有得於後天之精意者與!

이 때문에 양은 끝과 시작에 자리 잡고, 음이 중간에 있는 것은 바로 천지 만물의 지극한 이치이다. 예컨대 초목의 씨앗과 열매는 양이고, 꽃과 잎은 음이며, 인간에서 아버지와 아들은 양이고 처와 첩은 음인 것과 같다. 씨앗을 심는 것에서 시작하여 열매를 맺는 데서 끝나고 그 사이에 꽃과 잎이 무성하며, 아버지가 있는 데서 시작하여 자식이 생겨나는 데서 끝나며 그 사이에 정실과 첩이 번성한다. 열매는 꽃에서 생겨나고 자식은 어머니에게서 생겨나니 이것이 음이 양을 보좌하는 징험이다. 그렇지만 열매가 이루어지면 다음해의 종자가 되고, 자식이 생겨나면 나중의 아버지가 되니, 이것이 또 이른바 끝을 시작으로 삼는 것이며 원래의 양이 끊임없이 낳고 또 낳아 그 처음과 끝의 단서를 참으로 엿볼 수 없는 것이다. 사량좌(謝良佐)가 '1은 진(震)에서 일어난다'라는 것을 논하여 펴서 남이라 하였고, 또 '1은 건(乾)에서 일어난다'는 것을 근본을 탐구함이라 한 것은[11] 아마 후천의 정미한 뜻을 터득한 것이라고 할 수 있으리라!

11) 사량좌(謝良佐)가 '1은 진(震)에서 일어난다'라는 … 이라 한 것은 : 사량좌(謝良佐), 『상채어록(上蔡語錄)』 권1.

[계몽 2-6]

乾, 健也; 坤, 順也; 震, 動也; 巽, 入也; 坎, 陷也; 離, 麗也; 艮, 止也; 兌, 說也.[12)]

건은 굳셈이고, 곤은 유순함이며, 진은 움직임이고, 손은 들어감이며, 감은 빠짐이고, 리는 걸림이며, 간은 멈춤이고, 태는 기쁨이다.

[계몽 2-6-1]

程子曰 : "凡陽在下者, 動之象; 在中者, 陷之象; 在上, 止之象. 陰在下者, 入之象;[13)] 在中者, 麗之象; 在上, 說之象."[14)]

정자(程子 : 程頤)가 말했다. "양이 밑에 있는 것은 움직임의 상(象)이고, 가운데 있는 것은 빠짐의 상이며, 위에 있는 것은 멈춤의 상이다. 음이 밑에 있는 것은 들어감의 상이고, 가운데 있는 것은 걸림의 상이며, 위에 있는 것은 기쁨의 상이다."

12) 『역』「설괘전」 제7장.

13) 入之象 : 『이천역전(伊川易傳)』 권2, 「주역상경(周易上經)」「감괘」에는 "巽之象[손(巽)의 상이다.]"이라고 되어 있다.

14) 『이천역전(伊川易傳)』 권2, 「주역상경(周易上經)」「감괘」.

[계몽 2-7]

乾爲馬, 坤爲牛, 震爲龍, 巽爲雞, 坎爲豕, 離爲雉, 艮爲狗, 兌爲羊.[15)]

건은 말이 되고, 곤은 소가 되며, 진은 용이 되고, 손은 닭이 되며, 감은 돼지가 되고, 리는 꿩이 되며, 간은 개가 되고, 태는 양이 된다.

[계몽 2-7-1]

此遠取諸物之象.

이는 멀리 만물에서 취한 상(象)이다.

15) 『역』「설괘전」 제8장.

[계몽 2-8]

乾爲首, 坤爲腹, 震爲足, 巽爲股, 坎爲耳, 離爲目, 艮爲手, 兌爲口.[16)]

건은 머리가 되고, 곤은 배가 되며, 진은 발이 되고, 손은 다리가 되며, 감은 귀가 되고, 리는 눈이 되며, 간은 손이 되고, 태는 입이 된다.

[계몽 2-8-1]

此近取諸身之象.

이는 가까이 몸에서 취한 상(象)이다.

集說

● 『朱子語類』云 : "伏羲畫八卦, 只此數畫該盡天下萬物之理. 學者於言上會得者淺, 於象上會得者深.[17)]

16) 『역』「설괘전」 제9장.

17) 『주자어류』 권66, 66조목에는, "嘗謂伏義畫八卦, 只此數畫, 該畫天下萬物之理. 陽在下爲震, 震, 動也; 在上爲艮, 艮, 止也. 陽在下自動, 在上自止. 歐公卻說繫辭不是孔子作, 所謂'書不盡信, 言不盡意'者非. 蓋他不會看'立象以盡意'一句. 惟其'言不盡意', 故立象以盡之. 學者於言上會得者淺, 於象上會得者深."이라고 되어 있다.

『주자어류』에서 말했다. "복희씨가 8괘를 그었는데, 다만 이 몇 획으로 천하 만물의 리(理)를 다 갖추었다. 학자들 가운데 이를 말로 이해할 수 있는 자는 얕고, 상(象)으로 이해할 수 있는 자는 깊다.

王輔嗣伊川皆不信象,[18] 伊川說象只似譬喻樣說.[19] 郭子和云, '不獨是天地·雷風·水火·山澤謂之象, 只是卦畫便是象.' 亦說得好.[20]

왕보사(王輔嗣 : 王弼)[21]와 이천(伊川 : 程頤)은 모두 상(象)을 믿지 않았으니, 이천이 상을 말했어도 다만 비유하는 것처럼 말했다. 곽자화(郭子和 : 郭雍)[22]는 '단지 하늘과 땅, 우레와 바람, 물과 불, 산

---

18) 『주자어류』 권66, 70조목.

19) 『주자어류』 권66, 67조목.

20) 『주자어류』 권66, 77조목에는, "嘗得郭子和書云, 其先人說 : '不獨是天地·雷風·水火·山澤謂之象, 只是卦畫便是象.' 亦說得好."라고 되어 있다.

21) 왕필(王弼, 226~249) : 자는 보사(輔嗣)이고, 산양(山陽) 고평(高平 : 현 산동성 금향 현〈金鄕縣〉) 사람이다. 중국 삼국시대 위(魏)나라의 철학자이며, 상서랑(尙書郎)을 지냈다. 왕필은 24세의 나이로 죽을 때 이미 도가경전 『도덕경(道德經)과 유교경전 『주역(周易)』의 탁월한 주석가였다. 이러한 주석서들을 통해 중국 사상에 형이상학을 소개하는 데 기여했으며, 유가와 도가가 회통할 수 길을 열었다. 저서로는 『주역주(周易注)』, 『주역약례(周易略例)』, 『노자주(老子注)·『노자지략(老子指略)』, 『논어역의(論語繹疑)』가 있다.

22) 곽옹(郭雍, 1106~1187) : 자는 자화(子和)이고 자호는 백운(白雲)이며, 낙양(洛陽 : 현 하남성 낙양시) 사람이다. 정이(程頤)의 제자인 곽충효(郭忠孝)의 둘째 아들로 가학을 이었으며, 벼슬길은 나아가지 않고 은거하면서 역학과 의학에 정통하였다고 한다. 역학 방면 저술로 『전가역해(傳家易解)』, 『괘사지요(卦辭指要)』, 『시괘변의(蓍卦辨疑)』 등이 있다

과 못만을 상(象)이라 한 것이 아니라 다만 괘의 획이기만 해도 바로 상이다.'[23]라고 하였으니, 또한 훌륭한 말이다.

鄭東卿專取象, 如以鼎爲鼎, 革爲爐, 小過爲飛鳥, 亦有義理.[24] 但盡欲如此牽合附會便疎脫.[25] 學者須先理會得正當道理了, 然後於此等些小零碎處收拾以相資益, 不爲無補.[26]"

정동경(鄭東卿)[27]은 오로지 상(象)만을 취했으니, 예컨대 정괘(䷱)를 '솥'으로, 혁괘(䷰)를 '화로'로, 소과괘(䷽)를 '날아가는 새'로 여겼는데, 또한 의미가 있다. 그러나 모두를 이와 같이 견강부회하려고 했으니 경솔하다. 배우는 사람은 모름지기 먼저 올바른 도리를 이해하고 난 뒤에 이처럼 자잘한 것을 정리하여 서로 보완해가야 보탬이 없지 않게 된다.

고 한다.

23) 『주자어류』 권66, 77조목에 의하면, 이는 곽옹의 말이 아니라 그가 선인(先人)에게 들은 말이다.

24) 『주자어류』 권66, 82조목에는, "鄭東卿『易』專取象, 如以鼎爲鼎, 革爲爐, 小過爲飛鳥, 亦有義理. 其他更有好處, 亦有杜撰處."라고 되어 있다.

25) 『주자어류』 권66, 84조목에는, "鄭東卿說『易』, 亦有好處. … 但『易』一書盡欲如此牽合附會, 少間便疏脫."이라고 되어 있다.

26) 『주자어류』 권66, 84조목.

27) 정동경(鄭東卿) : 자는 소매(少梅)이고 송대 복주(福州 : 현 복건성 복주시) 사람이다. 도설(圖說)을 중시하는 부사구(富沙邱)에게서 『역』을 배웠다고 한다. 저술은 『역괘의난도(易卦疑難圖)』 25권이 있는데, 「자서(自序)」에 『역』의 이치는 획 가운데 모두 있다고 하였으며, 64괘에 대하여 도설을 쓰고, 육위(六位), 황극(皇極), 선천(先天), 괘기(卦氣) 등에도 도설을 붙였다.

[계몽 2-9]

乾天也, 故稱乎父; 坤地也, 故稱乎母. 震一索而得男, 故謂之長男; 巽一索而得女, 故謂之長女. 坎再索而得男, 故謂之中男; 離再索而得女, 故謂之中女. 艮三索而得男, 故謂之少男; 兌三索而得女, 故謂之少女.[28)]

건괘는 하늘이므로 아버지라고 부르고, 곤괘는 땅이므로 어머니라고 부른다. 진괘는 한 번 찾아 구해 아들을 얻었기 때문에 장남(長男)이라 하고, 손괘는 한 번 찾아 구해 딸을 얻었기 때문에 장녀(長女)라고 한다. 감괘는 다시 한 번 찾아 구해 아들을 얻었기 때문에 중남(中男)이라 하고, 리괘는 다시 한 번 찾아 구해 딸을 얻었기 때문에 중녀(中女)라고 한다. 간괘는 세 번 찾아 구해 아들을 얻었기 때문에 소남(少男)이라 하고, 태괘는 세 번 찾아 구해 딸을 얻었기 때문에 소녀(少女)라고 한다.

[계몽 2-9-1]

今按坤求於乾, 得其初九而爲震, 故曰'一索而得男.' 乾求於坤, 得其初六而爲巽, 故曰'一索而得女.' 坤再求而得乾之九二以爲坎, 故曰'再索而得男.' 乾再求而得坤之六二以爲離, 故曰'再索而得女.' 坤三求而得乾之九三以爲艮, 故曰'三索而

28) 『역』「설괘전」 제10장.

得男.' 乾三求而得坤之六三以爲兌, 故曰'三索而得女.'

(주희가) 생각건대, 곤(坤☷)괘가 건(乾☰)괘에게 구하여 그 초구(初九) 효를 얻어 진(震☳)괘가 되니, '한 번 찾아 구해 아들을 얻었다.'고 말했다. 건괘가 곤괘에게 구하여 그 초육(初六) 효를 얻어 손(巽☴)괘가 되니, '한 번 찾아 구해 딸을 얻었다.'고 말했다. 곤괘가 다시 한 번 구하여 건괘의 구이(九二) 효를 얻어 감(坎☵)괘가 되니, '다시 한 번 찾아 구해 아들을 얻었다.'고 말했다. 건괘가 다시 한 번 구하여 곤괘의 육이(六二) 효를 얻어 리(離☲)괘가 되니, '다시 한 번 찾아 구해 딸을 얻었다.'고 말했다. 곤괘가 세 번째로 구하여 건괘의 구삼(九三) 효를 얻어 간(艮☶)괘가 되니, '세 번 찾아 구해 아들을 얻었다.'고 말했다. 건괘가 세 번째로 구하여 곤괘의 육삼(六三) 효를 얻어 태(兌☱)괘가 되니, '세 번 찾아 구해 딸을 얻었다.'고 말했다.

[계몽 2-9-2]

凡此數節, 皆文王觀於已成之卦, 而推其未明之象以爲說. 邵子所謂'後天之學', 入用之位者也.

이 몇 구절은 모두 문왕이 이미 이루어진 괘들을 보고 거기에 드러나지 않은 상(象)을 미루어 말한 것이다. 소자(邵子 : 邵雍)의 이른바 '후천의 학문'은 일을 함에 집어넣는 자리라는 것이다.

案

邵子旣以'天地定位'一章爲先天之易, 因以'帝出乎震'以下爲後天之易. 先羲後文, 其序旣可信. 而「先天圖」易簡渾涵, 得畫卦自然之妙; 「後天圖」精深切至, 於『周易』義例合者爲多, 其理尤可信也. 然「後天」所以改置「先天」之意, 朱子之說頗略, 其見於答袁樞書者, 可以得先賢愼重之盛心矣.

소옹은 이미 본문 [설괘 3-1]의 '하늘과 땅이 제 자리를 잡고'라는 장(章)을 선천의 역으로 삼고, 이어서 본문 [설괘 5-1]의 '천제가 진(震☳)괘에서 나와'라는 구절 이하를 후천의 역으로 삼았다. 선천은 복희씨 역이고 후천은 문왕의 역이니 그 차례는 믿을 만하다. 「선천도」는 간이(簡易)하면서도 함축적이어서 괘와 획이 저절로 그러한 오묘함을 얻었으며, 「후천도」는 정밀하고 심오하며 지극히 절실하여 『주역』의 내용과 형식에 부합하는 것이 많고, 그 이치는 더욱 믿을 만하다. 그러나 「후천도」가 「선천도」의 위치를 바꾸어 놓은 뜻은 주자의 설명이 자못 간략하지만, 원추에게 답하는 편지에 보이는 것을 통해 선현의 가슴가득하게 신중한 생각을 알 수 있다.

諸家以五行爲說者, 亦有條理, 然今卽八卦之象求之, 則唯坎水·離火·巽木·坤土, 合於本象耳. 金者乾之一象, 而不足以盡乾也. 蒼筤竹者震之一象, 而不足以盡震也. 艮山之爲土, 猶可假借, 兌則絕無爲金之義也. 況『易』之爲書, 不言五行? 而「說卦」解釋「圖」體, 亦與五行生克, 邈不相涉, 則疑文王之意, 不出乎此也. 質以孔子之言, 蓋不離乎八卦之德·象而得之. 何則?

여러 학자들이 오행으로 설명하는 것도 또한 조리가 있지만 이제 8괘의 상(象)에서 그것을 구하면, 감(坎)인 수(水)와 리(離)인 화(火)와 손(巽)인 목(木)과 곤(坤)인 토(土)만이 본래의 상(象)에 합치할 뿐이다. 금(金)은 건(乾)의 상인데 건을 다 표현하기에는 부족하다. 푸른 대나무는 진(震)의 상인데 진을 다 표현하기에는 부족하다. 간(艮)인 산이 토(土)가 되는 것은 또한 가차(假借)할 수 있지만, 태(兌)는 절대로 금(金)이 되는 의미가 없다. 하물며 『역』이라는 책에서 오행을 말하지 않은 것은 어떻겠는가? 그런데 「설괘전」에서 「문왕8괘도」의 본체를 해석한 것도 또한 오행의 상생 상극과는 아득히 거리가 머니, 생각건대 문왕의 뜻도 이를 벗어나지 않는다. 공자의 말로 질정하면 8괘의 덕과 상을 떠나지 않고도 그것을 얻을 수 있기 때문이다. 왜 그러한가?

以德言之, 則震者動也, 陽氣動則出, 而萬物亦於是乎出也. 巽者入也制也, 陽動則陰亦動矣, 陰氣凝滯, 陽能入而散之, 則陰與陽齊, 而萬物亦於是乎齊也. 離者明也, 故曰'相見.' 帝與物相見, 而萬物亦於是乎相見也. 坤者順也, 故曰'致役', 又曰'致養.' 自帝言之, 坤則以順而效其勞, 自萬物言之, 坤則以順而厚其生也.

덕으로 말하면, 진(震)은 움직임이니, 양기가 움직이면 나오고 만물 또한 여기에서 나온다. 손(巽)은 들어가는 것이고 제재하는 것이니, 양이 움직이면 음 또한 움직이지만, 음기가 응결됨에 양이 거기에 들어가 흩을 수 있으면 음은 양과 더불어 가지런해지고 만물 또한 여기에서 가지런해진다. 리(離)는 밝음이기 때문에 본문 [설괘 5-2]에서 '서로 본다'고 말했다. 천제는 만물과 서로 보고 만물도 또한 여기에서 서로 본다. 곤(坤)은 순응함이기 때문에 본문 [설괘 5-1]에서 '일을 다 한다'라 하고 본문 [설괘 5-2]에서 '길러지기를 다 한다'라고 말했다. 천제로 말하면 곤은 순응하여 그 수고로움을 다 하고, 만물로 말하면 곤은 순응하여 그 생겨남을 두텁게 한다.

兌者說也, 帝之生意, 於是乎充, 萬物之生意, 亦於是乎足也. 乾者健也, 故曰'戰.' 陰功已成, 則當歛其機而化其跡, 唯天德之剛, 故能制伏群陰, 使之退聽, 而不已之命, 於是乎流行矣. 坎有習險之義, 故爲勤勞之卦. 習久則熟矣, 故又爲休勞之卦. 帝生物之勤, 旣成而休, 萬物之生, 亦旣成而息也. 艮者止也, 不止則不行, 不息則不生, 故不唯成終而且成始也.

태(兌)는 기뻐하는 것이니, 천제의 생의(生意 : 생명력)가 여기에서 충만하고 만물의 생의 또한 여기에서 충만하다. 건(乾)은 굳셈이기 때문에 본문 [설괘 5-2]에서 '건괘에서 싸운다'라고 말했다. 음의 공로가 이미 이루어지면 그 기미를 수렴하고 그 자취를 탈바꿈해야 하는데, 오직 하늘의 덕이 굳셈이기 때문에 여러 음을 제압하여 굴복시켜 물러나 순종하도록 할 수 있으니, 그치지 않는 명령이 여기에서 유행한다. 감(坎)은 험난한 것을 연습한다는 의미이기 때문에 부지런히 일하는 괘가 되었다. 오래도록 연습하면 익숙해지기 때문에 또 수고로움에 휴식하는 괘가 되었다. 천제의 만물을 생겨나게 하는 부지런함이 이미 이루어져 쉬니, 만물이 생겨나는 것도 이미 이루어져 쉰다. 간(艮)은 멈춤이니, 그치지 않으면 가지 못하고 쉬지 않으면 낳지 못하기 때문에 오직 끝을 이룰 뿐 아니라 또한 시작을 이룬다.

以象言之, 動陽氣而出之者莫如雷, 撓陰氣而散之者莫如風, 揚之以發其光焰者莫如火, 滋之以足其精液者莫如澤. 澤旣足其精液矣, 而至於枯落之後, 則有源之水, 復潤其根. 水旣潤其本根矣, 而至於生息之交, 則艮德之厚, 又固其氣.

상(象)으로 말하면, 양기를 움직여 밖으로 내는 것은 우레 만한 것이 없고 음기를 휘저어 흩뜨리는 것은 바람 만한 것이 없으며, 들어 올려 그 광염을 발산하는 것은 불 만한 것이 없고, 번식시켜 그 정액을 충분하게 하는 것은 못 만한 것이 없다. 못이 이미 그 정액을 충족시켜 시들어 떨어진 뒤에 근원이 되는 물이 다시 그 뿌리를 적신다. 물이 이미 그 근본을 적시고 생식이 교류하기에 이르면 간(艮)의 덕이 두터워서 또 그 기(氣)를 견고하게 한다.

凡此者, 皆統於乾而具於坤. 乾·坤以德言之, 則健也順也, 可與八卦並敍; 以象言之, 則天也地也, 不可與六子分職也. 是故以形體言謂之天, '天地定位', 是也; 以性情言謂之乾, '乾君坤藏', 是也; 以主宰言謂之帝, '帝出乎震', 是也; 以妙用言謂之神, '神妙萬物', 是也, 其實一天也. 夫天專言之則道也, 其實一太極也. 以乾爲主, 而流行爲八卦之功用, 此先天後天, 所以相爲經緯, 異而同, 二而一者也.

이것들은 모두 건(乾)에서 통괄되고 곤(坤)에서 갖추어진다. 건과 곤을 덕으로 말하면 강건함과 유순함이니, 8괘와 차례를 나란히 하고, 상(象)으로 말하면 하늘과 땅이니 6명의 자식과 직분을 나눌 수 없다. 이 때문에 형체로 말하여 하늘이라 하는 것은 본문 [설괘 3-1]의 '하늘과 땅이 제 자리를 잡는다'는 말이 이것이고, 성정(性情)으로 말하여 건(乾)이라 하는 것은 본문 [설괘 4-1]에서 '건(乾 : 하늘)으로 만물에 군림하고, 곤(坤 : 땅)으로 만물을 저장한다'는 말이 이것이며, 주재로 말하여 제(帝)라 하는 것은 본문 [설괘 5-1]의 '천제가 진(震☳)괘에서 나온다'라는 말이 이것이고, 오묘한 작용으로 말하여 신(神)이라 하는 것은 본문 [설괘 6-1]의 '신(神)이란 만물을 오묘하게 하는 것이다'라는 말이 이것이니, 사실은 하나의 하늘이다. 무릇 하늘을 오로지하여 말하면 도(道)이니, 사실은 하나의 태극이다. 건(乾)을 위주로 유행하여 8괘의 공용(功用)이 되니, 이것이 선천과 후천이 서로 날줄과 씨줄이 되고 다르면서도 같으며 둘이면서도 하나인 까닭이다.

啓蒙下
계몽하

제20권

명시책明蓍策　고변점考變占

제3장 명시책明蓍策

시초로 점치는 것을 밝힘

[계몽 3-1]

大衍之數五十.[1)]

대연의 수(數)는 50이다.

[계몽 3-1-1]

「河圖」·「洛書」之中數皆五, 衍之而各極其數以至於十, 則合爲五十矣.

「하도」와 「낙서」의 가운데 수(數)는 모두 5인데, 그것을 연역하여 각각 그 수를 끝까지 미루어 10에 이르면 합계가 50이 된다.

「河圖」積數五十五, 其五十者皆因五而後得. 獨五爲五十所

1) 『역』「계사상」 제9장.

因而自無所因, 故虛之則但爲五十. 又五十五之中, 其四十者分爲陰陽老少之數, 而其五與十者無所爲, 則又以五乘十, 以十乘五, 而亦皆爲五十矣. 「洛書」積數四十五, 而其四十者散布於外而分陰陽老少之數, 唯五居中而無所爲, 則亦自含五數而幷爲五十矣.

「하도」에서 누적한 수는 55인데, 그 가운데 50은 모두 5를 근거로 한 뒤에 얻는다. 오직 5가 50의 근거가 되는데, 스스로는 근거 삼는 것이 없으니 그것을 비우면 50이 된다. 또 55 가운데 40은 나뉘어 노음·노양·소음·소양의 수가 되고, 남은 5와 10은 하는 일이 없으니 또 5를 10에 곱하거나 10을 5에 곱해도 또한 모두 50이 된다. 「낙서」에서 누적한 수는 45인데, 그 가운데 40은 밖에 흩어져 분포하고 노음·노양·소음·소양의 수로 나누어지며, 오직 5는 중앙에 자리 잡고 하는 일이 없으니, 또한 스스로 5의 수를 머금고 아울러 50이 된다.

案

「洪範」曰, '卜五, 占用二, 衍忒.' 衍者, 推衍也. 忒者, 過差也. 卜筮所以推衍人事之過差, 故揲蓍之法, 謂之'大衍.' 大音太, 如太卜·太筮之比, 乃尊之之稱, 非如先儒小衍·大衍之說也. 五十之數, 說者不一, 唯推本於「圖」·「書」者得之. 「河圖」之數則羸五, 數之體也; 「洛書」之數則虛五, 數之用也. 大衍者, 其酌「河」·「洛」之數之中, 而兼體用之理之備者與!

『서경』「홍범」에서 '거북점은 다섯 가지를 쓰고 시초점은 두 가지를 쓰니, 잘못된 일을 미루어 연역하는 작업이다'라고 하였다. 연(衍)

은 미루어 연역하는 작업이다. 특(忒)은 잘못된 일이다. 거북점과 시초점은 그것으로 인간사의 잘못된 일을 미루어 연역하는 작업이기 때문에 시초를 세는 법도를 '대연(大衍)'이라고 한다. 대(大)는 음이 태(太)이니, 예컨대 (주대(周代)에 점서를 담당하는 벼슬인) 태복(太卜)·태서(太筮)와 같이 높이는 칭호이지 선대 학자들이 말하는 소연(小衍 : 5행의 생수(生數)를 지칭함)·대연(大衍)과 같은 것이 아니다. 50이라는 수에 대해서는 말하는 것이 한결 같지 않으니, 오직 「하도」와 「낙서」를 근본으로 미루어보아야 그것을 알 수 있다. 「하도」의 수는 5를 채운 것이니 수의 본체이고 「낙서」의 수는 5를 비운 것이니 수의 작용이다. 대연은 「하도」와 「낙서」의 수의 중간을 취하고, 본체와 작용의 이치를 겸비한 것이리라!

[계몽 3-2]

其用四十有九.[2)]

그 가운데 사용하는 것은 49개이다.

[계몽 3-2-1]

大衍之數五十, 而蓍一根百莖可當大衍之數者二. 故揲蓍之法, 取五十莖爲一握, 置其一不用以象太極. 而其當用之策凡四十有九. 蓋兩儀體具而未分之象也.

대연의 수(數)는 50인데 시초는 1개의 뿌리에 100개의 줄기가 나서 대연의 수 둘에 해당한다. 그러므로 시초를 세는 방법은 50개의 줄기를 취하여 한 줌으로 하고, 그 가운에 1개를 버려두고 쓰지 않음으로써 태극을 상징한다. 그리하여 (점치는 데) 실제로 사용하는 산가지는 모두 49개이다. (이것은) 대개 양의(兩儀)의 체(體)가 갖추어졌으나 아직 나누어지지 않은 모습이다.

集說

● 崔氏憬曰 : "'其用四十有九'者, 法長陽七七之數也. 六十四卦, 旣法長陰八八之數, 故四十九蓍, 則法長陽七七之數. 蓍圓而神

2) 『역』「계사상」 제9장.

象天, 卦方而智象地, 陰·陽之別也. 舍一不用者, 以象太極, 虛而不用也."[3]

최경(崔憬)이 말했다. "'그 가운데 사용하는 것은 49개이다'라는 말은 장양(長陽) 7×7=49의 수를 본뜬 것이다. 64괘가 이미 장음(長陰) 8×8=64의 수를 본떴기 때문에 49개의 시초는 장양(長陽) 7×7=49의 수를 본떴다. 시초는 둥글어 그 신묘함이 하늘을 상징하고 괘는 네모나 그 지혜가 땅을 상징하니 음·양의 구별이다. 1개를 버리고 사용하지 않음은 그것으로 태극을 상징하니 비워서 사용하지 않아서이다."

● 邵子曰 : "蓍之用數, '掛一以象三', 其餘四十八, 則一卦之策也. 四其十二爲四十八也. 十二去三而用九, 四三十二, 所去之策也; 四九三十六, 所用之策也. 十二去五而用七, 四五二十, 所去之策也; 四七二十八, 所用之策也. 十二去六而用六, 四六二十四, 所去之策也; 四六二十四, 所用之策也. 十二去四而用八, 四四十六, 所去之策也; 四八三十二, 所用之策也. 是故七·九爲陽, 六·八爲陰, 九者陽之極數, 六者陰之極數. 數極則反, 故爲卦之變也."[4]

소자(邵子 : 邵雍)가 말했다. "시초에서 수를 사용하는 데 '1개를 걸어두어 삼재(三才)를 상징한다'는 말은 그 나머지 48개가 하나의 괘의 책수라는 뜻이다. 4를 12번 하면 48이다. 12에서 3을 버리고

3) 이정조(李鼎祚), 『주역집해(周易集解)』 권14에 최경(崔憬)의 말로 기재되어 있다.

4) 소옹, 『황극경세서』 권13 「관물외편(觀物外篇)」 상(上).

9를 사용하니, 4×3=12는 버리는 책수이고 4×9=36은 사용하는 책수이다. 12에서 5를 버리고 7을 사용하니, 4×5=20은 버리는 책수이고 4×7=28은 사용하는 책수이다. 12에서 6을 버리고 6을 사용하니, 4×6=24는 버리는 책수이고 4×6=24는 사용하는 책수이다. 12에서 4를 버리고 8을 사용하니, 4×4=16은 버리는 책수이고 4×8=32는 사용하는 책수이다. 이 때문에 7·9는 양이 되고 6·8은 음이 되며, 9는 양의 극수(極數)이고 6은 음의 극수이다. 수가 극에 이르면 돌아오기 때문에 괘의 변(變)이 된다."

● 又曰:"奇數極於四而五不用, 策數極於九而十不用, 故去五十而用四十九也."[5]

소자(邵子:邵雍)가 말했다. "나머지 수는 4개에서 극에 이르니 5는 사용하지 않으며, 책수는 9개에서 극에 이르니 10은 사용하지 않는다. 그러므로 50은 버리고 49를 사용한다."

---

5) 소옹, 『황극경세서』 권13 「관물외편(觀物外篇)」 상(上).

[계몽 3-3]

分而爲二以象兩, 掛一以象三, 揲之以四以象四時, 歸奇於扐以象閏. 五歲再閏, 故再扐而後掛.[6)]

나누어 둘로 하는 것은 양의(兩儀)를 상징하고, '오른손이 1개의 시초를 뽑아 왼손 새끼손가락과 넷째 손가락 사이에 걸어두는[掛]' 것은 삼재(三才)를 상징하며, 4개씩 세는 것은 사계절을 상징하고, 나머지를 되돌려 '왼손의 셋째 손가락과 넷째 손가락 사이에 끼우는 것[扐]'은 윤년을 상징한다. 5년에 두 번 윤년이 드니, 그러므로 '다시 한 번 왼손에 쥐었던 것을 4개씩 세고 남은 시초를 왼손의 둘째 손가락과 셋째 손가락 사이에 끼우고[再扐]', 그 뒤에 걸어둔다.

[계몽 3-3-1]

掛者, 懸於小指之間. 揲者, 以大指·食指間而別之. 奇, 謂餘數. 扐者, 扐於中三指之兩間也. 蓍凡四十有九, 信手中分各置一手以象兩儀. 而掛右手一策於左手小指之間以象三才. 遂以四揲左手之策以象四時. 而歸其餘數於左手第四指間以象閏. 又以四揲右手之策而再歸其餘數於左手第三指間以象再閏. 〈五歲之象, 掛一, 一也; 揲左, 二也; 扐左, 三也; 揲右, 四也; 扐右, 五也.〉 是謂一變. 其掛扐之數, 不五卽九.

'걸어둔다[掛]'는 것은 왼손의 새끼손가락과 넷째 손가락 사이에 거는 일을 말한다. '센다[揲]'는 것은 엄지손가락과 집게손가락으로 4

6) 『역』「계사상」 제9장.

개씩 한 묶음으로 떼어내는 일을 말한다. '나머지[奇]'는 남은 시초의 수를 말한다. '끼운다[扐]'는 것은 왼손의 가운데 손가락 양쪽 사이에 끼우는 일이다.

점치는 데 사용되는 시초는 모두 49개이고, 그것을 손이 닿는 대로 반으로 나누어 각각 한 손에 쥐는 것으로 양의(兩儀)를 상징한다. 오른손에 쥐었던 시초 가운데 1개를 왼손 새끼손가락과 넷째 손가락 사이에 걸어두는 것으로 삼재(三才)를 상징한다. 그리하여 왼손에 쥐었던 시초를 4개씩 세는 것으로 사계절을 상징한다. 그리고 4개씩 세어 내고 남은 시초를 되돌려 왼손 셋째 손가락과 넷째 손가락 사이에 끼우는 것으로 윤년을 상징한다. 또 오른손에 쥐었던 시초를 4개씩 세어 내고 남은 시초를 다시 되돌려 왼손 둘째 손가락과 셋째 손가락 사이에 끼우는 것으로 5년에 두 번 드는 윤년을 상징한다. 〈5년을 상징하는 것은, 오른손에 쥐었던 시초 가운데 1개를 왼손 새끼손가락과 넷째 손가락 사이에 걸어두는 것이 1년이고, 왼손에 쥔 시초를 4개씩 세는 것이 2년이며, 4개씩 세어내고 남은 시초를 왼손 셋째 손가락과 넷째 손가락 사이에 끼우는 것이 3년이고, 오른손에 쥐었던 시초를 4개씩 세는 것이 4년이며, 오른손에 쥐었던 시초를 4개씩 세어내고 남은 시초를 왼손 둘째 손가락과 셋째 손가락 사이에 끼우는 것이 5년이다.〉 이것을 1변(一變)이라고 한다. 여기에서 왼손에 걸어두고 끼운 시초의 수는 5개가 아니면 9개이다.

案

「河圖」之中宮, 太極也; 「洛書」之中宮, 人極也. 故大衍之數, 其虛一者, 旣以象太極之無爲; 其掛一者, 又以象人極之參贊. 虛一之後, 繼以分二者, 明乎分陰分陽, 造化之本也. 掛一之後, 繼以揲四歸奇者, 明乎定時成歲, 人事之綱也. 分二掛一, 則天地設位, 而人立焉, 而三才之體具矣. 揲四歸奇, 則四氣交運, 五行參差, 百物生焉, 萬事起焉, 而三才之用行矣. 大衍之數, 所以爲酌「河」·「洛」之中, 而兼體用之備者, 如此.

「하도」의 중궁(中宮)은 태극이고 「낙서」의 중궁은 인극(人極)이다. 그러므로 대연의 수에서 1개를 비우는 것은 이미 그것으로 태극의 무위(無爲)를 상징하였고, 1개를 걸어두는 것은 또 인극의 셋이 되고 도와주는 것을 상징하였다. 1개를 비워둔 뒤에 이어서 둘로 나누는 것은 음으로 나누고 양으로 나누는 것을 밝힌 것이니 조화(造化)의 근본이다. 1개를 걸어둔 뒤에 이어서 넷으로 세어 내고 나머지를 되돌리는 것은 때를 정하고 해를 이루는 일을 밝힌 인간사의 강령이다. 둘로 나누고 1개를 걸어두면 하늘과 땅이 자리잡고 사람이 거기에 서니 삼재(三才)의 몸체가 갖추어진다. 넷으로 세어내고 나머지를 되돌리면 사계절의 기(氣)가 교차하여 운행하고 오행이 복잡하게 뒤섞여 온갖 사물이 생겨나고 온갖 일이 일어나니 삼재의 작용이 행해진다. 대연의 수가 「하도」와 「낙서」의 수에서 중간을 취하고, 본체와 작용의 이치를 겸비하게 된 까닭이 이와 같다.

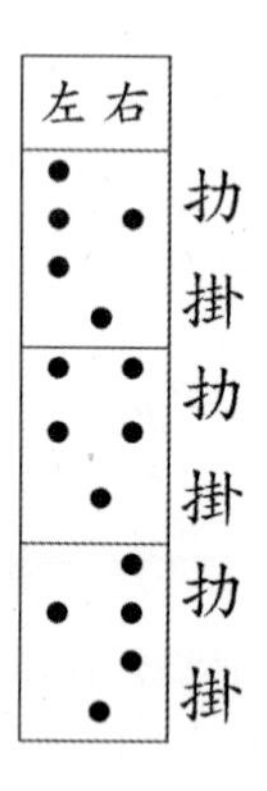

得五者三, 所謂奇也. 〈五除掛一卽四, 以四約之爲一故爲奇, 卽兩儀之陽數也.〉

5개를 얻는 것이 세 가지 경우인데, 이른바 '나머지[奇]'이다. 〈5개에서 걸어두었던 1개를 제외하면 4개인데, 이를 4로 약분하면 1이므로 '홀[奇]'이 되고, 바로 양의(兩儀) 가운데 양(陽)의 수이다.〉

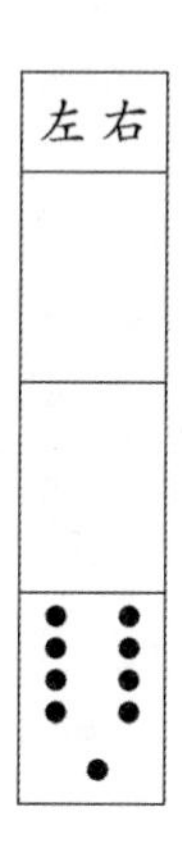

得九者一, 所謂偶也. 〈九除掛一卽八, 以四約之爲二故爲偶, 卽兩儀之陰數也.〉

9개를 얻는 것이 한 가지 경우인데, 이른바 '짝[偶]'이다. 〈9개에서 걸어두었던 1개를 제외하면 8개인데, 이를 4로 약분하면 2이므로 '짝[偶]'이 되고, 바로 양의(兩儀) 가운데 음(陰)의 수이다.〉

[계몽 3-3-2]

一變之後, 除前餘數, 復合其見存之策, 或四十, 或四十四, 分·掛·揲·歸如前法, 是謂再變. 其掛扐者, 不四則八.

1변(一變)을 한 뒤에, 앞의 나머지 시초의 수를 제외하고 다시 그 남은 시초를 합하면 40개이거나 44개인데, 이것을 가지고 제1변에서 했던 대로 둘로 나누고, 1개를 걸어두며, 4개씩 세고, 나머지 시초를 되돌리는 것을 재변(再變)이라고 한다. 여기서 걸어두고 끼운 시초의 수는 4개가 아니면 8개이다.

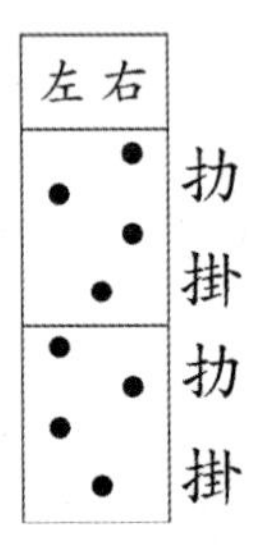

得四者二, 所謂奇也. 〈不去掛一, 餘同前義.〉

4개를 얻는 것은 두 가지 경우인데, 이른바 '홀[奇]'이다. 〈여기서는 걸어두었던 1개를 제거하지 않으니, 그 나머지 셈법은 제1변의 의미와 같다.〉

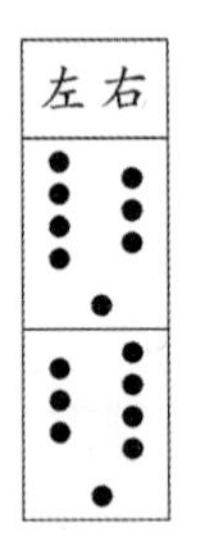

得八者二, 所謂偶也. 〈不去掛一, 餘同前義.〉

8개를 얻는 것은 두 가지 경우인데, 이른바 '짝[偶]'이다. 〈여기서는 걸

어두웠던 1개를 제거하지 않으니, 그 나머지 셈법은 제1변의 의미와 같다.〉

[계몽 3-3-3]

再變之後, 除前兩次餘數, 復合其見存之策, 或四十, 或三十六, 或三十二, 分掛揲歸如前法, 是謂三變. 其掛扐者, 如再變例.

재변(再變)을 한 뒤에 앞의 두 차례에 걸친 변(變)에서 나머지 시초의 수를 제외하고 다시 그 남은 시초를 합하면 40개이거나 36개이거나 32개인데, 이것을 가지고 앞의 두 차례 변에서 했던 대로 둘로 나누고, 1개를 걸어두며, 4개씩 세고, 나머지 시초를 되돌리는 것을 삼변(三變)이라고 한다. 여기에서 걸어두고 끼운 시초의 수는 재변의 예와 같다.

[계몽 3-3-4]

三變旣畢乃合三變, 視其掛扐之奇偶以分所遇陰陽之老少, 是爲一爻.

삼변(三變)이 다 끝나면 이에 세 차례에 걸친 변(變)을 합하여, 그 걸어두고 끼운 시초 수의 홀[奇]·짝[偶]을 보아 얻게 된 음·양의 노·소를 구분하니, 이것이 제1효가 된다.

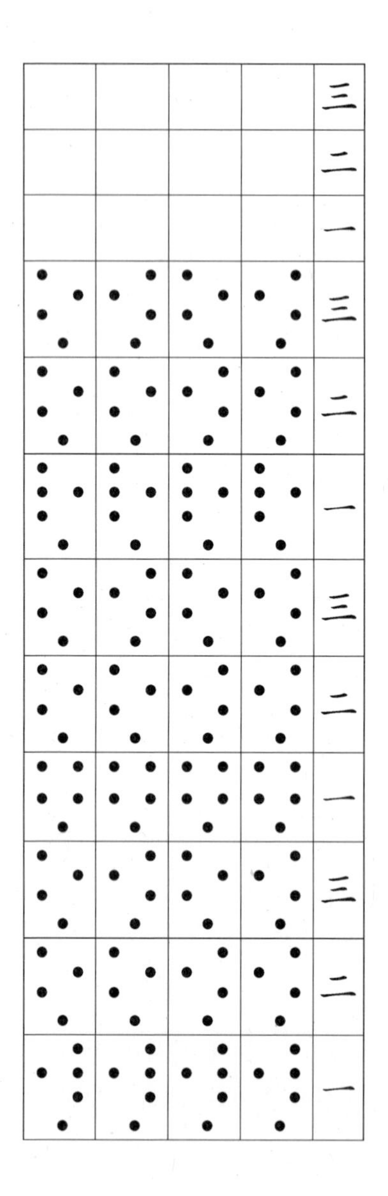

三
二
一
三
二
一
三
二
一
三
二
一

[계몽 3-3-5]

右‘三奇爲老陽’者凡十有二. 掛扐之數十有三, 除初掛之一爲十有二, 以四約而三分之爲一者三. 一奇象圓而圍三, 故三·一之中各復有三, 而積三·三之數則爲九. 過揲之數三十有六, 以四約之亦得九焉. 〈掛扐除一, 四分四十有八而得其一也, 一其十二而三其四也, 九之母也. 過揲之數, 四分四十八而得其三也, 三其十二而九其四也, 九之子也. 皆徑一而圍三也.〉 卽四象太陽居一含九之數也.

위의 도표에서 ‘세 번이 홀[奇]이어서 노양이 되는 것’은 모두 12가지 경우이다. 걸어두고 끼운 시초의 수는 13개인데, 처음에 걸어 둔 시초 1개를 제외하면 12개가 되니, 그것을 4로 약분하고 셋으로 나누면 ‘1[奇]’이 되는 것이 3개이다. ‘1’인 홀[奇]은 원을 상징하고 그 둘레는 3이므로, 3개의 ‘1’ 가운데 각각 다시 3이 있으며, 그 3개를 세 번 누적한 수는 9가 된다. 세어낸 시초의 수는 36개이니, 그것을 4로 약분해도 또한 9를 얻는다. 〈걸어두고 끼운 시초의 수에서 1개를 제외한 것은, 48개의 시초를 4로 나누어 그 가운데 1개를 얻은 것이고, 이는 12를 1배한 것이기도 하고 4를 3배한 것이기도 하며, 이는 9의 어머니이다. 그 세어낸 시초의 수는 48개를 4로 나누어 그 가운데 3개를 얻은 것이고, 이는 12를 3배한 것이기도 하고 4를 9배한 것이기도 하며, 이는 9의 자식이다. 이들은 모두 지름 1에 둘레 3을 의미한다.〉 이는 바로 4상 가운데 태양이 1에 자리 잡고 9를 머금은 수이다.

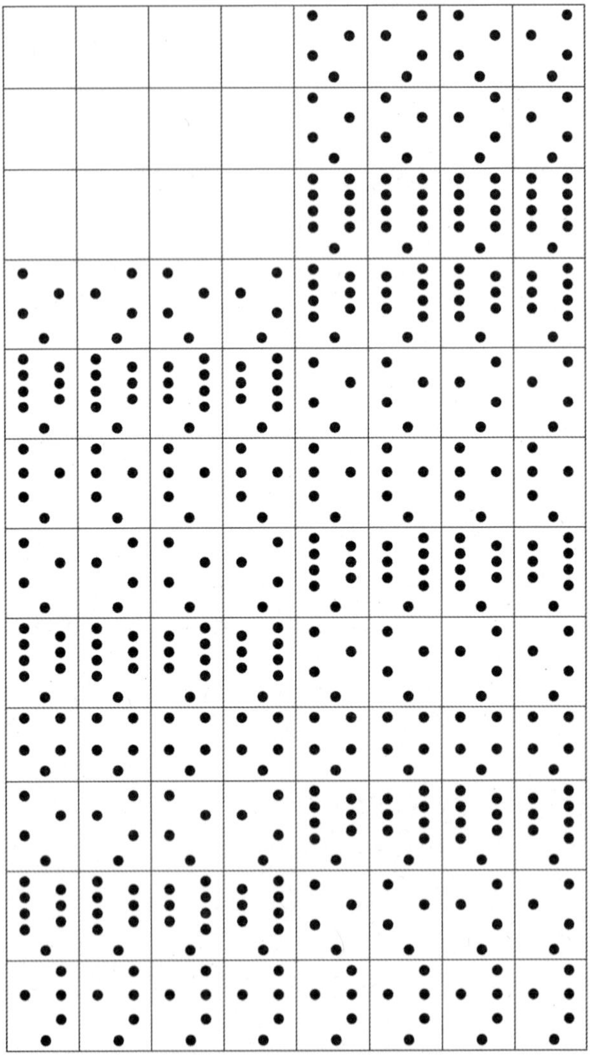

[계몽 3-3-6]

右'兩奇一偶', 以偶爲主, 爲少陰者凡二十有八. 掛扐之數十有七, 除初掛之一爲十有六, 以四約而三分之爲一者二, 爲二者一. 一奇象圓而用其全, 故二·一之中各復有三. 二偶象方而用其半, 故一·二之中復有二焉. 而積二三·一二之數則爲八. 過揲之數三十有二, 以四約之亦得八焉. 〈掛扐除一, 四其四也, 自一其十二者而進四也, 八之母也. 過揲之數, 八其四也, 自三其十二者而退四也, 八之子也.〉 卽四象少陰居二含八之數也.

위의 도표에서 '두 번이 홀[奇]·한 번이 짝[偶]인 것'은 짝[偶]을 위주로 하여 소음이 된 것이 모두 28가지 경우이다. 걸어두고 끼운 시초의 수는 17개인데, 처음 걸어 둔 1개를 제외하면 16개가 되니, 그것을 4로 약분하고 셋으로 나누면 '1[奇]'이 되는 것이 2개이고, '2[偶]'가 되는 것이 1개이다. '1'인 홀[奇]은 원을 상징하고 그 전부를 사용하므로 2개의 '1' 가운데 각각 다시 3이 있다. '2'인 짝[偶]은 네모를 상징하고 그 절반을 사용하므로 1개의 '2' 가운데 다시 2가 있다. 그리고 2개의 3과 1개의 2를 누적한 수는 8이 된다. 세어낸 시초의 수는 32개이니, 그것을 4로 약분해도 또한 8을 얻는다. 〈걸어두고 끼운 시초의 수에서 1개를 제외하면 4를 4배한 것이고, 이는 12를 1배한 것으로부터 4를 나아간 것이니, 8의 어머니이다. 세어낸 시초의 수는 4를 8배한 것이고, 이는 12를 3배한 것으로부터 4를 물러난 것이니, 8의 자식이다.〉 이는 바로 4상 가운데 소음이 2에 자리 잡고 8을 머금은 수이다.

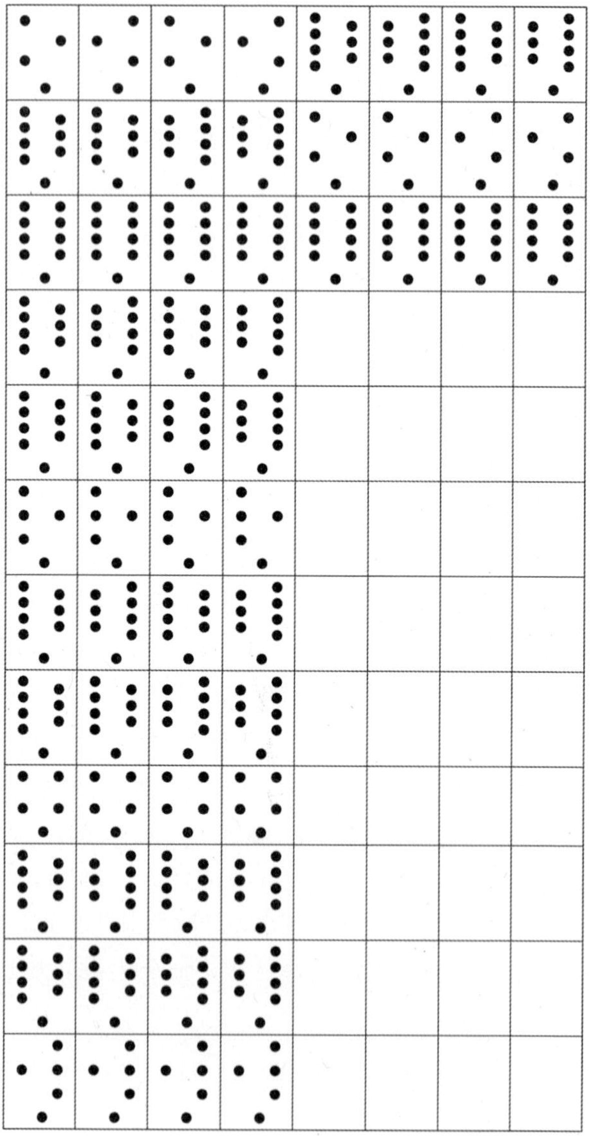

[계몽 3-3-7]

右'兩偶一奇', 以奇爲主, 爲少陽者凡二十. 掛扐之數二十有一, 除初掛之一爲二十, 以四約而三分之爲二者二, 爲一者一. 二偶象方而用其半, 故二·二之中各復有二. 一奇象圓而用其全, 故一·一之中復有三焉. 而積二二·一三之數則爲七. 過揲之數二十有八, 以四約之亦得七焉. 〈掛扐除一, 五其四也, 自兩其十二者而退四也, 七之母也. 過揲之數, 七其四也, 自兩其十二者而進四也, 七之子也.〉 卽四象少陽居三含七之數也.

위의 도표에서 '두 번이 짝[偶]·한 번이 홀[奇]인 것'은 홀[奇]을 위주로 소양이 된 것이 모두 20가지 경우이다. 걸어두고 끼운 시초의 수는 21개인데, 처음 걸어 둔 1개를 제외하면 20개가 되니, 그것을 4로 약분하고 셋으로 나누면 '2[偶]'가 되는 것이 2개이고, '1[奇]'이 되는 것이 1개이다. '2'인 짝[偶]은 네모를 상징하고 그 절반을 사용하므로 2개의 '2' 가운데 각각 다시 2가 있다. '1'인 홀[奇]은 원을 상징하고 그 전부을 사용하므로 1개의 '1' 가운데 다시 3이 있다. 그리고 2개의 2와 1개의 3을 누적한 수는 7이 된다. 세어낸 시초의 수는 28개이니, 그것을 4로 약분해도 또한 7을 얻는다. 〈걸어두고 끼운 시초의 수에서 1개를 제외하면 4를 5배한 것이고, 이는 12를 2배한 것으로부터 4를 물러난 것이니, 7의 어머니이다. 세어낸 시초의 수는 4를 7배한 것이고, 이는 12를 2배한 것으로부터 4를 나아간 것이니, 7의 자식이다.〉 이는 바로 4상 가운데 소양이 3에 자리 잡고 7을 머금은 수이다.

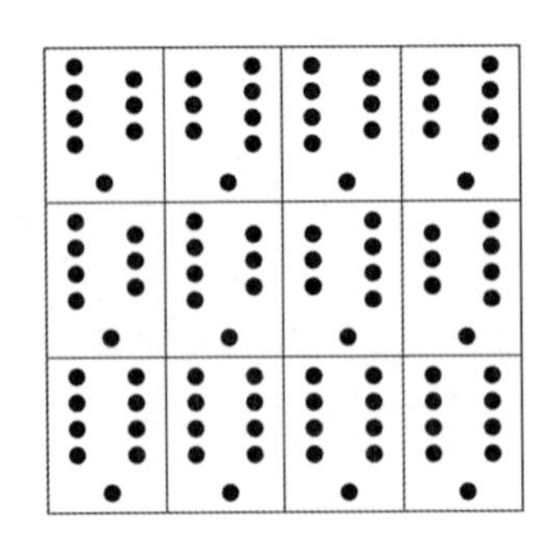

[계몽 3-3-8]

右'三偶爲老陰'者四. 掛扐之數二十有五, 除初掛之一爲二十有四, 以四約而三分之爲二者三. 二偶象方而用其半, 故三二之中各復有二, 而積三二之數則爲六. 過揲之數亦二十有四, 以四約之亦得六焉. 〈掛扐除一, 六之母也; 過揲之數, 六之子也. 四分四十有八而各得其二也, 兩其十二而六其四也, 皆圍四而用半也.〉 卽四象太陰居四含六之數也.

위의 도표에서 '세 번이 짝[偶]인 것으로 노음이 되는 것'은 모두 4가지 경우이다. 걸어두고 끼운 시초의 수는 25개인데, 처음에 걸어둔 시초 1개를 제외하면 24개가 되니, 그것을 4로 약분하고 셋으로 나누면 '2[偶]'가 되는 것이 3개이다. '2'인 짝[偶]은 네모를 상징하고 그 절반을 사용하므로 3개의 '2' 가운데 각각 다시 2가 있으며, 그 2개를 세 번 누적한 수는 6이 된다. 세어낸 시초의 수 또한 24개이니, 그것을 4로 약분해도 또한 6을 얻는다. 〈걸어두고 끼운 시초의 수에서 1개를 제외한 것은 6의 어머니이고, 세어낸 시초의 수는 6의 자식이다. 48개의 시초를 넷으로 나누고 각각 그 가운데 2개를 얻은 것이고, 12개짜리 2개이기도 하고 4개짜리 6개이기도 하니, 이들은 모두 둘레가 4이고 그 절반을 사용한다는 의미이다.〉 이는 바로 4상 가운데 태음이 4에 자리 잡고 6을 머금은 수이다.

集說

● 蔡氏元定曰:"蓍之奇數老陽十二, 老陰四, 少陽二十, 少陰二十八, 合六十有四. 三十二爲陽, 〈老陽十二, 少陽二十.〉 三十二爲陰, 〈老陰四, 少陰二十八.〉 其十六, 則老陽·老陰也; 〈老陽十二, 老陰四.〉 其四十八, 則少陽·少陰也. 〈少陽二十, 少陰二十八.〉 老陽·老陰, 乾·坤之象也. 〈二八也.〉 少陽·少陰, 六子之象也. 〈六八也.〉"

채원정이 말했다. "시초의 나머지 수들을 보면, 노양 12가지, 노음 4가지, 소양 20가지, 소음 28가지이니, 합계 64가지 경우이다. 그 가운데 32가지 경우는 양이고, 〈노양이 12가지, 소양이 20가지 경우이다.〉 32가지 경우는 음이다. 〈노음이 4가지, 소음이 28가지 경우이다.〉 그 가운데 16가지 경우는 노양·노음이고, 〈노양이 12가지, 노음이 4가지 경우이다.〉 그 가운데 48가지 경우는 소양·소음이다. 〈소양이 20가지, 소음이 28가지 경우이다.〉 노양과 노음은 건괘와 곤괘의 상(象)이고, 〈2개의 8가지이다.〉 소양과 소음은 여섯 자식의 상이다. 〈6개의 8가지이다.〉"

[계몽 3-3-9]

凡此四者, 皆以三變皆掛之法得之. 蓋『經』曰, "再扐而後掛." 又曰, "四營而成『易』." 其指甚明. 注疏雖不詳說, 然劉禹錫所記僧一行·畢中和·顧彖之說, 亦已備矣. 近世諸儒乃有前一變獨掛, 後二變不掛之說. 考之於『經』, 乃爲六扐而後掛, 不應五歲再閏之義. 且後兩變又止三營, 蓋已誤矣.

이 넷(노양·소음·소양·노음)은 모두 세 번의 변(變)에 매번 모두 '오른손의 한 개의 시초를 뽑아 왼손 새끼손가락 사이에 걸어 두는[掛]' 방법으로 얻은 것이다. 『역경』에서 "'두 번 왼손 가운데 세 손가락 사이에 끼운[扐]' 다음에 걸어둔다."[7]라고 하고, 또 "'네 번 경영[四營]'[8]하여 변역[易]을 이룬다."[9]라고 하였으니, 그 가리키는 뜻이 매우 분명하다. 이에 대해 한백(韓伯)[10]의 주(注)와 공영달(孔穎達)[11]의 소(疏)는 비록 자세하게 설명하지 않았지만, 유우석

7) '두 번 왼손 가운데 세 손가락 사이에 끼운[扐]' 다음에 걸어둔다 : 『역』「계사상」 제9장.

8) '네 번 경영[四營]' : '네 번 경영'은 다음 네 과정을 가리킨다. 첫째는 '분이(分二)'로 49개의 시초를 둘로 나누는 것이고, 둘째는 '괘일(掛一)'로 오른손의 한 개의 시초를 뽑아 왼손 새끼손가락 사이에 걸어두는 것이며, 셋째는 '설사(揲四)'로 넷씩 세는 것이고, 넷째는 '귀기·륵(歸奇·扐)'으로 나머지를 왼손 가운데 세 손가락 사이에 끼우는 일이다.

9) '네 번 경영[四營]'하여 변역[易]을 이룬다 : 『역』「계사상」 제9장.

10) 한백(韓伯) : 자는 강백(康伯)이고, 영천장사(潁川長社 : 현 하남성 장갈〈長葛〉) 사람이다. 동진(東晉) 간문제(簡文帝) 때 중서랑(中書郞), 예장태수(豫章太守), 시중(侍中), 이부상서(吏部尙書) 등 관직을 역임했다. 당대 저명한 현학가(玄學家), 훈고학자로서 왕필의 『주역』 상·하경 주석에, 「계사전」·「설괘전」·「서괘전」·「잡괘전」 등에 대한 주석을 덧붙였다.

11) 공영달(孔穎達, 574~648) : 자는 중달(仲達)이고 기주 형수(冀州衡水 : 현 하북성 형수시) 사람이다. 수(隋)나라 양제(煬帝) 때 명경과(明經科)에 급제하여 관계에 나갔으나, 양제가 그의 재능을 시기하여 암살하려 하였다. 당나라의 태종(太宗)에게 중용되어 국자박사(國子博士)를 거쳐 국자감의 좨주(祭酒), 동궁시강(東宮侍講) 등을 지내고, 태종의 신임을 받았다. 문장·천문·수학에 능통하였으며, 위징(魏徵)과 함께 『수서(隋書)』를 편찬하였다. 왕명에 따라 고증학자 안사고(顔師古) 등과 더불어

(劉禹錫)[12]이 기록한 승려 일행(一行)[13]·필중화(畢中和)[14]·고단(顧象)[15]의 설명에 이미 갖추어졌다.

근세의 학자들에게서 비로소 처음 한 번의 변(變)만 걸어두고 나중 두 번의 변(變)은 걸어두지 않는다는 주장이 있게 되었다. 그러나 『역경』으로 고찰해보면, 이는 바로 여섯 번 끼운 다음에 걸어두는

오경(五經) 해석의 통일을 시도하여 『오경정의(五經正義)』 170권을 편찬하였다.

12) 유우석(劉禹錫, 772~842) : 자는 몽득(夢得)이고, 당대 팽성(彭城 : 현 하북성 소속) 사람이다. 795년 박학굉사과(博學宏詞科)에 급제하여 회남절도사(淮南節度使) 두우(杜佑)의 막료가 되었다. 얼마 후 중앙의 감찰어사로 영전되어 왕숙문(王叔文)·유종원(柳宗元) 등과 함께 정치개혁을 기도하였으나 805년 왕숙문은 실각되고, 우석은 낭주사마(朗州司馬)로 좌천되었다. 그 뒤 중앙과 지방의 관직을 역임하면서 태자빈객(太子賓客)을 최후로 생애를 마쳤다. 지방관으로 있으면서 농민의 생활 감정을 노래한 『죽지사(竹枝詞)』를 펴냈으며, 만년에는 백낙천(白樂天)과 교유하면서 시문(詩文)의 도에 정진하였다. 시문집으로 『유몽득문집(劉夢得文集)』, 『외집(外集)』이 있다.

13) 일행(一行, 683~727) : 본명은 장수(張遂)이다. 당대(唐代) 천문학자이자 승려로서 형주 거록(邢州巨鹿 : 현 하북성 형태〈邢台〉) 사람이다. 그는 청년 시절에 이미 천문과 역법 및 수학에 정통하여 개원(開元) 5년(717)에는 당 현종(唐玄宗)의 고문이 되었다. 그 후 10년 동안 천문에 대한 연구와 역법(曆法)의 개혁에 매진하였고, 역사상 최초로 자오선(子午線)을 측량하였다. 이러한 과정에서 그는 대형의 천문관측 기구를 제작하여 천문학 연구의 기반을 마련하였고, 그 성과로 『개원대연력(開元大衍曆)』을 편찬하였다. 그 외의 저술로는 『칠정장력(七政長曆)』, 『역론(易論)』, 『심기산술(心機算術)』 등이 있다.

14) 필중화(畢中和) : 일행(一行)의 역학 사상을 계승하여 유우석(劉禹錫)에게 전해준 사람으로 알려진다.

15) 고단(顧象) : 유우석과 역학으로 교류했다고 전해진다.

것이니 "5년에 윤달이 두 번 있다."[16]는 의미에 상응하지 않는다. 게다가 나중 두 번의 변(變)은 또 세 번의 경영에 지나지 않으니, 이미 잘못되었다.

集說

● 胡氏方平曰 : "按王輔嗣註云, '分而爲二, 一營也; 掛一象三, 二營也; 揲之以四, 三營也. 歸奇於扐, 四營也.'[17]

호방평(胡方平)[18]이 말했다. "생각건대, 왕보사(王輔嗣 : 王弼)의 주(註)에는 '나누어 둘이 됨이 한 번 경영하는 것이고, 하나의 시초를 걸어두어 (천·지·인) 3을 상징함이 두 번 경영하는 것이며, 넷으로 셈이 세 번 경영하는 것이고, 나머지를 끼움이 네 번 경영하는 것이다.'[19]라고 하였다.

孔穎達疏云, "'再扐而後掛'者, 旣分天於左手, 地於右手, 乃四四揲天之數, 最末之餘, 歸之合於掛扐之一處, 是一扐也; 又以四

16) 5년에 윤달이 두 번 있다 : 『역』「계사상」 제9장.
17) 왕필·한강백, 『주역주(周易注)』「계사상」에는, "是故四營而成『易』, 分而爲二, 以象兩, 一營也. 掛一以象三, 二營也. 揲之以四, 三營也. 歸奇於扐, 四營也."라고 되어 있다.
18) 호방평(胡方平) : 자는 사노(師魯)이고 호는 옥재(玉齋)이다. 송대 무원(婺源 : 현 강서성 무원현) 사람이다. 동몽정(董夢程)에게서 배웠는데, 동몽정은 주희의 고족제자이자 사위인 황간(黃幹)의 제자이다. 따라서 그는 아들 호일계(胡一桂)와 함께 주희의 학설을 독실하게 신봉하였다. 저술은 필생의 역작인 『역학계몽통석(易學啓蒙通釋)』이 있다.
19) '왕보사(王弼)의 주(註)' : 한강백의 주(註)라고 하는 것이 옳다.

四揲地之數, 最末之餘, 又合於前所歸之扐而總扐之, 是'再扐而後掛'也.'[20]

공영달의 소(疏)에 "두 번 끼운 다음에 걸어둔다.'는 것은, 이미 왼손에 하늘, 오른손에 땅을 나누고 나서, 비로소 4개 4개씩 하늘의 수를 세어 끝에 남는 나머지를 걸어두고 끼우는 곳에 적합하게 돌려보내는 일이 한 번 끼우는 것이며, 또 4개 4개씩 땅의 수를 세어 끝에 남는 나머지를 또 먼저 돌려보내 끼운 곳에 적합하게 하여 전부 끼우는 일이 '두 번 끼운 다음에 걸어둔다.'는 것이다.'라고 하였다.

劉禹錫「辨易九六論」云, '畢中和之學, 其傳原於一行禪師.' 一行唐開元時所作『大衍曆本議』云, '綜盈虛之數, 五歲而再閏', 蓋其衍法皆以'再扐而後掛'也. 畢中和有揲法, 其言'三揲皆掛', 正合四營之義. 朱子亦謂'畢氏揲法, 視疏義爲詳.'

유우석은 「변역96론」에서, '필중화의 학문은 그 전수가 일행(日行)선사에 근원한다.'[21]라고 하였다. 일행선사는 당 개원(開元 : 712~756년) 때 지은 『대연역본의(大衍曆本議)』에서 '넘치고 모자라는[盈虛][22] 수의 종합이 5년에 두 번 윤달이 드는 것이다.'[23]라고 하였으

20) 공영달, 『주역정의(周易正義)』「계사상」 권7에는, "'再扐而後掛'者, 旣分天地, 天於左手, 地於右手, 乃四四揲天之數, 最末之餘, 歸之合於扐掛之一處, 是一揲也. 又以四四揲地之數, 最末之餘, 又合於前所歸之扐而裹掛之, 是再扐而後掛也."라고 되어 있다.

21) 유우석, 『유빈객문집(劉賓客文集)』 권7, 「논하·변역구륙론(論下·辯易九六論)」에는, "中和本其師, 師之學本一行."이라고 되어 있다.

22) '넘치고 모자라는[盈虛]' : 기영(氣盈)과 삭허(朔虛)를 말한다. 기영의 수는 대략 365.25－360=＋5.25이고, 삭허의 수는 354.5－360=－5.5이다.

니, 그 연역하는 방법은 모두 '두 번 끼운 다음에 걸어두는' 방법을 쓴 것이다. 필중화는 시초를 세는 방법에서, '세 번 세는 것에 모두 걸어둔다.'[24]고 말했으니, 네 번 경영하는 뜻에 꼭 부합한다. 주자 또한 '필씨의 시초를 세는 방법은 소(疏)의 뜻에 비해 상세하다.'[25]라고 하였다.

顧象之說未詳, 禹錫又自言揲法'第一指餘一益三, 餘二益二, 餘三益一, 餘四益四. 第二指餘一益二, 餘二益一, 餘三益四, 餘四益三. 第三指與第二指同.' 此可以見三變皆掛矣.

고단의 주장은 알 수 없지만, 유우석은 또 스스로 시초를 세는 방법을 말하여 '제1지[일변(一變)]에서는 왼쪽에 남은 시초의 수[餘]가 하나이면 오른쪽에 남은 시초의 수[益]는 셋이고, 왼쪽이 둘이면 오른쪽은 둘이며, 왼쪽이 셋이면 오른쪽은 하나이고, 왼쪽이 넷이면 오른쪽이 넷이다. 제2지[재(角變)]에서는 왼쪽이 하나이면 오른쪽이 둘이고, 왼쪽이 둘이면 오른쪽은 하나이며, 왼쪽이 셋이면 오른쪽은 넷이고, 왼쪽이 넷이면 오른쪽이 셋이다. 제3지[삼(三變)]에서는 제2지[재(角變)]와 같다.'[26]라고 하였으니, 이는 세 번의 변에 모두 건 것을 알 수 있다.

23) 『당서(唐書)』 권27상, 「역지(歷志)」.

24) 『주문공문집』 권37, 「답정태지(答程泰之)」에서, "畢論三揲皆掛"라고 하였다.

25) 『주문공문집』 권37, 「답정태지(答程泰之)」.

26) 유우석, 『유빈객문집(劉賓客文集)』 권7, 「논하·변역구륙론(論下·辯易九六論)」에는, "第一指〈餘一益三, 餘二益二, 餘三益一, 餘四益四,〉 第二指〈餘一益二, 餘二益一, 餘三益四, 餘四益三,〉 第三指〈與第二指同.〉"라고 되어 있다.

'近世儒者'若郭雍所著『蓍卦辨疑』, 專以前一變獨掛, 後二變不掛, 其載橫渠先生之言曰, '再扐而後掛, 每成一爻而後掛也. 謂第二·第三揲不掛也.' 且謂橫渠之言, 所以明註疏之失.

'근세의 학자'는 예컨대 곽옹(郭雍)[27] 같은 사람으로, 그는 『시괘변의』를 지어 오로지 앞의 한 번의 변(變)만 걸어두고 뒤의 두 번의 변은 걸어두지 않는다고 하였는데, 그 책에는 횡거선생(橫渠先生 : 張載)[28]의 말을 실어 '두 번 끼운 다음에 걸어둔다는 말은 매 한 효를 이룬 다음에 걸어둔다는 것이다. 두 번째와 세 번째 셀 때는 걸어두지 않는다는 것을 말한다.'[29]라고 하였다. 그리고 횡거의 말은 (한강백의) 주(註)와 (공영달의) 소(疏)의 잘못을 밝혔다고 하였다.

---

27) 곽옹(郭雍, 1106~1187) : 자는 자화(子和)이고 자호는 백운(白雲)이며, 낙양(洛陽 : 현 하남성 낙양시) 사람이다. 정이(程頤)의 제자인 곽충효(郭忠孝)의 둘째 아들로 가학을 이었으며, 벼슬길은 나아가지 않고 은거하면서 역학과 의학에 정통하였다고 한다. 역학 방면 저술로 『전가역해(傳家易解)』, 『괘사지요(卦辭指要)』, 『시괘변의(蓍卦辨疑)』 등이 있다고 한다.

28) 장재(張載, 1020~1077) : 자는 자후(子厚)이고, 세칭 횡거선생(橫渠先生)이라 한다. 송대 대양(大梁 : 현 하남성 개봉〈開封〉) 사람으로 거주지는 미현 횡거진(郿縣橫渠鎭: 현 섬서성 미현〈眉縣〉)이었다. 1057년 진사에 급제했고 운암령(雲巖令)·숭정원교서(崇政院校書) 등을 역임하였다. 젊어서 병법을 좋아하여 범중엄에게 서신을 보냈다가 『중용』을 읽기를 권유받고, 얼마 뒤 『육경(六經)』에 전념하게 되었다. 특히 『역』과 『중용』을 중시하여 『정몽(正蒙)』, 『서명(西銘)』, 『역설(易說)』 등을 지었는데, 이로써 나중에 '관학(關學)'의 창시자가 되었다.

29) 장재(張載), 『횡거역설(橫渠易說)』 권3, 「계사상(繫辭上)」에는, "再扐後掛者, 每成一爻而後掛也. 謂第二第三揲不掛也."라고 되어 있다.

朱子辨之曰, '此說大誤, 恐非橫渠之言也. '再扐'者, 一變之中左右再揲而再扐也. 一掛·再揲·再扐而當五歲, 蓋一掛·再揲當其不閏之年, 而再扐當其再閏之歲也. 而'後掛'者, 一變旣成, 又合見存之策, 分二·掛一以起後變之端也. 今曰, '第一變掛, 而第二·第三變不掛.' 遂以當掛之變, 爲掛而象閏, 以不掛之變爲扐而當不閏之歲, 則與「大傳」所云, 「掛一象三, 再扐象閏」者, 全不相應矣. 且不數第一變之再扐, 而以第二·第三變爲再扐, 又使第二·第三變中止有三營而不足乎成易之數, 且於陰陽·老少之數亦多有不合者.'

주자(朱子 : 朱熹)는 그것을 변별하여, '이 주장은 크게 잘못되었으니 횡거의 말이 아닌 것 같다. '두 번 끼운다.'는 것은 한 번의 변(變) 가운데 왼쪽과 오른쪽의 것을 두 번 세어 두 번 끼우는 것이다. 한 번 걸어두고 두 번 세며 두 번 끼워서 5년에 해당시키는데, 한 번 걸어두고 두 번 세는 것은 윤달이 들지 않는 해(3년)에 해당시키고, 두 번 끼우는 것은 윤달이 드는 두 해(2년)에 해당시킨다. '다음에 걸어둔다.'는 것은 1변이 이루어진 다음에 또 남겨진 시초를 합쳐 둘로 나누고 하나를 걸어두어 다음 변[2변]의 단서를 일으키는 것이다. 그런데 '제1변은 걸어두지만 제2변과 제3변은 걸어두지 않는다.'라고 말하여, 마침내 걸어두는데 해당하는 변[제1변]을 걸어둔다고 하여 윤달을 상징한다고 하며, 걸어두지 않는 변[제2변과 제3변]을 끼운다고 하여 윤달이 들지 않는 해에 해당시키면, 「계사전」에서 이른바 '하나를 걸어두는 것으로써 3[삼재]을 상징하고, 두 번 끼우는 것으로 윤달을 상징한다.'[30]라는 것과는 전혀 상응하지 않는다. 게다가 제1변의 두 번 끼우는 일은 계산하지 않고 제2

30) 『역』「계사」상9에서, "分而爲二以象兩, 掛一以象三, 揲之以四以象四時, 歸奇於扐以象閏, 故再扐而后掛."라고 하였다.

변과 제3변을 두 번 끼우는 일이라 한 것은, 또 제2변과 제3변 가운데 다만 세 번 경영함이 있게 하여 변역을 이루는 수가 부족하며, 또한 음양·노소의 수에도 합치하지 않는 것이 많다.'[31]고 말했다.

其載伊川先生之言曰, '再以左右手分而爲二, 更不重掛奇.' 朱子辨之曰, '此說尤多可疑. 然郭氏云'本無文字,' 則其傳授之際不無差舛宜矣.'

그 책[곽옹의 『시괘변의』]에는 이천선생(伊川先生 : 程頤)의 말을 실어 '다시 왼쪽과 오른쪽 손으로 나누어 둘로 하는데, 더 이상 나머지 시초를 거듭 걸어두지 않는다.'[32]라고 하였다.
주자는 그것을 변별하여, '이 주장은 더욱 의심스러운 것이 많다. 그러나 곽씨가 '본래 문자는 없었다.'[33]라고 하니, 그것을 전수할 때 반드시 착오가 없지 않았을 것이다.'[34]라고 말했다.

郭氏又云, '第二·第三揲(變)雖不掛,[35] 亦有四·八之變, 蓋不必

31) 『주문공문집』 권66, 「시괘고오(蓍卦考誤)」. 여기에서는 곽옹의 주장도 제시하고 있다.
32) 주감(朱鑑), 『문공역설(文公易說)』 권22에서, 이천의 말이라고 하였다.
33) 본래 문자는 없었다. : 『주문공문집』 권66, 「시괘고오(蓍卦考誤)」에서, "郭氏曰, '此法先人親受於伊川先生, 雍復受於先人. 本無文字, 歲月滋久, 慮或遺忘, 謹詳書之."라고 하였다.
34) 『주문공문집』 권66, 「시괘고오(蓍卦考誤)」.
35) 第二·第三揲(變)雖不掛 : 『주문공문집』 권66, 「시괘고오(蓍卦考誤)」에는, '第二·第三變雖不掛'라고 되어 있다. 문맥상 번역문은 『주문공문집』에 따른다.

掛也.' 朱子辨之曰, '所以不可不掛者有兩說. 蓋三變之中, 前一變屬陽, 故其餘五·九皆奇數. 後二變屬陰, 故其餘四·八皆偶數. 屬陽者爲陽三而爲陰一, 皆圍三徑一之術; 屬陰者爲陰二而爲陽二, 皆以圍四用半之術也. 是皆以三變皆掛之法得之, 後兩變不掛則不得也.

곽옹은 또 '제2변과 제3변은 비록 걸어두지 않지만 또한 4·8이 남는 변이 있으니, 걸어둘 필요가 없다.'라고 하였다.
주자는 그것을 변별하여 다음과 같이 말했다. '걸어두지 않을 수 없는 까닭은 두 가지 설명이 있다. 세 번의 변 가운데 앞의 제1변은 양에 속하므로 그 나머지 5·9는 모두 홀수이다. 뒤의 제2변·제3변은 음에 속하므로 그 나머지 4·8은 모두 짝수이다. 양에 속하는 것은 양이 됨이 셋이고 음이 됨이 하나이니, 모두 둘레 3에 지름 1의 방법이다. 음에 속하는 것은 음이 됨이 둘이고 양이 됨이 둘이니, 모두 둘레 4에 절반을 사용하는 방법이다. 이는 세 번의 변에 모두 걸어두는 방법으로 얻은 것이니, 뒤의 두 번의 변에 걸어두지 않으면 얻을 수 없다.

三變之後其可爲老陽者十二, 可爲老陰者四, 可爲少陰者二十八, 可爲少陽者二十, 雖多寡之不同而皆有法象. 是亦以三變皆掛之法得之, 而後兩變不掛則不得也.

세 번 변한 다음에 노양이 될 수 있는 경우는 12가지이고, 노음이 될 수 있는 경우는 4가지이며, 소음이 될 수 있는 경우는 28가지이고, 소양이 될 수 있는 경우는 20가지이니, 비록 (그 경우의 수가) 많고 적음이 같지 않으나 모두 법상(法象)이 있다. 이 또한 세 번의 변에 모두 걸어두는 방법으로 얻은 것이며, 뒤의 두 번의 변에 걸어두지 않으면 얻을 수 없다.

郭氏僅見第二·第三變可以不掛之一端耳, 而遂執以爲說, 夫豈知其掛與不掛之爲得失乃如此哉! 大抵郭氏他說偏滯雖多, 而其爲法尙無甚戾. 獨此一義所差雖小, 而深有害於成卦·變爻之法, 尤不可不辨.'

곽씨(郭氏 : 郭雍)는 다만 제2변과 제3변에 걸어두지 않을 수 있다는 한 측면만을 알았을 뿐인데, 마침내 그것을 고집하여 주장했으니, 어찌 걸어두고 걸어두지 않는 것의 득실이 이와 같음을 알았겠는가! 대체로 곽씨는 치우치고 막힌 주장이 비록 많았지만 그 시초를 세는 방법은 오히려 그다지 잘못되지 않았다. 다만 이 한 가지 내용은 차이가 비록 작지만 괘를 이루고 효를 변화시키는 방법에 깊이 해를 끼치기 때문에 더욱 분별하지 않을 수 없다.'[36]

愚嘗考之第一變獨掛, 後二變不掛, 非特爲六扐而後掛, 三營而成易, 於再扐四營之義不協; 且後二變不掛, 其數雖亦不四則八, 而所以爲四八者實有不同. 蓋掛則所謂四者左手餘一, 則右手餘二; 左手餘二, 則右手餘一. 不掛則左手餘一, 右手餘三; 左手餘二, 右手餘二; 左手餘三, 右手餘一; 此四之所以不同也. 掛則所謂八者左手餘四, 右手餘三; 左手餘三, 右手餘四. 不掛則左手餘四, 右手亦餘四, 此八之所以不同也. 三變之後, 陰陽變數皆參差不齊, 無復自然之法象矣."[37]

내(호방평)가 일찍이 살펴보건대, 제1변만 걸어두고 나중 두 번의 변에 걸어두지 않는 것은, 다만 여섯 번 끼운 다음에 걸어두고 세

36) 『주문공문집』 권66, 「시괘고오(蓍卦考誤)」.
37) 호방평, 『역학계몽통석』 권하(下), 「명시책(明蓍策)」 제3.

번 경영하여 변역을 이루는 것이 될 뿐 아니라, 두 번 끼우고 네 번 경영하는 의미에도 어울리지 않는다. 게다가 나중 두 번의 변에 걸어두지 않으면 그 숫자가 비록 4가 아니면 8이지만 4·8이 되는 까닭은 실제로 같지 않다.

(나중 두 번의 변에) 걸어두면 이른바 4라는 수는 왼손에 1개가 남으면 오른손에 2개가 남고, 왼손에 2개가 남으면 오른손에 1개가 남는 것이다. (나중 두 번의 변에) 걸어두지 않으면 왼손에 1개가 남을 때 오른손에 3개가 남고, 왼손에 2개가 남을 때 오른손에 2개 남으며, 왼손에 3개가 남을 때 오른손에 1개가 남는다. 이것이 4가 같지 않은 까닭이다.

(나중 두 번의 변에) 걸어두면 이른바 8이라는 수는 왼손에 4개가 남을 때 오른손에 3개가 남고, 왼손에 3개가 남을 때 오른손에 4개가 남는 것이다. (나중 두 번의 변에) 걸어두지 않으면 왼손에 4개가 남을 때 오른손에도 4개가 남는다. 이것이 8이 같지 않은 까닭이다. 세 번 변한 다음에 음양의 변수가 모두 들쑥날쑥 가지런하지 않으니 다시 자연스런 법상(法象)이 없다."

[계몽 3-3-10]

且用舊法, 則三變之中又以前一變爲奇, 後二變爲偶. 奇, 故其餘五·九; 偶, 故其餘四·八. 餘五·九者, 五三而九一, 亦圍三徑一之義也. 餘四八者, 四·八皆二, 亦圍四用半之義也. 三變之後, 老者陽饒而陰乏, 少者陽少而陰多, 亦皆有自然之法象焉.

옛날의 방법을 사용하면, 세 번의 변 가운데 또 앞의 1변이 홀[奇]이 되고, 나중 두 번의 변은 짝[偶]이 된다. 홀[奇]이기 때문에 그 나머지는 5·9이고, 짝[偶]이기 때문에 그 나머지는 4·8이다. 나머지가 5·9가 되는 경우는 5가 세 번이고 9가 한 번이니, 또한 '둘레 3에 지름 1'의 의미이다. 나머지가 4·8이 되는 경우는 4와 8이 모두 두 번이니, 또한 '둘레 4에 절반을 사용하는' 의미이다. 세 번 변한 다음에 '노(老)인 것[노양·노음]'은 양이 풍부하고 음이 모자라며, '소(少)인 것[소양·소음]'은 양이 적고 음이 많으니, 또한 모두 자연스런 법상(法象)이 있다.

〈蔡元定曰: "按五十之蓍, 虛一分二, 掛一揲四, 爲奇者三, 爲偶者二, 是天三·地二自然之數. 而三揲之變, 老陽·老陰之數本皆八, 合之得十六. 陰陽以老爲動而陰性本靜, 故以四歸于老陽, 此老陰之數所以四, 老陽之數所以十二也. 少陽·少陰之數本皆二十四, 合之四十八. 陰陽以少爲靜而陽性本動, 故以四歸於少陰, 此少陽之數所以二十, 而少陰之數所以二十八也.

채원정이 말했다. "생각건대, 50개의 시초에 1개를 비워두고 둘로 나누며 1개를 걸어두고 4개씩 세고 나면, 홀[奇]이 되는 경우가 셋이고 짝[偶]이 되는 경우가 둘이니, 천3·지2의 자연의 수이다. 그러나 세 번 세는 변에, 노양과 노음의 수는 본래 모두 8이고 그 둘을 합하여 16을 얻는다. 음·양은 노(老)를 움직임으로 삼지만 음의 성질이 본래 고요하기 때문에 4를 노양에게 돌려보내니, 이에 노음의 수는 4가 되고 노양의 수는 12가 된다. (세 번 세는 변에) 소양과 소음의 수는 본래 모두 24이고 그 둘을 합하면 48이다. 음·양은 소(少)를 고요함으로 삼지만 양의 성질은 본래 움직이는 것이기 때문에 4를 소음에게 돌려보내니, 이에 소양의 수는 20이 되고 소음의 수는 28이 된다.

陽(易)用老而不用少,[38] 故六十四變, 所用者十六變, 又以四約之, 陽用其三, 陰用其一. 蓋一奇一偶對待者, 陰陽之體. 陽三陰一, 一饒一乏者, 陰陽之用. 故四時春·夏·秋生物, 而冬不生物. 天地東·西·南可見, 而北不可見; 人之瞻視亦前與左·右可見, 而背不可見也. 不然, 則以四十九蓍, 虛一分二, 掛一揲四, 則爲奇者二, 爲偶者二, 而老陽得八, 老陰得八, 少陽得二十四, 少陰得二十四, 不亦善乎! 聖人之智豈不及此, 而其取此而不取彼者, 誠以陰陽之體數常均, 用數則陽三而陰一也.")

역(易)은 노(老)를 사용하지 소(少)를 사용하지 않기 때문에 64변에서 사용하는 것은 16변이며, 16변은 또 4로 약분하여 양이 그 셋을 사용하고 음이 그 하나를 사용한다. 하나의 홀[奇]과 하나의 짝[偶]이 대대(對待)하는 것이 음양의 체(體)이며, 양은 셋을 사용하고 음은 하나를 사용하여 한 번은 풍부하고 한 번은 모자라는 것이 음양의 용(用)이다. 그러므로 사계절에서 봄·여름·가을은 만물을 생성하지만 겨울은 만물을 생성하지 않고, 천지간에 동·서·남쪽은 볼 수 있지만 북쪽은 볼 수 없으며, 사람이 바라보는 것도 앞과 좌·우는 볼 수 있지만 뒤는 볼 수 없다. 그렇지 않고, 49개의 시초를 가지고 1개를 비워 두고 둘로 나누며 1개를 걸어두고 4개씩 세고 나면, 홀[奇]이 되는 경우가 둘이고 짝[偶]이 되는 경우가 둘이 되며, 노양이 8을 얻고 노음이 8을 얻으며 소양은 24를 얻고 소음은 24를 얻으니, 또한 (모양이) 좋지 아니한가!

---

38) 陽用老而不用少 : 호방평, 『역학계몽통석』 권하(下), 「명시책(明蓍策)」 제3에는 '易用老而不用少[역(易)은 노(老)를 사용하지 소(少)를 사용하지 않는다.]'라고 되어 있다. 이황, 『계몽전의』「명시책」 제3에서도 '양(陽)'을 '역(易)'으로 바로잡았다. 논리상 『역학계몽통석』과 『계몽전의』에 따라 번역한다.

성인의 지혜가 어찌 여기에 미치지 못하겠는가만, 이것을 취하고 저것을 취하지 않은 것은, 참으로 음·양에서 체(體)의 수는 항상 균등하지만 용(用)의 수는 양이 셋을 사용하고 음이 하나를 사용하기 때문이다.〉"

集說

● 蘇氏軾曰 : "唐一行之學, 以爲三變皆少, 則乾之象也, 乾所以爲老陽, 而四數其揲得九, 故以九名之; 三變皆多, 則坤之象也, 坤所以爲老陰, 而四數其揲得六, 故以六名之; 三變而少者一, 則震·坎·艮之象也, 震·坎·艮所以爲少陽, 而四數其揲得七, 故以七名之; 三變而多者一, 則巽·離·兌之象也, 巽·離·兌所以爲少陰, 而四數其揲得八, 故以八名之. 故七·八·九·六者, 因揲數以名陰·陽, 而陰·陽之所以爲老·少者, 不在乎是, 而在乎三變之間, 八卦之象也. 此唐一行之學也."

소식(蘇軾)이 말했다. "당(唐)나라 때 승려 일행(一行)의 학문에서는 다음과 같이 생각했다. 세 번 변(變)이 모두 적으면 건(乾)의 상(象)이니, 건이 노양이 되는 근거이고 4개씩 세어 내면 그 세어낸 것이 9개를 얻기 때문에 9로 그것을 이름 지었다. 세 번 변(變)이 모두 많으면 곤(坤)의 상(象)이니, 곤이 노음이 되는 근거이고 4개씩 세어 내면 그 세어낸 것이 6개를 얻기 때문에 6으로 그것을 이름 지었다. 세 번 변(變)에 적은 것이 하나이면 진(震)·감(坎)·간(艮)의 상(象)이니, 진·감·간이 소양이 되는 근거이고 4개씩 세어 내면 그 세어낸 것이 7개를 얻기 때문에 7로 그것을 이름 지었다. 세 번 변(變)에 많은 것이 하나이면 손(巽)·리(離)·태(兌)의 상(象)이니, 손·리·태가 소음이 되는 근거이고 4개씩 세어내면 그 세어낸 것이 8개를 얻기 때문에 8로 그것을 이름 지었다. 그러므로 7

·8·9·6은 세어낸 수에 따라 음·양을 이름 지은 것이지만, 음·양이 노·소가 되는 까닭은 여기에 있지 않고 세 번 변(變)하는 사이의 8괘의 상(象)에 달려 있다. 이것이 당(唐)나라 일행(一行)의 학문이다."

● 『朱子文集』曰 : "初一變得五者三, 得九者一, 故曰'餘五·九者五三而九一.' 後二變得四者二, 得八者二, 故曰'餘四·八者四·八皆二.' 三變之後爲老陽者十有二, 老陰四, 故曰'陽饒而陰乏.' 少陽二十, 少陰二十八, 故曰'陽少而陰多.'[39]

『주문공문집』에서 말했다. "처음 1변에서 5를 얻는 경우가 3가지이고 9를 얻는 경우가 1가지이기 때문에 '나머지가 5·9가 되는 경우는 5가 세 번이고 9가 한 번이다.'라고 했다. 나중 두 번의 변에서 4를 얻는 경우가 2가지이고 8을 얻는 경우가 2가지이기 때문에 '나머지가 4·8이 되는 경우는 4와 8이 모두 두 번이다.'라고 했다. 세 번 변한 다음에 노양이 되는 경우가 12가지이고 노음이 되는 경우가 4가지이므로 '양이 풍부하고 음이 모자란다.'라고 했으며, 소양이 되는 경우가 20가지이고 소음이 되는 경우가 28가지이므로 '양이 적고 음이 많다.'라고 말했다.

沈氏『筆談』云, '易象九爲老陽, 七爲少陽, 八爲少陰, 六爲老陰. 其九·七·八·六之數, 皆有所從來, 得之自然, 非意之所配也. 凡歸餘之數, 有多有少, 多爲陰, 如爻之偶; 少爲陽, 如爻之奇.

39) 初一變得五者三…故曰'陽少而陰多 : 호거인(胡居仁), 『역상초(易像鈔)』 권4에 주자의 말로 기재되어 있다.

三少, 乾也, 故曰老陽. 九揲而得之, 故其數九, 其策三十六. 兩多一少, 則一少爲之主, 震·坎·艮也, 故皆謂之少陽. 〈少在初爲震, 中爲坎, 末爲艮.〉 皆七揲而得之, 故其數七, 其策二十有八. 三多, 坤也, 故曰老陰. 六揲而得之, 故其數六, 其策二十有四. 兩少一多, 則一多爲之主, 巽·離·兌也, 故皆謂之少陰. 〈多在初謂之巽, 中爲離, 末爲兌.〉 皆八揲而得之, 故其數八, 其策三十有二.' 諸家揲蓍說, 惟『筆談』簡而盡.[40]

심씨(沈氏 : 沈括)[41]는 『몽계필담(夢溪筆談)』에서 다음과 같이 말했다. '역의 상에서 9는 노양이 되고, 7은 소양이 되며, 8은 소음이 되고, 6은 노양이 된다. 9·7·8·6이라는 수는 모두 유래가 있으니, 저절로 그러한 데서 얻은 것이지 의도적으로 안배한 것이 아니다. 나머지를 돌려보낸 수에 많고 적음이 있으니, 많은 것은 음이 되어 짝[偶]인 효와 같고, 적은 것은 양이 되어 홀[奇]인 효와 같다. 3개가 적은 것은 건괘이니 노양이라고 한다. 아홉 번 세어 얻으므로 그 수는 9이고 시초의 수는 36이다. 둘이 많고 하나가 적으면 적은 하나가 주인이 되어 진괘·감괘·간괘가 되니 모두 소양이라고 한다. 〈적은 것이 초효에 있을 때 진괘가 되고, 가운데 있을 때 감괘가 되며, 끝[제3효]에 있을 때 간괘가 된다.〉 모두 일곱 번 세어 얻으므로 그 수는 7이고 시초의 수는 28이다. 셋이 많은 것은 곤괘이니 노음이라 한다.

40) 沈氏『筆談』云 … 惟『筆談』簡而盡 : 주희, 『주문공문집』 권66, 「시괘고오(蓍卦考誤)」.

41) 심괄(沈括, 1031~1095) : 자는 존중(存中)이고 호는 몽계장인(夢溪丈人)이다. 절강성 항주(抗州) 사람이다. 인종(仁宗) 가우(嘉祐) 8년(1063년)에 진사에 급제하여, 신종(神宗) 때에 왕안석의 변법운동(變法運動)에 참여하였다. 58세에 완전히 정계에서 물러나, 강소성 진강(鎭江)에 있는 몽계원(夢溪園)에서 은거하여 백과전서적인 저술인 『몽계필담(夢溪筆談)』을 완성하였다.

여섯 번 세어 얻으므로 그 수는 6이고 시초의 수는 24이다. 둘이 적고 하나가 많으면 많은 하나가 주인이 되어 손괘·리괘·태괘이니 모두 소음이라고 한다. 〈많은 것이 초효에 있을 때 손괘라 하고, 가운데 있을 때 리괘가 되며, 끝[제3효]에 있을 때 태괘가 된다.〉 모두 여덟 번 세어 얻으므로 그 수는 8이고 시초의 수는 32이다.'[42] 여러 학자들의 시초를 세는 이론에서 『몽계필담』의 이론이 간략하고도 완전하다.

孔穎達非不曉揲法者, 但爲之不熟, 故其言之易差. 然其於大數亦不差也. 畢中和視疏義爲詳. 柳子厚詆劉夢得以爲膚末於學者誤矣. 畢論三揲皆掛一, 正合四營之義. 惟以三揲之掛扐, 分措於三指間爲小誤, 然於其大數亦不差也. 其言餘一益三之屬, 乃夢得立文大簡之誤, 使讀者疑其不出於自然而出於人意耳. 此與孔氏之說不可不正, 然恐亦不可不原其情也.[43]

공영달은 시초를 세는 방법을 모르지는 않지만 정통하지 못하기 때문에 그 말이 쉽게 어긋난다. 그러나 대체적인 수에 대해서는 또한 어긋나지 않는다.
필중화는 소(疏)의 뜻에 비해 상세하다. 유자후(柳子厚 : 柳宗元)[44]가 유몽득(劉夢得 : 劉禹錫)을 비난하여 피상적인 학문이라고 한 것

42) 심괄, 『몽계필담(夢溪筆談)』 권7, 「상수(象數)1」.

43) 孔穎達非不曉揲法者…然恐亦不可不原其情也 : 주희, 『주문공문집』 권37, 「답정태지(答程泰之)」.

44) 유종원(柳宗元, 773~819) : 자는 자후(子厚)이고, 세칭 유하동(柳河東)·유유주(柳柳州)라 한다. 당대 하동(河東 : 현 산서성 운성〈運城〉) 사람으로 814년에 진사에 급제하여 교서랑(校書郎)·감찰어사(監察御史)를 역임하였다. 문장은 한유(韓愈)와 짝을 이루고 당송팔대가의 한 사람이다. 저서는 『하동선생문집(河東先生文集)』, 『용성록(龍城錄)』 등이 있다.

은 잘못이다. 필중화가 세 번 세는 데 모두 하나를 걸어둔다고 논한 것은 네 번 경영한다는 의미에 꼭 들어맞는다. 오직 세 번 세는 데서 걸어두고 끼우는 것을 세 손가락 사이에 나누어 둔다는 것이 조그마한 잘못이지만, 대체적인 수에 대해서는 또한 어긋남이 없다. 왼쪽에 '남은 시초의 수[餘]'가 하나이면 '오른쪽에 남은 시초의 수[益]'는 셋이라는 따위의 필중화의 말은, 곧 유몽득이 너무 간략하게 이론을 정립한 잘못이니, 독자들에게 그것이 저절로 그러한 데서 나오지 않고 사람의 의도에서 나왔을 뿐이라는 의심이 들도록 하였다. 이것과 공씨(孔氏 : 孔穎達)의 주장은 바로잡지 않을 수 없지만, 또한 그 실정을 추구해보지 않을 수 없다.

蔡氏所謂'以四十九蓍, 虛一·分二, 掛一·揲四'者, 蓋謂'虛一外止用四十八, 分掛揲之餘爲奇偶各二, 老陽·老陰變數各八, 少陰·少陽變數各二十四, 合爲六十四, 八掛(卦)各得八焉.[45] 然此乃奇偶對待, 加倍而得者, 體數也. 若天三·地二, 衍而爲五十者, 用數也. 蓋體數常均, 用數則陽饒而陰乏也. 此正造化之妙. 若陰陽同科, 老少一例, 是體數, 非用數也.'"

채원정이 이른바 '49개의 시초로 1개를 비워두고 둘로 나누며, 1개를 걸어두고 4개씩 센다.'라는 것은 다음과 같은 뜻이다. '1개를 비워둔 것 외에 다만 48개를 사용하여, 둘로 나누고 하나를 걸어두고 4개씩 세고 난 나머지는 홀[奇]과 짝[偶]이 되는 것이 각각 둘이니, 노양과 노음의 변수는 각각 8이고 소음과 소양의 변수는 각각 24로, 합치면 64가 되어 8괘가 각각 8을 얻은 것이다. 그러나 이는

45) 八掛(卦)各得八焉 : 이황의 『계몽전의』「명시책(明蓍策)」 제3에 의거하여 '八卦各得八焉'으로 바로잡는다. 번역문도 바로잡은 것을 따른다.

바로 홀[奇]과 짝[偶]이 대대(對待)함을 배가하여 얻은 것이니 체(體)의 수이다. 천3·지2를 연역하여 50이 되는 것은 용(用)의 수이다.46) 체(體)의 수는 항상 고르지만, 용(用)의 수는 양이 풍부하고 음은 모자라니 이것이 바로 조화(造化)의 오묘함이다. 만약 음과 양이 같은 부류이고 노와 소가 같다면, 이는 체(體)의 수이지 용(用)의 수가 아니다.'47)"

[계몽 3-3-11]

若用近世之法, 則三變之餘皆爲圍三·徑一之義, 而無復奇·偶之分. 三變之後爲老陽·少陰者皆二十七, 爲少陽者九, 爲老陰者一, 又皆參差不齊, 而無復自然之法象. 此足以見其說之誤矣.

만약 근세의 방법을 사용하면, 세 번의 변의 나머지가 모두 둘레 3·지름 1의 의미가 되어 다시는 홀[奇]과 짝[偶]의 구분이 없다. 세 번 변한 다음에 노양과 소음이 되는 경우는 27가지이고, 소양이 되는 경우는 9가지이며, 노음이 되는 경우는 1가지이니, 또한 모두 들쑥날쑥 가지런하지 않고, 다시는 자연스런 법상(法象)이 없다. 이 점은 그 주장의 잘못을 알기에 충분하다.

---

46) 이는 바로 홀[奇]과 짝[偶]이 … 용(用)의 수이다. : '체(體)의 수'와 '용(用)의 수'에 대하여, 이황은 『계몽전의』「명시책」 제3에서, 소옹의 『황극경세서』「관물외편」에 있는 "괘(卦)로 체(體)의 수를 삼고, 시초[蓍]로 용(用)의 수를 삼는다.(以卦爲體數, 蓍爲用數.)"라는 말로 풀이하고 있다.

47) 1개를 비워둔 것 외에 … 용(用)의 수가 아니다. : 호거인(胡居仁), 『역상초(易象鈔)』 권4에 주자의 말로 실려 있다.

至於陰陽·老少之所以然者, 則請復得而通論之. 蓋四十九策除初掛之一而爲四十八, 以四約之爲十二, 以十二約之爲四. 故其揲之一變也, 掛扐之數一其四者爲奇, 兩其四者爲偶. 其三變也, 掛扐之數三其四, 一其十二; 而過揲之數九其四, 三其十二者爲老陽. 掛扐·過揲之數皆六其四, 兩其十二者爲老陰.

음양·노소가 그렇게 되는 까닭을 다시 통괄적으로 논하겠다. 49개의 시초는 처음 걸어두는 1개를 제외하고 48개가 되니, 이를 4로 약분하면 12가 되고, 12로 약분하면 4가 된다. 그 세어낸 1변에 걸어두고 끼운 시초의 수가 4가 하나인 것이 홀[奇]이 되고, 4가 둘인 것이 짝[偶]이 된다.
세 번의 변에 걸어두고 끼운 시초의 수가 4가 셋이고 12가 하나이며, 세어낸 수가 4가 아홉이고 12가 셋인 것이 노양이 된다. 걸어두고 끼운 시초의 수와 세어낸 수가 모두 4가 여섯이고 12가 둘인 것이 노음이 된다.

自老陽之掛扐而增一四, 則是四其四也, 一其十二而又進一四也; 自其過揲者而損一四, 則是八其四也, 三其十二而損一四也; 此所謂少陰者也. 自老陰之掛扐而損一四, 則是五其四也, 兩其十二而去一四也; 自其過揲而增一四, 則是七其四也, 兩其十二而進一四也; 此所謂少陽者也.

노양의 걸어두고 끼운 것으로부터 하나의 4가 증가하면 4가 넷이고, 12가 하나인 것에서 또 하나의 4가 늘어나며, (노양의) 세어낸 것으로부터 하나의 4가 줄어들면 4가 여덟이고, 12가 셋인 것에서 하나의 4가 줄어드니, 이것이 이른바 소음이다.

노음의 걸어두고 끼운 것으로부터 하나의 4가 줄어들면 4가 다섯이고, 12가 둘인 것에서 하나의 4가 제거되며, (노음의) 세어낸 것으로부터 하나의 4가 증가하면 4가 일곱이고, 12가 둘인 것에서 하나의 4가 늘어나니, 이것이 이른바 소양이다.

二老者, 陰陽之極也. 二極之間, 相距之數凡十有二而三分之; 自陽之極而進其掛扐, 退其過揲, 各至於三之一則爲少陰; 自陰之極而退其掛扐, 進其過揲, 各至於三之一則爲少陽.

노양과 노음은 음양이 지극한 것이다. 두 지극한 것 사이에 서로 벌어진 수는 모두 12이고 그것을 3등분하되, 양의 지극한 것으로부터 걸어두고 끼우는 수를 나아가고 세어낸 수로 물러나서 각각 3분의 1에 이르면 소음이 되며, 음의 지극한 것으로부터 걸어두고 끼우는 수를 물러나고 세어낸 수로 나아가서 각각 3분의 1에 이르면 소양이 된다.

老陽居一而含九, 故其掛扐十二爲最少, 而過揲三十六爲最多. 少陰居二而含八, 故其掛扐十六爲次少, 而過揲三十二爲次多. 少陽居三而含七, 故其掛扐二十爲稍多, 而過揲二十八爲稍少. 老陰居四而含六, 故其掛扐二十四爲極多, 而過揲亦二十四爲極少.

노양은 1에 자리 잡고 9를 머금기 때문에 그 걸어두고 끼운 시초의 수 12는 가장 적고, 세어낸 수 36은 가장 많다. 소음은 2에 자리 잡고 8을 머금기 때문에 그 걸어두고 끼운 시초의 수 16은 다음으로 적고, 세어낸 수 32는 다음으로 많다. 소양은 3에 자리 잡고 7

을 머금기 때문에 그 걸어두고 끼운 시초의 수 20은 조금 많고, 세어낸 수 28은 조금 적다. 노음은 4에 자리 잡고 6을 머금기 때문에 그 걸어두고 끼운 시초의 수 24는 가장 많고, 세어낸 수 24는 가장 적다.

蓋陽奇而陰偶, 是以掛扐之數, 老陽極少, 老陰極多. 而二少者, 一進一退而交於中焉; 此其以少爲貴者也. 陽實而陰虛, 是以過揲之數, 老陽極多, 老陰極少; 而二少者, 亦一進一退而交於中焉; 此其以多爲貴者也.

양은 홀[奇]이고 음은 짝[偶]이니 이 때문에 걸어두고 끼운 시초의 수는 노양이 가장 적고 노음이 가장 많으며, 소음과 소양은 하나는 나아가고 하나는 물러나 (노양과 노음) 가운데 교역하니, 이는 적은 것을 귀하게 여긴 것이다. 양은 '차있고[實]' 음은 '비어 있으니[虛]' 이 때문에 세어낸 수는 노양이 가장 많고 노음이 가장 적으며, 소음과 소양은 또한 하나는 나아가고 하나는 물러나 (노양과 노음) 가운데 교착하니, 이는 많은 것을 귀하게 여긴 것이다.

凡此不唯陰之與陽旣爲二物而迭爲消長, 而其一物之中, 此二端者又各自爲一物而迭爲消長. 其相與低昂如權衡, 其相與判合如符契, 固有非人之私智所能取舍而有無者.

이는 음이 양과 함께 이미 두 가지가 될 뿐 아니라 번갈아 줄어들고 불어나며, 그 한 가지 가운데 이 두 단서는 또 각자 한 가지가 되어 번갈아 줄어들고 불어난다. 그 서로 함께 내리고 올리는 것이 마치 저울추와 저울대와 같고, 그 서로 함께 나누고 합치는 것이 마치 부신(符信)을 나누고 합치는 일과 같으니, 진실로 사람의 주관적 지혜로 취하고 버려서 있게 하고 없게 할 수 있는 것이 아니다.

而況掛扐之數, 乃七·八·九·六之原; 而過揲之數, 乃七·八·九·六之委; 其勢又有輕重之不同. 而或者乃欲廢置掛扐, 而獨以過揲之數爲斷, 則是舍本而取末, 去約以就煩, 而不知其不可也. 豈不誤哉!

하물며 걸어두고 끼우는 수는 7·8·9·6의 근원이고, 세어낸 수는 7·8·9·6의 결말이니, 그 형세는 또 가벼움과 무거움의 다름이 있다. 그러나 어떤 사람은 걸어두고 끼우는 수를 제쳐놓고 다만 세어낸 수로 단정하려고 하니, 이는 근본을 버리고 말단을 취하며 간략함을 버리고 번거로움에 나아가 그것이 옳지 않음을 모른다. 어찌 잘못이 아니겠는가!

集說

● 歸氏有光曰: "九具於揲, 則三奇見於餘; 六具於揲, 則三耦見於餘; 七具於揲, 則二耦一奇見於餘; 八具於揲, 則二奇一耦見於餘. 不必反觀其在揲之數, 而已擧其要矣. 其曰'乾之策二百一十有六, 坤之策百四十有四', '二篇之策萬有一千五百二十', 何也? 掛扐雖擧其要, 而七·八·九·六之數, 仍以在揲之策爲正. 七·八·九·六者, 自揲之以四而取也, 若掛扐之策, 因過揲而見者也. 故曰'揲之以四以象四時', 又曰'當期之日', 而歸奇以象閏."

귀유광(歸有光)이 말했다. "9개가 세어낸 것에 갖추어지면 3개의 홀수가 나머지에서 나타나고, 6개가 세어낸 것에 갖추어지면 3개의 짝수가 나머지에서 나타나며, 7개가 세어낸 것에 갖추어지면 2개의 짝수와 1개의 홀수가 나머지에서 나타나고, 8개가 세어낸 것에 갖추어지면 2개의 홀수와 1개의 짝수가 나머지에서 나타난다. 굳이 그 세어낸 수에서 돌이켜 살펴볼 필요가 없으니, 이미 그 요점이 제기되었다. 본문 [계사상 9-4]에서 '건(乾)괘의 시초(蓍草) 수는 216개이고 곤(坤)괘의 시초 수는 144개이다'라고 하였고, 또 본문 [계사상 9-5]에서 '『역』 상·하 두 편의 시초 수는 11,520개이다'라고 말한 것은 무엇 때문인가? 걸어두고 끼우는 수가 비록 그 요점을 제기하고 있지만 7·8·9·6의 수는 여전히 세어낸 시초의 수에 있는 것으로 바름을 삼는다. 7·8·9·6은 4개씩 세어낸 것으로부터 취한 것이니, 걸어두고 끼우는 시초의 수는 이미 세어낸 것에 따라 나타난다. 그러므로 본문 [계사상 9-3]에서 '4개씩 세는 것은 사계절을 상징한다'라 하고, 또 본문 [계사상 9-4]에서 '1주년의 일수(日數)에 해당한다'라 하였으며, 나머지를 되돌리는 것으로 윤년을 상징하였다."

● 何氏楷曰 : "案翼言'揲四以象四時, 歸奇以象閏.' 四時, 正也, 閏, 餘也. 下文云, '乾之策二百一十有六, 坤之策百四十有四, 凡三百有六十, 當期之日. 二篇之策, 萬有一千五百二十, 當萬物之數也.' 皆以七·八·九·六起數, 明乎用正數而不用餘數矣."48)

하해(何楷)가 말했다. "생각건대 십익(十翼 : 본문 [계사상 9-3]이하를 가리킴)에서 '4개씩 세는 것은 사계절을 상징하고, 나머지를 되

48) 하해(何楷), 『고주역정고(古周易訂詁)』 권11.

돌리는 것으로 윤년을 상징한다'라고 말했는데, 사계절은 정수이고 윤년은 나머지이다. 그 아래의 글에서 '건(乾)괘의 시초(蓍草) 수는 216개이고 곤(坤)괘의 시초 수는 144개이며, 모두 360개이니, 1주년의 일수(日數)에 해당한다. 『역』 상·하 두 편의 시초 수 11,520개는 만물의 수에 해당한다'라고 하였는데, 모두 7·8·9·6으로 수를 일으켜 정수를 사용하고 나머지 수는 사용하지 않음을 밝혔다."

案

歸氏·何氏之說, 亦可與朱子相參酌.

귀유광(歸有光)과 하해(何楷)의 주장도 또한 주자의 이론과 함께 서로 참작해 볼 만하다.

[계몽 3-3-12]

邵子曰 : "五與四·四, 去掛一之數, 則四三十二也; 九與八·八, 去掛一之數, 則四六二十四也; 五與八·八, 九與四·八, 去掛一之數, 則四五二十也; 九與四·四, 五與四·八, 去掛一之數, 則四四十六也. 故去其三·四·五·六之數, 以成九·八·七·六之策," 此之謂也.

소자가 말하기를 "5와 4·4에 걸어둔 시초 1개의 수를 제거하면 4×3=12가 되고, 9와 8·8에 걸어둔 시초 1개의 수를 제거하면 4×6=24가 되며, 5와 8·8 및 9와 4·8에 걸어둔 시초 1개의 수를 제거하면 4×5=20이 되고, 9와 4·4 및 5와 4·8에 걸어둔 시초 1개의 수를 제거하면 4×4=16이 된다. 그러므로 그 3·4·5·6이라는 수를 제거하여 9·8·7·6이라는 시초의 수를 이룬다."[49]고 한 것은, 이를 말한다.

一爻已成, 再合四十九策, 復分掛揲歸以成一變. 每三變而成一爻, 並如前法.

1개의 효가 이미 이루어지면 49개의 시초를 다시 한 번 합쳐 다시 둘로 나누고, 1개를 걸어 두며, 4개씩 세고, 나머지를 되돌려 1변(一變)을 이룬다. 매 3변(三變)마다 1개의 효를 이루는 것 또한 앞의 방법과 같다.

49) 5와 4·4에서 걸어둔 시초 1개의 수를 … 시초의 수를 이룬다 : 『황극경세서(皇極經世書)』 권13, 「관물외편상(觀物外篇上)」.

[계몽 3-4]

乾之策二百一十有六, 坤之策百四十有四, 凡三百有六十, 當期之日.[50)]

건(乾☰)괘의 시초 수는 216개이고 곤(坤☷)괘의 시초 수는 144개이며, 모두 360개이니 1년의 날 수에 해당한다.

[계몽 3-4-1]

'乾之策二百一十有六'者, 積六爻之策各三十六而得之也. '坤之策百四十有四'者, 積六爻之策各二十有四而得之也. '凡三百六十'者, 合二百一十有六, 百四十有四而得之也. '當期之日'者, 每月三十日, 合十二月爲三百六十也. 蓋以氣言之, 則有三百六十六日; 以朔言之, 則有三百五十四日. 今擧氣盈·朔虛之中數而言, 故曰三百有六十也. 然少陽之策二十八, 積乾六爻之策, 則一百六十八; 少陰之策三十二, 積坤六爻之策, 則一百九十二. 此獨以老陰·陽之策爲言者, 以『易』用九·六不用七·八也. 然二少之合, 亦三百有六十.

'건괘의 시초 수가 216개'라는 것은 건괘 6개 효의 세어낸 시초 수가 각각 36개인데, 그것을 누적하여 얻은 수이다[6×36=216]. '곤괘의 시초 수가 144개'라는 것은 곤괘 6개 효의 세어낸 시초 수가 각

50) 『역』「계사상」 제9장.

각 24개인데, 그것을 누적하여 얻은 수이다[6×24=144]. '모두 360개'라는 것은 216개와 144개를 합하여 얻은 수이다. '1년의 날 수에 해당한다.'는 것은 매월 30일에 12개월을 합하면 360이 된다는 말이다.

24절기로 말하면 366일이고 월력으로 말하면 354일이다. 지금 '기영·삭허(氣盈·朔虛)'의 중간 수를 들어 말했기 때문에 '360일'이라고 했다. 그러나 소양의 세어낸 시초 수 28을 건괘 6개 효의 세어낸 시초의 수로 누적하면 168개(28×6=168)이고, 소음의 세어낸 시초의 수 32를 곤괘 6개 효의 세어낸 시초의 수로 누적하면 192개(32×6=192)이다. 여기에서 오직 노음·노양의 세어낸 시초 수를 가지고 말한 것은 『역』에서는 9와 6을 사용하되 7과 8은 사용하지 않기 때문이다. 그러나 소양·소음의 합도 또한 360이다.

[계몽 3-5]

二篇之策, 萬有一千五百二十, 當萬物之數也.[51)]

『역』 상·하 두 편의 시초 수 11,520개는 만물의 수에 해당한다.

[계몽 3-5-1]

'二篇'者, 上·下經六十四卦也. 其陽爻百九十二, 每爻各三十六策, 積之得六千九百一十二; 陰爻百九十二, 每爻二十四策, 積之得四千六百八. 又合二者爲萬有一千五百二十也. 若爲少陽則每爻二十八策, 凡五千三百七十六; 少陰則每爻三十二策, 凡六千一百四十四. 合之亦爲萬一千五百二十也.

'두 편'은 『역』 상·하경의 64괘이다. 그 가운데 양효 192개는 매 효마다 각각 36개의 시초로 이루어졌으니 그것들을 누적하면 6,912개(36×192=6,912)의 시초를 얻고, 음효 192개는 매 효마다 24개의 시초로 이루어졌으니 그것들을 누적하면 4,608개(24×192=4,608)의 시초를 얻는다. 또 이 둘을 합치면 11,520개의 시초가 된다. 만약 소양이라면 매 효마다 28개의 시초로 이루어졌으니 모두 5,376개(28×192= 5,376)의 시초이고, 소음이라면 매 효마다 32개의 시초로 이루어졌으니 모두 6,144개(32×192=6,144)의 시초이다. 이들을 합치더라도 또한 11,520개의 시초가 된다.

51) 『역』「계사상」 제9장.

[계몽 3-6]

是故四營而成『易』, 十有八變而成卦, 八卦而小成. 引而伸之, 觸類而長之, 天下之能事畢矣.[52]

그러므로 네 번 경영하여 『역』을 이루고, 18변을 통해 괘를 이루며, 8괘가 되어 소성(小成)이 된다. 그것들을 끌어 펼치고 부류에 따라 확장하면, 천하에 할 수 있는 일이 끝날 것이다.

[계몽 3-6-1]

'四營'者, 四次經營也. 分二者第一營也; 掛一者, 第二營也; 揲四者, 第三營也; 歸奇者, 第四營也. 易, 變易也, 謂揲之一變也. 四營成變; 三變成爻. 一變而得兩儀之象; 再變而得四象之象; 三變而得八卦之象. 一爻而得兩儀之畫; 二爻而得四象之畫; 三爻而得八卦之畫; 四爻成而得其十六者之一; 五爻成而得其三十二者之一; 至於積七十二營而成十有八變, 則六爻見而得乎六十四卦之一矣.

'4영(四營)'이란 네 차례 경영함이다. 둘로 나누는 일이 첫째 경영이고, '오른손의 1개의 시초를 뽑아 왼손 새끼손가락과 넷째 손가락 사이에 걸어두는[掛]' 일이 둘째 경영이며, 4개씩 세는 일이 셋째 경영이고, 나머지를 되돌려서 '왼손의 셋째 손가락과 넷째 손가락 사이에 끼우는 일[扐]'이 넷째 경영이다. '역은 변역(變易)이다.'라는

52) 『역』「계사상」 제9장.

것은 4개씩 세는 하나의 변(變)을 말한다. 네 번 경영하여 그 변을 완성하고, 세 번의 변으로 1개의 효를 이룬다. 첫 번째 변으로 양의(兩儀)의 상(象)을 얻고, 두 번째 변으로 4상의 상을 얻으며, 세 번째 변으로 8괘의 상을 얻는다. 1개의 효로 양의(兩儀)의 획을 얻고, 2개의 효로 4상의 획을 얻으며, 3개의 효로 8괘의 획을 얻고, 4개의 효가 이루어지고 그 16개 가운데 하나를 얻으며, 5개의 효가 이루어지고 그 32개 가운데 하나를 얻으며, 72번의 경영이 누적되어 18변이 이루어지면 6개의 효가 드러나고 64괘 가운데 1개의 괘를 얻는다.

然方其三十六營而九變也, 已得三畫而八卦之名可見, 則內卦之爲貞者立矣. 此所謂'八卦而小成'者也. 自是而往, 引而伸之, 又三十六營, 九變以成三畫而再得小成之卦者一, 則外卦之爲悔者亦備矣. 六爻成, 內外卦備, 六十四卦之別可見, 然後視其爻之變與不變而觸類以長焉, 則天下之事其吉·凶·悔·吝, 皆不越乎此矣.

그런데 비로소 그 36번의 경영으로 9변이 이루어지면 이미 3개의 획을 얻고 8괘의 이름을 알 수 있으니, 내괘(內卦)가 정괘(貞卦 : 한 괘에서 아래 3개의 괘, 즉 내괘)가 되는 것이 세워진다. 이것이 이른바 '8괘에 소성(小成 : 초보적인 형성)한다.'[53]라는 뜻이다. 이로부터 나아가고 그것을 끌어 펼치며 또 36번 경영하고 9변을 통하여, 3개의 획이 이루어지며 다시 소성괘들 가운데 1개를 얻으면, 외괘(外卦)가 회괘(悔卦 : 한 괘에서 위 3개의 괘, 즉 외괘)가 되는 것

53) 『역』「계사상」 제9장.

이 또한 갖추어진다. 6개의 효가 완성되어 내괘와 외괘가 갖추어지면 64괘를 분별할 수 있으니, 그런 뒤에 그 효의 변과 불변을 보고 부류에 따라 확장하면, 세상일들의 길·흉·회·린이 모두 이를 벗어나지 않을 것이다.

[계몽 3-7]

> 顯道神德行, 是故可與酬酢, 可與祐神矣.[54]
>
> 도(道)를 드러내고 덕행을 펼치니, 이 때문에 더불어 수작(酬酢 : 응대함)할 수 있고 더불어 펼침을 도울 수 있다.

[계몽 3-7-1]

道因辭顯; 行以數神. '酬酢'者, 言幽明之相應, 如賓主之相交也. '祐神'者, 言有以佑助神化之功也.

도(道)는 말에 근거하여 드러나고, 덕행은 수(數)로 펼쳐진다. '수작(酬酢)'은 어두움과 밝음이 서로 응대함을 말하니, 마치 손님과 주인이 서로 교제하는 것과 같다. '펼침을 돕는다.'는 것은 신령한 조화(造化)의 공로를 돕는 일을 말한다.

卷內蔡氏說"爲奇者三, 爲偶者二"; 蓋凡初揲左手餘一餘二餘三皆爲奇, 餘四爲偶; 至再揲三揲, 則餘三者亦爲偶. 故曰奇三而偶二也.

이『역학계몽』하권에 채씨(蔡氏 : 蔡元定)가 "홀[奇]이 되는 것이 3개이고 짝[偶]이 되는 것이 2개이다."라고 말한 것은, 처음 세어낼

54)『역』「계사상」제9장.

때 왼손에 쥐었던 시초의 나머지가 1개·2개·3개이면 모두 홀[奇]이 되고, 4개이면 짝[偶]이 되며, 두 번째 세어내고 세 번째 세어 내게 되었을 때는 나머지가 3개인 것 또한 짝[偶]이 되므로, '홀[奇]이 3개이고 짝[偶]이 2개이다.'라고 한 것이다.

제4장 고변점考變占

변효로 점치는 것을 살핌

[계몽 4-1]

乾卦用九, 見羣龍无首吉. 「象」曰: "用九, 天德不可爲首也." 坤卦用六, 利永貞. 「象」曰: "用六, 永貞, 以大終也."

건괘 용구(用九)는, 뭇 용들이 머리가 없는 것을 보니 길(吉)하다. 「상전(象傳)」에서 말했다. "용구(用九)는, 하늘의 덕은 머리가 될 수 없다는 것이다."
곤괘 용육(用六)은, 오래가고 굳게 지킴이[1] 이롭다. 「상전(象傳)」에서 말했다. "용육(用六)은, 오래가고 굳게 지키는 것은 끝에는 성대하다."

[계몽 4-1-1]

用九·用六者, 變卦之凡例也. 言凡陽爻皆用九而不用七, 陰

1) 굳게 지킴이: 주희는 『주역본의(周易本義)』 권1에서, "정(貞)은 굳게 지키는 것이다.[貞, 健之守也]"라고 하였다.

爻皆用六而不用八. 用九, 故老陽變爲少陰; 用六故老陰變爲少陽; 不用七·八, 故少陽·少陰不變. 獨於乾·坤二卦言之者, 以其在諸卦之首, 又爲純陽·純陰之卦也. 聖人因繫以辭, 使遇乾而六爻皆九, 遇坤而六爻皆六者, 卽此而占之. 蓋羣龍無首, 則陽皆變陰之象; 利永貞, 則陰皆變陽之義也. 餘見六爻變例. 〈歐陽子曰: "乾·坤之用九·用六, 何謂也? 曰: '乾爻七·九, 坤爻八·六, 九·六變而七·八无爲. 「易」道占其變, 故以其所占者名爻, 不謂六爻皆九·六也. 及其筮也, 七·八常多而九·六常少, 有無九·六者焉, 此不可以不釋也. 六十四卦皆然. 特於乾·坤見之, 則餘可知耳.'" 愚按此說, 發明先儒所未到, 最爲有功. 其論七·八多而九·六少, 又見當時占法, 三變皆掛, 如一行說.〉

용구(用九)와 용육(用六)은 변괘(變卦)의 범례이다. 그것은 무릇 양효(陽爻)는 모두 9를 사용하고 7을 사용하지 않으며, 음효(陰爻)는 모두 6을 사용하고 8을 사용하지 않음을 말한다. 9를 사용하므로 노양(老陽)은 변하여 소음(少陰)이 되고, 6을 사용하므로 노음(老陰)은 변하여 소양(少陽)이 되며, 7과 8을 사용하지 않으므로 소양(少陽)과 소음(少陰)은 변하지 않는다. 오직 건괘와 곤괘 2개의 괘에서 용구(用九)와 용육(用六)을 말한 것은, 두 괘가 모든 괘의 첫 머리에 있고 또 순양(純陽)과 순음(純陰)의 괘이기 때문이다. 성인은 그 때문에 말[辭]을 붙여, 건괘를 얻어 6개의 효가 모두 9인 경우와 곤괘를 얻어 6개의 효가 모두 6인 경우에 이것(용구·용육)으로 점을 치도록 했다. 대개 뭇 용들에 머리가 없는 것은 양이 모두 음으로 변한 상(象)이고, 오래가고 굳게 지키는 것이 이롭다는 말은 음이 모두 양으로 변했다는 의미이다. 나머지 괘는 6개의 효가 변하는 규칙에 보인다. 〈구양자(歐陽子 : 歐陽脩)가 말했다. "건괘와 곤괘의 용구(用九)와 용육(用六)은 무엇을 말하는가? 스스로 답한다. '건괘의 효는 7과 9이고 곤괘의 효는 8과 6인데, 9와 6은 변하지만 7과 8은 변함이 없다. 『역』의 도(道)는 그 변하는 것으로 점치므로, 그 점친 내용을 가지고 효를 이름붙인 것이지 6개의 효가 모두 9와 6이라는 것을 말하지 아니다. 산가지로 점을 치는 경우 7과 8이 항상 많고 9와 6은 항상 적으며, 9와 6이 없는 경우도 있으니, 이를 설명하지 않을 수 없다. 64개의 괘가 모두 그러하다. 다만 건괘와 곤괘에서 그것을 이해한다면 나머지는 알 수 있다.'"[2] 내(朱熹) 생각에 이 말은 선대 학자들이 이르지 못한 것을 밝혔으니 공로가 가장 크다. 구양수가 7과 8이 많고 9와 6이 적은 것을 논했는데, 또 당시의 점치는 방법을 보면 3번의 변(變)마다 모두 걸어두었으니, (당나라 승려)일행(一行)의 주장과 같다.〉

[계몽 4-1-2]

凡卦六爻皆不變, 則占本卦彖辭, 而以內卦爲'貞', 外卦爲'悔.'

彖辭爲卦下之辭. 〈孔成子筮立衛公子元, 遇屯曰'利建侯.' 秦伯伐晉, 筮之遇蠱曰'貞風也, 其悔山也.'〉

무릇 괘의 6개 효가 모두 변하지 않으면, 본괘의 단사(彖辭)로 점을 치되, 내괘(內卦)는 '정(貞)'이 되고 외괘(外卦)는 '회(悔)'가 된다.

〈단사(彖辭)는 괘 아래에 있는 말[辭]이다. 공성자(孔成子 : 孔烝)[3]는 위(衛)나라의 공자(公子) 원(元 : 衛靈公)을 옹립하는 문제로 점을 쳤는데, 준(屯 ䷂)괘를 얻고 '제후를 세우는 것이 이롭다.'[4]라고 말했다.[5] 진(秦)나라 목공

2) 건괘와 곤괘의 용구(用九)와 … 이해한다면 나머지는 알 수 있다 : 구양수(歐陽脩), 『문충집(文忠集)』 권18, 「명용(明用)」.

3) 공증(孔烝) : 춘추전국시대 위(衛)나라의 대부로 점을 쳐서 위령공(衛靈公)을 추대한 권신(權臣)이다.

(穆公)이 진(晉)나라를 정벌하는 문제로 점을 치게 했는데, 고(蠱䷑)괘를 얻고 '정(貞)은 바람(巽☴)이고 그 회(悔)는 산(艮☶)입니다.'라고 말했다.〉[6]

[계몽 4-1-3]

一爻變, 則以本卦變爻辭占. 〈沙隨程氏曰: "畢萬遇屯之比, 初九變也; 蔡墨遇乾之同人, 九二變也; 晉文公遇大有之睽, 九三變也; 陳敬仲遇觀之否, 六四變也; 南蒯遇坤之比, 六五變也; 晉獻公遇歸妹之睽, 上六變也."〉

1개의 효가 변하면 본괘(本卦)의 변효(變爻)에서 효사(爻辭)로 점친다. 〈사수 정씨(沙隨程氏: 程迥)가 말했다. "필만(畢萬)[7]이 준(屯䷂)괘

---

4) 제후를 세우는 것이 이롭다: 『역』「준(屯)괘」 괘사.

5) 공성자(孔成子: 孔烝)는 위(衛)나라의 … 라고 말했다: 『춘추좌전』 소공(昭公) 7년에는, "孔成子以『周易』筮之, 曰, '元尙享衛國, 主其社稷.' … 史朝對曰, '康叔名之, 可謂長矣. 孟非人也, 將不列於宗, 不可謂長. 且其繇曰, 利建侯.'"라고 하였다. 그 내용은, 공성자(孔成子: 孔烝)는 위(衛)나라의 공자(公子) 원(元: 衛靈公)을 옹립하는 문제로 점을 치게 했는데, 준(屯䷂)괘를 얻자 (복관(卜官)인 사조(史朝)가) '제후를 세우는 것이 이롭다'라고 말했다는 것이다.

6) 진(秦)나라 목공(穆公)이 … 라고 말했다: 『춘추좌전』 희공(僖公) 15년에는, "晉饑, 秦輸之粟; 秦饑, 晉閉之糴, 故秦伯伐晉. 卜徒父筮之, 吉, '涉河, 侯車敗.' … '蠱之貞, 風也; 其悔, 山也.'"라고 하였다. 그 내용은 진(秦)나라 목공(穆公)이 진(晉)나라를 정벌하는 문제로 점을 치게 했는데, 고(蠱䷑)괘를 얻자 (복관(卜官)인 도보(徒父)가 말하기를,) '정(貞)은 바람(巽 ☴)이고 그 회(悔)는 산(艮 ☶)입니다.'라고 말했다는 것이다.

7) 필만(畢萬): 주문왕(周文王)의 서자인 필공고(畢公高)의 후예이다. 진

가 비(比䷇)괘로 가는 것을 얻었으니, 초구(初九)효가 변한 것이다. 채묵(蔡墨)이 건(乾䷀)괘가 동인(同人䷌)괘로 가는 것을 얻었으니, 구이(九二)효가 변한 것이다. 진 문공(晉文公)이 대유(大有䷍)괘가 규(睽䷥)괘로 가는 것을 얻었으니, 구삼(九三)효가 변한 것이다. 진경중(陳敬仲)이 관(觀䷓)괘가 비(否䷋)괘로 가는 것을 얻었으니, 육사(六四)효가 변한 것이다. 남괴(南蒯)가 곤(坤䷁)괘가 비(比䷇)괘로 가는 것을 얻었으니, 육오(六五)효가 변한 것이다. 진 헌공(晉獻公)이 귀매(歸妹䷵)괘가 규(睽䷥)괘로 가는 것을 얻었으니, 상육(上六)효가 변한 것이다.")

集說

● 胡氏一桂曰 : "『啓蒙』謂'一爻變, 則以本卦變爻辭占', 其下引畢萬所筮. 以今觀之, 未嘗不取之卦, 且不特論一爻, 兼取貞·悔卦體, 似可爲占者法也. 觀陳宣公筮公子完之生, 尤可見矣."[8]

호일계(胡一桂)가 말했다. "『역학계몽』에서는 '1개의 효가 변하면 본괘(本卦)의 변효(變爻)에서 효사(爻辭)로 점친다'라 말하고, 그 아래에 필만이 점친 것을 인용했다. 이제 그것을 살펴보면, 취하지 않은 괘가 없고 또 하나의 효만을 논한 것이 아니라 내괘·외괘의 괘체를 함께 취했으니, 점치는 자의 본보기라고 할 수 있는 것 같다. 진 선공(陳宣公)이 공자(公子) 완(完)의 출생을 점친 것을 보면 더욱 잘 알 수 있다."

(晉)나라의 헌공(獻公)때 경(耿)·곽(霍)·위(魏) 등 주변국 정벌에 공로를 세워 위(魏 : 현 산서성 소속)에 봉해지고 대부(大夫)가 되었다. 이에 그 후손이 위(魏)씨 성을 가지게 되었다.

8) 호일계(胡一桂), 『주역계몽익전(周易啓蒙翼傳)』 하편(下篇).

[계몽 4-1-4]

二爻變, 則以本卦二變爻辭占, 仍以上爻爲主. 經傳無文, 今以例推之當如此.

2개의 효가 변하면 본괘(本卦)의 2개의 변효에서 효사로 점을 치는데, 그 중에서 위의 효를 위주로 한다. 〈경전에는 이와 관련된 글이 없지만, 이제 규칙으로 미루어보면 마땅히 이와 같아야 한다.〉

集說

● 胡氏一桂曰 : "案陳摶爲宋太祖占, 亦旁及諸爻與卦體."[9]

호일계(胡一桂)가 말했다. "생각건대 진단이 송(宋) 태조를 위해 점을 친 것도 또한 여러 효와 괘의 체(體)를 아울러 다룬 것이다."

[계몽 4-1-5]

三爻變, 則占本卦及之卦之彖辭, 而以本卦爲貞, 之卦爲悔. 前十卦主貞, 後十卦主悔. 〈凡三爻變者通二十卦, 有圖在後. 沙隨程氏曰 : "晉公子重耳筮得國, 遇貞屯悔豫皆八, 蓋初與四·五凡三爻變也. 初與五用九變, 四用六變. 其不變者, 二·三·上在兩卦皆爲八, 故云皆八. 而司空季子占之曰, '皆利建侯.'〉

3개의 효가 변하면 본괘(本卦) 및 지괘(之卦)의 단사(彖辭 : 괘사)로 점을 치는데, 본괘를 정(貞)으로 삼고 지괘를 회(悔)로 삼는다. 앞

9) 호일계(胡一桂), 『주역계몽익전(周易啟蒙翼傳)』 상편(上篇).

부분의 10개의 괘는 정(貞)을 위주로 하고 뒷부분의 10개의 괘는 회(悔)를 위주로 한다. 〈3개의 효가 변하는 것은 통틀어 20개 괘인데 도표가 뒤에 있다. 사수 정씨(沙隨程氏 : 程迥)가 말했다. "진(晉)나라 공자(公子) 중이(重耳 : 뒤의 진 문공)가 나라를 얻을 수 있을지 산가지로 점을 쳐서, 정(貞)은 준(屯䷂)괘이고 회(悔)는 예(豫䷏)괘인 것을 얻었는데, 모두 8[소음]이며,[10] 초효와 제4효·제5효 3개의 효는 변하는 것이었다. 초효와 제5효는 9[노양]가 변한 것이고, 제4효는 6[노음]이 변한 것이었다. 그 변하지 않는 것은 제2효·제3효·상효(上爻)가 두 괘에서 모두 8[소음]이 되므로 모두 8이라고 말했다. 그런데 사공계자(司空季子)[11]는 그것을 점쳐서 '모두 제후를 세우는 것이 이롭다.'고 말했다."〉

集說

● 胡氏一桂曰 : "案『啓蒙』但云占本卦之卦·彖辭, 然以晉侯屯·豫之占, 則並占卦體可見."[12]

호일계(胡一桂)가 말했다. "생각건대 『역학계몽』은 단지 본괘의 괘

10) 모두 8[소음]이며 : 바로 뒤에서 말하는, 준(屯䷂)괘와 예(豫䷏)괘에서 변하지 않는 효 즉 제2효·제3효·상효(上爻) 3개의 효가 모두 8[소음]이라는 것을 말한다.

11) 사공계자(司空季子) : 본명은 서신(胥臣)인데 , 구(臼 : 현 산서성 운성현〈運城縣〉)땅에 봉해졌고 벼슬이 사공(司空)을 역임하였기 때문에 구계(臼季) 또는 사공계자(司空季子)라고 불리기도 하였다. 진 문공(晉文公)이 패자였을 때 정치적 핵심 인물 가운데 한 사람이었다. 특히 그는 진 문공이 공자(公子)였던 시절부터 학문을 함께 토론하였던 사우(師友)로서의 측근으로 알려져 있다.

12) 호일계(胡一桂), 『주역계몽익전(周易啟蒙翼傳)』 상편(上篇).

사와 단사를 점친다고 말했지만 진후(晉侯)의 준(屯䷂)괘·예(豫䷏)괘의 점으로 본다면 괘의 체(體)를 아울러 점친 것을 알 수 있다."

● 熊氏朋來曰:"七·八皆不變爻, 何以罕言七而專言八? 曰, '七七, 蓍數也, 八八, 卦數也."

웅붕래(熊朋來)가 말했다. "7과 8은 모두 변하지 않는 효인데 무엇 때문에 7은 드물게 말하고 오로지 8을 말하는가? 대답한다. '7×7=49는 시초의 수이고, 8×8=64는 괘의 수이다."

[계몽 4-1-6]

四爻變, 則以之卦二不變爻占, 仍以下爻爲主. 〈經傳亦無文, 今以例推之當如此.〉

4개의 효가 변하면, 지괘(之卦)에서 2개의 변하지 않는 효로 점을 치는데, 그 중에서 아래의 효를 위주로 한다. 〈경전에는 이와 관련된 글이 없지만, 이제 규칙으로 미루어보면 마땅히 이와 같아야 한다.〉

[계몽 4-1-7]

五爻變, 則以之卦不變爻占. 〈穆姜往東宮, 筮遇艮之八. 史曰, "是謂艮之隨." 蓋五爻皆變, 唯二得八, 故不變也. 法宜以'係小子失丈夫'爲占, 而史妄引隨之彖辭以對, 則非也.〉

5개의 효가 변하면, 지괘(之卦)의 변하지 않는 효로 점을 친다. 〈목강(穆姜)이 동궁(東宮)으로 갈 때 산가지로 점을 쳤는데, 간(艮☶)괘의 8[소음]을 얻었다.[13] 사관이 "이것은 간괘가 수(隨☱)괘로 간 것입니다."라고 말했다. 5개의 효가 모두 변했는데, 오직 육이(六二)효만이 8[소음]을 얻었으므로 변하지 않은 것이다. 점치는 법은 마땅히 '소자(小子)에게 매여 장부(丈夫)를 잃는다.'[14]라는 것으로 점을 쳐야 하는데, 사관이 함부로 수(隨)괘의 단사[계사]를 인용하여 대답했으니,[15] 잘못이다.〉

[계몽 4-1-8]

六爻變, 則乾·坤占二用, 餘卦占之卦彖辭. 〈蔡墨曰, "乾之坤曰, '見羣龍无首吉'"是也. 然'羣龍无首', 卽坤之'牝馬先迷'也. 坤之'利永貞', 卽乾之'不言所利'也.〉

6개의 효가 변하면 건괘와 곤괘는 용구(用九)와 용육(用六)으로 점을 치고, 나머지 괘들은 지괘(之卦)의 단사(彖辭)로 점을 친다. 〈채묵(蔡墨)이 "건괘가 곤괘로 가는 것은, '뭇 용의 머리가 없는 것을 보니 길하다.'[16]는 것을 말한다."라고 한 것이 이것이다. 그러나 '뭇 용이 머리가 없는 것'은 바로 곤괘의 '암말이 앞서면 길을 잃는다.'[17]는 뜻이다. 곤괘의 '오래가

13) 간(艮☶)괘의 8[소음]을 얻었다 : 이 말의 의미는 간괘의 육이(六二)만이 8[소음]이고 나머지 음효는 6[태음(太陰)]이라는 뜻이다.
14) 소자(小子)에게 매여 장부(丈夫)를 잃는다 : 『역』 수(隨)괘 육이(六二) 효사.
15) 수(隨)괘의 단사[계사]를 인용하여 대답했으니 : 사관은 "『주역』에 '수괘는 크게 형통하고 곧음에 이로우니 허물이 없습니다'[『周易』曰, '隨, 元亨, 利貞, 無咎.']라고 하여 수괘의 계사로 대답했다.
16) 뭇 용의 머리가 없는 것을 보니 길하다 : 『역』「건괘」, 용구(用九).
17) 암말이 앞서면 길을 잃는다 : 『역』「곤괘」.

고 굳게 지키는 것이 이롭다.'[18]는 것은 바로 건괘의 '이로운 것을 말하지 않는다.'[19]는 뜻이다.〉

[계몽 4-1-9]

於是一卦可變六十四卦, 而四千九十六卦在其中矣. 所謂"引而伸之, 觸類而長之, 天下之能事畢矣," 豈不信哉? 今以六十四卦之變, 列爲三十二圖. 得初卦者, 自初而終, 自上而下; 得末卦者, 自終而初, 自下而上. 變在第三十二卦以前者, 占本卦爻之辭. 變在第三十二卦以後者, 占變卦爻之辭. 〈凡言初終·上下者, 據圖而言. 言第幾卦·前後者, 從本卦起.〉

이에 1개의 괘가 64개의 괘로 변할 수 있으니 4,096개의 괘가 그 가운데 있다. 이른바 "그것을 이끌어 펼치고 부류에 따라 확장하면 천하의 할 수 있는 일을 다 할 것이다."[20]라는 말을 어찌 믿지 못하겠는가? 이제 64개 괘의 변(變)을 32개의 도표로 나열하였다. 처음의 괘를 얻은 자는 처음에서 끝으로 위에서 아래에 이르고, 마지막 괘를 얻은 자는 끝에서 처음으로 아래에서 위에 이른다.[21] 변괘가

18) 오래가고 굳게 지키는 것이 이롭다 : 『역』「곤괘」, 용육(用六).
19) 이로운 것을 말하지 않는다 : 『역』「건괘」, 「문언전」.
20) 그것을 이끌어 펼치고 부류에 … 일을 다 할 것이다 : 『역』「계사상」 제9장.
21) 처음의 괘를 얻은 자는 처음에서 … 아래에서 위에 이른다 : 이 단락의 의미는 '산가지로 점을 쳐서 처음의 괘를 얻은 자는 그 변괘를 처음에서 끝으로 위에서 아래로 가면서 찾고, 마지막 괘를 얻은 자는 그 변괘를 끝에서 처음으로 아래에서 위로 가면서 찾으면 된다.'는 것이다.

제32괘 이전에 있는 것은 본괘의 괘사·효사로 점을 치고, 변괘가 제32괘 이후에 있는 것은 변괘의 괘사·효사로 점을 친다. 〈처음과 끝, 위와 아래라고 말한 것은 도표에 의거해서 말한 것이다. 제 몇 번째 괘 이전·이후라고 말한 것은 본괘로부터 세기 시작한 것이다.〉

[계몽 4-2]

괘획변도(卦畫變圖)

		否				遯	姤	乾
	渙	漸	大畜	中孚	无妄	訟	同人	
蠱	未濟	旅	需	睽	家人	巽	履	
井	困	咸	大壯	兌	離	鼎	小畜	
恒					革	大過	大有	
							夬	

	剝				觀			
	比	頤	蒙	艮	晉	損		益
	豫	屯	坎	蹇	萃	節	賁	噬嗑
	謙	震	解	小過		歸妹	旣濟	隨
	師	明夷	升			泰	豊	
坤	復	臨						

		无妄				同人	乾	姤
大畜	中孚	家人	蠱	渙	否	履	遯	
需	睽	離	井	未濟	漸	小畜	訟	
大壯	兌	革	恒	困	旅	大有	巽	
					咸	夬	鼎	
							大過	

	頤				益			
	屯	剝	損	賁	噬嗑	蒙		觀
	震	比	節	旣濟	隨	坎	艮	晉
	明夷	豫	歸妹	豊		解	蹇	萃
	臨	謙	泰			升	小過	
復	坤	師						

		訟				姤	遯	同人
	觀	巽	賁	益	履	否	乾	
艮	晉	鼎	旣濟	噬嗑	小畜	漸	无妄	
蹇	萃	大過	豊	隨	大有	旅	家人	
小過					夬	咸	離	
							革	

	蒙				渙			
	坎	損	剝	蠱	未濟	頤		中孚
	解	節	比	井	困	屯	大畜	睽
	升	歸妹	豫	恒		震	需	兌
	坤	泰	謙			明夷	大壯	
師	臨	復						

		遯				否	訟	履
	巽	觀	損	小畜	同人	姤	无妄	
蒙	鼎	晉	節	大有	益	渙	乾	
坎	大過	萃	歸妹	夬	噬嗑	未濟	中孚	
解					隨	困	睽	
							兌	

	艮				漸			
	蹇	賁	蠱	剝	旅	大畜		家人
	小過	旣濟	井	比	咸	需	頤	離
	坤	豊	恒	豫		大壯	屯	革
	升	復	師			臨	震	
謙	明夷	泰						

		觀				漸	巽	小畜
	訟	遯	大有	履	益	渙	家人	
鼎	蒙	艮	夬	損	同人	姤	中孚	
大過	坎	蹇	泰	節	賁	蠱	乾	
升					旣濟	井	大畜	
							需	

	晉				否			
	萃	噬嗑	未濟	旅	剝	睽		无妄
	坤	隨	困	咸	比	兌	離	頤
	小過	復	師	謙		臨	革	屯
	解	豊	恒			大壯	明夷	
豫	震	歸妹						

		晉				旅	鼎	大有
	蒙	艮	小畜	損	噬嗑	未濟	離	
巽	訟	遯	泰	履	賁	蠱	睽	
升	解	小過	夬	歸妹	同人	姤	大畜	
大過					豊	恒	乾	
							大壯	

	觀				剝			
	坤	益	渙	漸	否	中孚		頤
	萃	復	師	謙	豫	臨	家人	无妄
	蹇	隨	困	咸		兌	明夷	震
	坎	旣濟	井			需	革	
比	屯	節						

		萃				咸	大過	夬
	坎	蹇	泰	節	隨	困	革	
升	解	小過	小畜	歸妹	旣濟	井	兌	
巽	訟	遯	大有	履	豊	恒	需	
鼎					同人	姤	大壯	
							乾	

	坤				比			
	觀	復	師	謙	豫	臨		屯
	晉	益	渙	漸	否	中孚	明夷	震
	艮	噬嗑	未濟	旅		睽	家人	无妄
	蒙	賁	蠱			大畜	離	
剝	頤	損						

		履				乾	同人	遯
	益	小畜	艮	觀	訟	无妄	姤	
賁	噬嗑	大有	蹇	晉	巽	家人	否	
旣濟	隨	夬	小過	萃	鼎	離	漸	
豊					大過	革	旅	
							咸	

	損				中孚			
	節	蒙	頤	大畜	睽	剝		渙
	歸妹	坎	屯	需	兌	比	蠱	未濟
	泰	解	震	大壯		豫	井	困
	復	升	明夷			謙	恒	
臨	師	坤						

		同人				无妄	履	訟
	小畜	益	蒙	巽	遯	乾	否	
損	大有	噬嗑	坎	鼎	觀	中孚	姤	
節	夬	隨	解	大過	晉	睽	渙	
歸妹					萃	兌	未濟[22]	
							困	

	賁				家人			
	旣濟	艮	大畜	頤	離	蠱		漸
	豊	蹇	需	屯	革	井	剝	旅
	復	小過	大壯	震		恒	比	咸
	泰	坤	臨			師	豫	
明夷	謙	升						

22) 未濟 :『성리대전』에는 '睽'로 되어 있는데, 미제(未濟)로 바로잡았다.

		益				家人	小畜	巽
	履	同人	鼎	訟	觀	中孚	漸	
大有	損	賁	大過	蒙	遯	乾	渙	
夬	節	旣濟	升	坎	艮	大畜	姤	
泰					蹇	需	蠱	
							井	

	噬嗑				无妄			
	隨	晉	睽	離	頤	未濟		否
	復	萃	兌	革	屯	困	旅	剝
	豊	坤	臨	明夷		師	咸	比
	歸妹	小過	大壯			恒	謙	
震	豫	解						

		噬嗑				離	大有	鼎
	損	賁	巽	蒙	晉	睽	旅	
小畜	履	同人	升	訟	艮	大畜	未濟	
泰	歸妹	豊	大過	解	遯	乾	蠱	
夬					小過	大壯	姤	
							恒	

	益				頤			
	復	觀	中孚	家人	无妄	渙		剝
	隨	坤	臨	明夷	震	師	漸	否
	旣濟	萃	兌	革		困	謙	豫
	節	蹇	需			井	咸	
屯	比	坎						

		隨				革	夬	大過
	節	旣濟	升	坎	萃	兌	咸	
泰	歸妹	豊	巽	解	蹇	需	困	
小畜	履	同人	鼎	訟	小過	大壯	井	
大有					遯	乾	恒	
							姤	

	復				屯			
	益	坤	臨	明夷	震	師		比
	噬嗑	觀	中孚	家人	无妄	渙	謙	豫
	賁	晉	睽	離		未濟	漸	否
	損	艮	大畜			蠱	旅	
頤	剝	蒙						

		姤				訟	否	无妄
	漸	渙	頤	家人	乾	遯	履	
剝	旅	未濟	屯	離	中孚	觀	同人	
比	咸	困	震	革	睽	晉	益	
豫					兌	萃	噬嗑	
							隨	

	蠱				巽			
	井	大畜	艮	蒙	鼎	賁		小畜
	恒	需	蹇	坎	大過	旣濟	損	大有
	師	大壯	小過	解		豊	節	夬
	謙	臨	坤			復	歸妹	
升	泰	明夷						

		渙				巽	漸	家人
	否	姤	離	无妄	中孚	觀	小畜	
旅	剝	蠱	革	頤	乾	遯	益	
咸	比	井	明夷	屯	大畜	艮	同人	
謙					需	蹇	賁	
							旣濟	

	未濟				訟			
	困	睽	晉	鼎	蒙	噬嗑		履
	師	兌	萃	大過	坎	隨	大有	損
	恒	臨	坤	升		復	夬	節
	豫	大壯	小過			豐	泰	
解	歸妹	震						

		未濟				鼎	旅	離
	剝	蠱	家人	頤	睽	晉	大有	
漸	否	姤	明夷	无妄	大畜	艮	噬嗑	
謙	豫	恒	革	震	乾	遯	賁	
咸					大壯	小過	同人	
							豊	

	渙				蒙			
	師	中孚	觀	巽	訟	益		損
	困	臨	坤	升	解	復	小畜	履
	井	兌	萃	大過		隨	泰	歸妹
	比	需	蹇			旣濟	夬	
坎	節	屯						

		困				大過	咸	革
	比	井	明夷	屯	兌	萃	夬	
謙	豫	恒	家人	震	需	蹇	隨	
漸	否	姤	離	无妄	大壯	小過	旣濟	
旅					乾	遯	豊	
							同人	

	師				坎			
	渙	臨	坤	升	解	復		節
	未濟	中孚	觀	巽	訟	益	泰	歸妹
	蠱	睽	晉	鼎		噬嗑	小畜	履
	剝	大畜	艮			賁	大有	
蒙	損	頤						

		漸				觀	渙	中孚
	姤	否	睽	乾	家人	巽	益	
未濟	蠱	剝	兌	大畜	无妄	訟	小畜	
困	井	比	臨	需	頤	蒙	履	
師					屯	坎	損	
							節	

	旅				遯			
	咸	離	鼎	晉	艮	大有		同人
	謙	革	大過	萃	蹇	夬	噬嗑	賁
	豫	明夷	升	坤		泰	隨	旣濟
	恒	震	解			歸妹	復	
小過	豊	大壯						

		旅				晉	未濟	睽
	蠱	剝	中孚	大畜	離	鼎	噬嗑	
渙	姤	否	臨	乾	頤	蒙	大有	
師	恒	豫	兌	大壯	无妄	訟	損	
困					震	解	履	
							歸妹	

	漸				艮			
	謙	家人	巽	觀	遯	小畜		賁
	咸	明夷	升	坤	小過	泰	益	同人
	比	革	大過	萃		夬	復	豊
	井	屯	坎			節	隨	
蹇	旣濟	需						

		咸				萃	困	兌
	井	比	臨	需	革	大過	隨	
師	恒	豫	中孚	大壯	屯	坎	夬	
渙	姤	否	睽	乾	震	解	節	
未濟					无妄	訟	歸妹	
							履	

	謙				蹇			
	漸	明夷	升	坤	小過	泰		旣濟
	旅	家人	巽	觀	遯	小畜	復	豊
	剝	離	鼎	晉		大有	益	同人
	蠱	頤	蒙			損	噬嗑	
艮	賁	大畜						

		剝				艮	蠱	大畜
	未濟	旅	乾	睽	頤	蒙	賁	
姤	渙	漸	大壯	中孚	離	鼎	損	
恒	師	謙	需	臨	家人	巽	大有	
井					明夷	升	小畜	
							泰	

	否				晉			
	豫	无妄	訟	遯	觀	履		噬嗑
	比	震	解	小過	坤	歸妹	同人	益
	咸	屯	坎	蹇		節	豊	復
	困	革	大過			夬	旣濟	
萃	隨	兌						

		比				蹇	井	需
	困	咸	大壯	兌	屯	坎	旣濟	
恒	師	謙	乾	臨	革	大過	節	
姤	渙	漸	大畜	中孚	明夷	升	夬	
蠱					家人	巽	泰	
							小畜	

	豫				萃			
	否	震	解	小過	坤	歸妹		隨
	剝	无妄	訟	遯	觀	履	豊	復
	旅	頤	蒙	艮		損	同人	益
	未濟	離	鼎			大有	賁	
晉	噬嗑	睽						

						小過	恒	大壯
	師	豫	需	臨	震	解	豊	
井	困	謙	大畜	兌	明夷	升	歸妹	
蠱	未濟	咸	乾	睽	革	大過	泰	
姤		旅			離	鼎	夬	
							大有	

	比				坤			
	剝	屯	坎	蹇	萃	節		復
	否	頤	蒙	艮	晉	損	旣濟	隨
	漸	无妄	訟	遯		履	賁	噬嗑
	渙	家人	巽			小畜	同人	
觀	益	中孚						

		乾				履	无妄	否
	家人	中孚	剝	漸	姤	同人	訟	
頤	離	睽	比	旅	渙	益	遯	
屯	革	兌	豫	咸	未濟	噬嗑	觀	
震					困	隨	晉	
							萃	

	大畜				小畜			
	需	蠱	賁	損	大有	艮		巽
	大壯	井	旣濟	節	夬	蹇	蒙	鼎
	臨	恒	豊	歸妹		小過	坎	大過
	明夷	師	復			坤	解	
泰	升	謙						

		中孚				小畜	家人	漸
	无妄	乾	旅	否	渙	益	巽	
離	頤	大畜	咸	剝	姤	同人	觀	
革	屯	需	謙	比	蠱	賁	遯	
明夷					井	旣濟	艮	
							蹇	

	睽				履			
	兌	未濟[23]	噬嗑	大有	損	晉		訟
	臨	困	隨	夬	節	萃	鼎	蒙
	大壯	師	復	泰		坤	大過	坎
	震	恒	豊			小過	升	
歸妹	解	豫						

23) 未濟 : 성리대전에 '旣濟'로 되어있는 것을 바로잡았다.

		睽				大有	離	旅
	頤	大畜	漸	剝	未濟	噬嗑	鼎	
家人	无妄	乾	謙	否	蠱	賁	晉	
明夷	震	大壯	咸	豫	姤	同人	艮	
革					恒	豊	遯	
							小過	

	中孚				損			
	臨	渙	益	小畜	履	觀		蒙
	兌	師	復	泰	歸妹	坤	巽	訟
	需	困	隨	夬		萃	升	解
	屯	井	旣濟			蹇	大過	
節	坎	比						

		兌				夬	革	咸
	屯	需	謙	比	困	隨	大過	
明夷	震	大壯	漸	豫	井	旣濟	萃	
家人	无妄	乾	旅	否	恒	豊	蹇	
離					姤	同人	小過	
							遯	

	臨				節			
	中孚	師	復	泰	歸妹	坤		坎
	睽	渙	益	小畜	履	觀	升	解
	大畜	未濟	噬嗑	大有		晉	巽	訟
	頤	蠱	賁			艮	鼎	
損	蒙	剝						

		家人				益	中孚	渙
	乾	无妄	未濟	姤	漸	小畜	觀	
睽	大畜	頤	困	蠱	否	履	巽	
兌	需	屯	師	井	剝	損	訟	
臨					比	節	蒙	
							坎	

	離				同人			
	革	旅	大有	噬嗑	賁	鼎		遯
	明夷	咸	夬	隨	旣濟	大過	晉	艮
	震	謙	泰	復		升	萃	蹇
	大壯	豫	歸妹			解	坤	
豊	小過	恒						

		離				噬嗑	睽	未濟
	大畜	頤	渙	蠱	旅	大有	晉	
中孚	乾	无妄	師	姤	剝	損	鼎	
臨	大壯	震	困	恒	否	履	蒙	
兌					豫	歸妹	訟	
							解	

	家人				賁			
	明夷	漸	小畜	益	同人	巽		艮
	革	謙	泰	復	豊	升	觀	遯
	屯	咸	夬	隨		大過	坤	小過
	需	比	節			坎	萃	
旣濟	蹇	井						

		革				隨	兌	困
	需	屯	師	井	咸	夬	萃	
臨	大壯	震	渙	恒	比	節	大過	
中孚	乾	无妄	未濟	姤	豫	歸妹	坎	
睽					否	履	解	
							訟	

	明夷				旣濟			
	家人	謙	泰	復	豊	升		蹇
	離	漸	小畜	益	同人	巽	坤	小過
	頤	旅	大有	噬嗑		鼎	觀	遯
	大畜	剝	損			蒙	晉	
賁	艮	蠱						

		頤				賁	大畜	蠱
	睽	離	姤	未濟	剝	損	艮	
乾	中孚	家人	恒	渙	旅	大有	蒙	
大壯	臨	明夷	井	師	漸	小畜	鼎	
需					謙	泰	巽	
							升	

	无妄				噬嗑			
	震	否	履	同人	益	訟		晉
	屯	豫	歸妹	豊	復	解	遯	觀
	革	比	節	旣濟		坎	小過	坤
	兌	咸	夬			大過	蹇	
隨	萃	困						

		屯				旣濟	需	井
	兌	革	恒	困	比	節	蹇	
大壯	臨	明夷	姤	師	咸	夬	坎	
乾	中孚	家人	蠱	渙	謙	泰	大過	
大畜					漸	小畜	升	
							巽	

	震				隨			
	无妄	豫	歸妹	豊	復	解		萃
	頤	否	履	同人	益	訟	小過	坤
	離	剝	損	賁		蒙	遯	觀
	睽	旅	大有			鼎	艮	
噬嗑	晉	未濟						

		震				豊	大壯	恒
	臨	明夷	井	師	豫	歸妹	小過	
需	兌	革	蠱	困	謙	泰	解	
大畜	睽	離	姤	未濟	咸	夬	升	
乾					旅	大有	大過	
							鼎	

	屯				復			
	頤	比	節	旣濟	隨	坎		坤
	无妄	剝	損	賁	噬嗑	蒙	蹇	萃
	家人	否	履	同人		訟	艮	晉
	中孚	漸	小畜			巽	遯	
益	觀	渙						

[계몽 4-2-1]

以上三十二圖. 反復之, 則爲六十四圖. 圖以一卦爲主, 而各具六十四卦, 凡四千九十六卦, 與焦贛『易林』合. 然其條理精密, 則有先儒所未發者, 覽者詳之.

위는 32개 도표이다. 그것을 거꾸로 되돌려보면 64개의 도표가 된다. 도표에는 1개의 괘를 주인[본괘]으로 삼아 각각 64개의 괘를 갖추어 모두 4,096개의 괘가 있으니, 초공(焦贛)의 『역림(易林)』과 합치한다. 그러나 그 조리의 정밀함은 선대 학자들이 미처 드러내지 못한 것이 있으니, 이를 보는 자는 자세히 살펴보기 바란다.

集說

● 胡氏一桂曰; "焦延壽卦變法, 以一卦變爲六十四卦, 六十四卦通變四千九十六卦, 而卦變之次, 本之文王序卦. 且如以乾爲本卦, 其變首坤, 次屯·蒙, 以至未濟; 又如以末一卦未濟爲本卦, 其變亦首乾, 次坤·屯, 以至旣濟. 每一卦變六十三卦, 通本卦成六十四卦. 紫陽夫子以爻變多寡, 順而列之, 以定一卦所變之序; 又以乾卦所變之次, 引而伸之, 爲六十四卦所變相承之序, 然後次第秩然, 各得其所. 雖出於焦, 而比焦尤密."[24]

호일계(胡一桂)가 말했다. "초연수(焦延壽)의 괘변법(卦變法)은 하나의 괘가 변하여 64괘가 되고 64괘가 통틀어 4,096괘로 변하는데, 괘변의 차례는 문왕의 괘의 차례에 근본을 두었다. 예컨대 건(乾)을 본괘(本卦)로 하면 그 변이 처음은 곤(坤)괘가 되고, 다음은 준(屯)괘

24) 호일계(胡一桂), 『주역계몽익전(周易啟蒙翼傳)』 외편(外篇).

·몽(蒙)괘가 되어, 미제(未濟)괘에까지 이른다. 또 예컨대 끝의 미제(未濟)괘를 본괘로 하면 그 변이 또한 처음은 건(乾)괘가 되고, 다음은 곤(坤)괘·준(屯)괘가 되어, 기제(旣濟)괘에까지 이른다. 늘 하나의 괘는 63괘로 변하여 본괘까지 통틀어 64괘를 이룬다. 자양부자(紫陽夫子 : 朱熹)는 효의 변(變)이 많고 적음으로 순차적으로 열거하여 하나의 괘가 변(變)하는 차례를 정하고, 또 건(乾)괘가 변하는 차례로 그것을 이끌어 펼쳐 64괘가 변한 것이 서로 이어가는 차례를 삼은 뒤에 순서가 질서정연하여 각각 제자리를 얻는다. 이는 비록 초연수(焦延壽)에게서 나왔지만 초연수보다 더욱 엄밀하다."

案

朱子三十二圖, 其次第最爲詳密. 而後學之疑義有二 : 一曰, 筮法用九·六不用七·八, 今四爻·五爻變者, 用之卦之不變爻占, 則是兼用七·八也. 二曰, 周公未繫爻之先, 則彖辭之用, 有所不周也.

주자의 32도(「괘획변도(卦畫變圖)」를 가리킴)는 그 차례가 가장 자세하고 엄밀하다. 그런데 후대 학자들이 그 내용에 대해 의심하는 것이 두 가지가 있다. 첫째, 점치는 법에서는 9와 6을 사용하고 7과 8은 사용하지 않는데, 여기에서 제4효와 제5효가 변하는 것은 그것을 사용하여 괘 가운데 변하지 않는 효를 점치니, 이는 7과 8을 겸하여 사용하는 것이다. 둘째, 주공(周公)이 효사를 붙이기 전에는 단사의 사용이 두루하지 못하는 점이 있었을 것이다.

三代筮法, 旣不盡傳. 今唯以經傳爲據而推之, 則用九·用六, 經文甚明, 而用七·八者, 諸書皆無明文. 唯杜預以爲夏·商用之,先儒已摘其非矣. 考之『春秋內外傳』, 蓋無論變與不變, 及變之多寡, 皆論卦之體象與其彖辭. 卽一爻變者, 雖占爻辭, 而亦必先以卦之體象與其彖辭爲主. 則知古人占法, 未有爻辭之先, 卽彖辭而已周於用; 旣有爻辭之後, 則但以專動者占, 而初亦不離乎彖辭以爲斷也.

하(夏)·상(商)·주(周) 삼대의 점치는 방법은 모두 전해지지는 않는다. 이제 경전에 의거하여 미루어보면 9를 사용하고 6을 사용한다는 것은 경전의 글[經文]에 아주 분명하지만, 7을 사용하고 8을 사용한다는 것은 여러 책에서 분명히 밝힌 글이 없다. 오직 두예(杜預)가 하대와 상대에 그것을 사용했다고 여겼지만 선대 학자들이 이미 그것이 잘못임을 지적하였다. 『춘추내외전(春秋內外傳)』[25]을 고찰해보면, 대개 변하는 것과 변하지 않는 것과 변(變)의 많고 적음을 막론하고 모두 괘가 지닌 체[괘체(卦體)]의 모습과 그 단사를 논했다. 하나의 효가 변하는 것에서는 비록 효사를 점치지만, 또한 반드시 먼저 괘가 지닌 체(體)의 모습과 그 단사를 위주로 했다. 그렇다면 옛 사람들이 점치는 방법은 효사가 있기 전에는 단사에 따라 이미 두루 사용하였고, 효사가 있은 뒤에는 오로지 움직이는 것으로 점을 쳤으니, 애초에 또한 단사를 떠나지 않는 것으로 판단하였음을 알 수 있다.

唯其一卦可變爲六十四, 則兩卦相參, 而可以盡事物之理. 故卦之有變者, 意主於生卦, 不主於成爻. 爻之有變者, 專動則有占, 雜動則無占. 如是則『傳』記之文皆合, 而學者之疑可釋矣.

25) 『춘추내외전(春秋內外傳)』: 『춘추내전』은 『춘추좌전』을 가리키고, 『춘추외전』은 『국어(國語)』를 가리킨다.

오직 하나의 괘가 변하여 64개 괘가 될 수 있으면, 두 개의 괘를 서로 참조하여 사물의 이치를 다할 수 있다. 그러므로 괘 가운데 변(變)이 있는 것은 뜻이 생겨나는 괘를 위주로 하고 이루어진 효를 위주로 하지 않는다. 효 가운데 변이 있는 것은 전일하게 움직이면 점치는 내용이 있지만 복잡하게 움직이면 점치는 내용이 없다. 이와 같이 하면 『춘추내외전(春秋內外傳)』에 기록된 글들이 모두 부합되어 학자들의 의심이 풀릴 것이다.

至『內外傳』言得八者三：一曰泰之八，則不變者也；一曰貞屯悔豫皆八，則三爻變者也；一曰艮之八爲艮之隨，則五爻變者也. 諸儒以八爲不動之爻，考之文意，似未符協. 蓋三占者，雖變數不同，然皆無專動之爻，則其爲用卦一也. 卦以八成，故以八識卦，猶之爻以九·六成，則以九·六識爻云爾. 觀朱子之「圖」者，更須以『左傳』·『國語』諸書互相參考.

『춘추내외전(春秋內外傳)』에서 8을 얻었다고 말한 것이 세 가지 경우이다. 하나는 태괘의 8이 변하지 않는다는 것이고, 다른 하나는 내괘가 준(屯)괘이고 외괘가 예(豫)괘인 것이 모두 8이라고 하였으니, 제3효가 변한 것이다. 또 다른 하나는 간(艮)괘의 8이 간괘가 수(隨)괘로 간 것이 되었다고 하였으니, 제5효가 변한 것이다. 여러 학자들은 8을 움직이지 않는 효로 여겼으나 문장의 뜻을 고찰해보면 부합하지 않는 것 같다. 대개 세 번 점치는 것에 비록 수가 같지 않지만 모두 전일하게 움직이는 효가 없으면 사용하는 괘가 되는 것이 하나이다. 괘가 8로 이루어졌기 때문에 8로 괘를 인식하니, 마치 효가 9와 6으로 이루어지면 9와 6으로 효를 인식한다고 말하는 것과 같을 뿐이다. 주자의 「괘획변도(卦畫變圖)」를 보는 사람은 반드시 『춘추좌전』과 『국어』를 서로 참조해야 할 것이다.

啓蒙附論
계몽부론

제21권

[계몽부론 0]

朱子之作『啓蒙』, 蓋因以象數言『易』者, 多穿穴而不根, 支離而無據. 然『易』之爲書, 實以象數而作, 又不可略焉而不講也. 且在當日言「圖」「書」·卦畫·蓍數者, 皆創爲異論以毁成法, 師其獨智而呰先賢. 故朱子述此篇以授學者, 以爲欲知『易』之所以作者, 於此可得其門戶矣. 今摭「圖」「書」·卦畫·蓍數之所包蘊, 其錯綜變化之妙, 足以發朱子未盡之意者凡數端, 各爲圖表而繫之以說. 蓋所以見「圖」·「書」爲天地之文章, 立卦生蓍爲聖神之制作, 萬理於是乎根本, 萬法於是乎權輿, 斷非人力私智之所能參, 而世之紛紛撰擬, 屑屑疑辨, 皆可以熄矣.

주자(朱子 : 朱熹)가 『역학계몽』을 지은 것은 상수(象數)로 『역』을 말한 것이기 때문에 천착했지만 근거가 없는 내용이 많고 지리멸렬하지만 증거가 없는 내용이 많다. 그러나 『역』이라는 책은 실로 상수로 지어졌으니, 또한 간략하게나마 강론하지 않을 수 없다. 게다가 당시에 「하도」「낙서」와 괘획과 시초의 숫자를 말한 사람들은 모두 이론(異論)을 창조하여 기존의 정해진 법도를 무너뜨리고 그 독단적인 주장을 모범으로 삼아 선현들의 학설을 헐뜯었다. 이 때문에 주자가 이 편을 지어 배우는 사람들에게 『역』이 지어진 근거를 알게 하여 여기에서 그 문호를 얻을 수 있을 것이라고 생각했다. 이제 「하도」「낙서」와 괘획과 시초의 숫자가 품고 있는 깊은 뜻을 습득하면, 그 뒤섞이면서 변화하는 오묘함이 주자가 다 발휘하지 못한 뜻 몇 가지를 충분히 드러낼 수 있으니, 각각 도표를 만들고 설명을 붙인다. 대개 그것으로 「하도」와 「낙서」가 하늘과 땅의 문장이 되며, 괘를 세우고 시초를 만든 것이 성인이 만들어 지은 것이며, 온갖 이치가 여기에 근본을 두며, 온갖 법도가 여기에서 싹터, 결코 사람의 개인적인 지혜의 힘이 개입할 수 있는 사안이 아니니, 세상의 분분한 이론들과 자잘한 논변들이 모두 사그라들게 할 수 있음을 알 수 있을 것이다.

[계몽부론 1]

「하도」의 양이 움직이고 음이 고요한 도표
[「河圖」陽動陰靜圖]

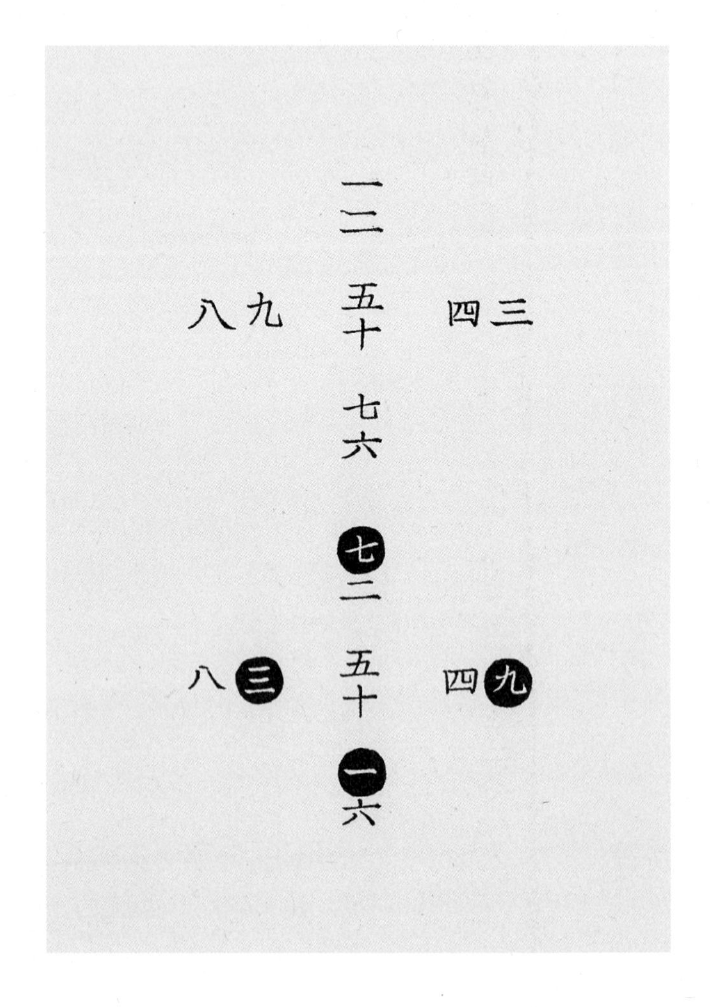

[계몽부론 2]

「하도」의 양이 고요하고 음이 움직이는 도표
[「河圖」陽靜陰動圖]

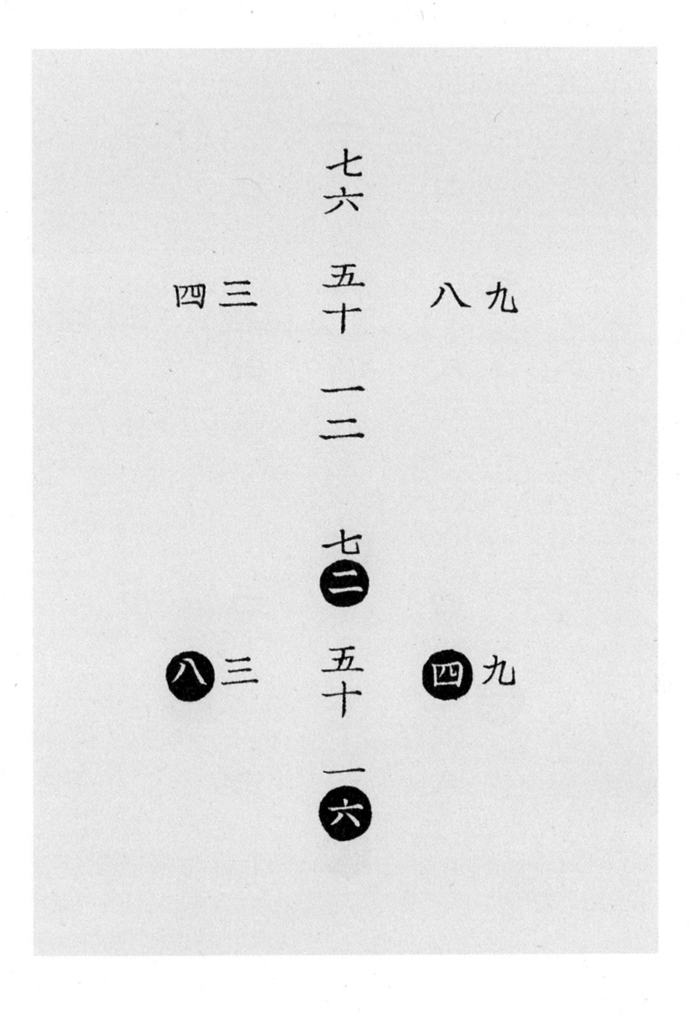

[계몽부론 3]

「낙서」의 양이 움직이고 음이 고요한 도표
[「洛書」陽動陰靜圖]

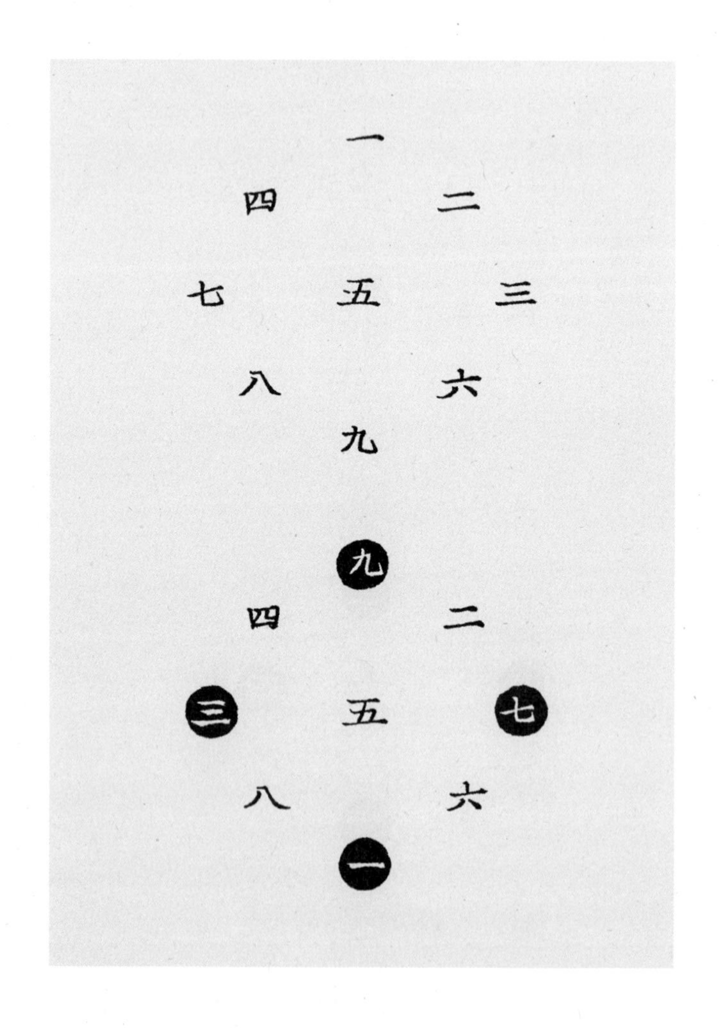

[계몽부론 4]

「낙서」의 양이 고요하고 음이 움직이는 도표
[「洛書」陽靜陰動圖]

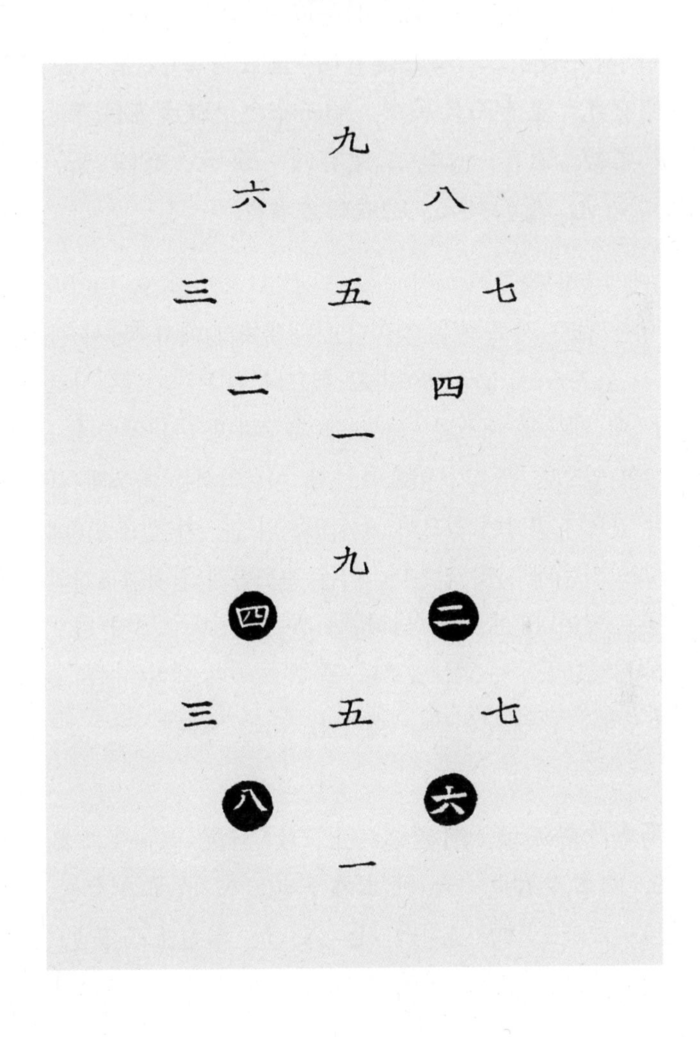

[계몽부론 4-1]

「大傳」言「河圖」, 曰一·二, 曰三·四, 曰五·六, 曰七·八, 曰九·十, 則是以兩相從也. 『大戴禮』言「洛書」, 曰二·九·四, 曰七·五·三, 曰六·一·八, 則是以三相從也. 是故原「河圖」之初, 則有一便有二, 有三便有四, 至五而居中; 有六便有七, 有八便有九, 至十而又居中. 順而布之, 以成五位者也. 原「洛書」之初, 則有一·二·三便有四·五·六, 有四·五·六便有七·八·九. 層而列之, 以成四方者也.

「대전」에서 「하도」를 말하여 1·2, 3·4, 5·6, 7·8, 9·10이라고 했으니, 이는 둘로 서로 좇는 것이다. 『대대예기』에서 「낙서」를 말하여 2·9·4, 7·5·3, 6·1·8이라고 했으니, 이는 셋으로 서로 좇는 것이다. 이 때문에 애초의 「하도」를 추구하면 1이 있으니 곧 2가 있고, 3이 있으니 곧 4가 있으며, 5에 이르러서는 가운데 자리 잡고, 6이 있으니 곧 7이 있으며, 8이 있으니 곧 9가 있고, 10에 이르러서는 또 가운데 자리 잡는다. 이는 순조롭게 펼쳐져 5개의 자리를 이루는 것이다. 애초의 「낙서」를 추구하면 1·2·3이 있으니 곧 4·5·6이 있고, 4·5·6이 있으니 곧 7·8·9가 있다. 이는 층층이 벌려져 4개의 방위를 이루는 것이다.

若以陽動陰靜而論, 則數起於上, 故「河圖」之一·二本在上也, 三·四本在右也, 六·七本在下也, 八·九本在左也; 「洛書」之一·二·三, 四·五·六, 七·八·九, 本自上而下也. 於是陽數動而變易, 陰數靜而不遷, 則成「河圖」·「洛書」之位矣.

양이 움직이고 음이 고요한 것으로 논하면 수(數)는 위에서 일어나기 때문에 「하도」의 1·2는 본래 위에 있고, 3·4는 본래 오른쪽이 있으며, 6·7은 본래 아래에 있고, 8·9는 본래 왼쪽에 있다. 「낙서」의 1·2·3, 4·5·6, 7·8·9는 본래 위에서 아래로 내려오는 것이다. 여기에서 양의 수는 움직이고 변역하며, 음의 수는 고요하고 옮겨가지 않으니, 「하도」와 「낙서」의 자리를 이룬다.

如以陽靜陰動而論, 則數起於下, 故「河圖」之一·二本在下也, 三·四本在左也, 六·七本在上也, 八·九本在右也; 「洛書」之一·二·三, 四·五·六, 七·八·九, 本自下而上也. 於是陽數靜而不遷, 陰數動而交易, 則又成「河圖」·「洛書」之位矣.

양이 고요하고 음이 움직이는 것으로 논하면 수가 아래에서 일어나기 때문에 「하도」의 1·2는 본래 아래에 있고, 3·4는 본래 왼쪽이 있으며, 6·7은 본래 위에 있고, 8·9는 본래 오른쪽에 있다. 「낙서」의 1·2·3, 4·5·6, 7·8·9는 본래 아래에서 위로 올라가는 것이다. 여기에서 양의 수는 고요하고 옮겨가지 않으며, 음의 수는 움직이고 교역하니, 또 「하도」와 「낙서」의 자리를 이룬다.

蓋其以兩相從者, 如有天則有地也, 有君則有臣也, 有夫則有婦也. 以三相從者, 如有天地則有人也, 有君臣則有民也, 有父母則有子也.

대개 둘로 서로 좇는 것은 예컨대 하늘이 있으면 땅이 있고, 임금이 있으면 신하가 있으며, 남편이 있으면 아내가 있는 것과 같다. 셋으로 서로 좇는 것은 예컨대 하늘과 땅이 있으면 사람이 있고, 임금과 신하가 있으면 백성이 있으며, 아버지와 어머니가 있으면 자식이 있는 것과 같다.

陽動陰靜者, 如乾君而坤藏也, 君令而臣從也, 夫行而婦順也, 自上而下, 以用而言者也. 陽靜陰動者, 如乾主而坤役也, 君逸而臣勞也, 父安居而妻子勤職也, 自內而外, 以體而言者也. 同本相從, 以成合一之功; 動靜相資, 以播生成之化. 造化, 人事之妙, 窮於此矣. 「先·後天圖」象之精蘊, 莫不於此乎出也.

양이 움직이고 음이 고요한 것은 예컨대 건(乾)으로 만물에 군림하고, 곤(坤)으로 만물을 저장하며, 임금이 명령을 내리면 신하는 그것을 따르고, 남편이 어떤 일을 하면 아내가 순응하는 것과 같으니, 위에서 아래로 내려오는 작용 측면으로 말한 것이다. 양이 고요하고 음이 움직이는 것은 예컨대 건이 주관하고 곤이 일을 하며, 임금은 안락하고 신하는 수고로우며, 아버지는 편안히 거처하고 처자식들은 열심히 일을 하는 것과 같으니, 안에서 밖으로 나가는 본체 측면으로 말한 것이다. 근본을 같이하는 것들이 서로 좇아서 하나로 합쳐지는 공로를 이루며, 움직임과 고요함이 서로 의뢰가 되어 생겨나고 이루는 변화를 퍼트린다. 조화(造化)와 인간사의 오묘함이 여기에서 끝까지 밝혀진다. 「선천도」와 「후천도」의 상(象)이 정미(精微)하고 심오한 내용은 이보다 잘 나타나는 것이 없다.

[계몽부론 4-2]

自「洛書」以三·三積數, 爲數之原, 而自四以下, 皆以爲法焉,何則? 三者天數也, 故其象圓. 如前圖, 居四方與居四隅者, 或動或靜,〈居中者一定不易〉 而各成縱橫皆十五之數矣. 四者地數也, 故其象方. 如後圖, 居中·居四隅與居四方者, 或動或靜, 亦各成縱橫皆三十四之數矣.

「낙서」에서 3·3을 누적한 수(數)를 수의 근원으로 삼고, 4로부터 그 이하는 모두 그것을 법도로 삼는데, 무엇 때문인가? 3은 하늘의 수이기 때문에 그 상(象)이 원(圓)이다. 앞의 그림과 같이 4개의 방위에 자리 잡은 것이 4개의 모퉁이에 자리 잡은 것과 혹은 움직이고 혹은 고요하여〈가운데에 자리 잡은 것은 하나로 정해져 바뀌지 않는다〉 각각 가로 세로를 이룬 것이 모두 15의 수이다. 4는 땅의 수이기 때문에 그 상(象)이 네모이다. 뒤의 그림과 같이 가운데 자리 잡은 것과 4개의 모퉁이에 자리 잡은 것이 4개의 방위에 자리 잡은 것과 혹은 움직이고 혹은 고요하여 또한 각각 가로 세로를 이룬 것이 모두 34의 수이다.

自五·五以下, 皆以三·三圖爲根; 自六·六以下, 皆以四·四圖爲根. 而四·四圖, 又實以三·三圖爲根, 故「洛書」爲數之原, 不易之論也. 今附四·四圖如左, 以相證明. 其餘具數學中, 不悉載.

5·5에서 그 아래는 모두 3·3도(圖)를 뿌리로 삼고, 6·6에서 그 아래는 모두 4·4도(圖)를 뿌리로 삼는다. 그런데 4·4도는 또 3·3도를 뿌리로 삼기 때문에 「낙서」가 수의 근원이 되는 것은 바뀌지 않는 이론이다. 이제 4·4도를 아래에 첨부하여 서로 증명할 것이다. 그 나머지는 수학(數學)에 갖추어져 있으니 다 싣지 않겠다.

[계몽부론 4-3]

제1도(第一圖)

1	2	3	4
5	6	7	8
9	10	11	12
13	14	15	16

제2도(第二圖)

1	15	14	4
12	6	7	9
8	10	11	5
13	3	2	16

제3도(第三圖)

16	2	3	13
5	11	10	8
9	7	6	12
4	14	15	1

此以十六數自左而右自上而下列之〈第一圖〉. 其居中與居四耦者不易, 而居四方者變易, 則成縱橫皆三十四之數〈第二圖〉. 若居四方者不易, 而居中與居四耦者變易, 亦成縱橫皆三十四之數〈第三圖〉.

이는 16개의 수로 왼쪽에서 오른쪽으로 위에서 아래로 나열한 것이다〈제1도〉. 그 가운데 자리 잡은 것과 4개의 모퉁이에 자리 잡은 것은 바뀌지 않고 4개의 방위에 자리 잡은 것이 변해서 바뀌면 가로 세로가 모두 34의 수를 이룬다〈제2도〉. 만약 4개의 방위에 자리 잡은 것은 바뀌지 않고 가운데 자리 잡은 것과 4개의 모퉁이에 자리 잡은 것이 변해서 바뀌면 또한 가로 세로가 모두 34의 수를 이룬다〈제3도〉.

제1도(第一圖)

16	15	14	13
12	11	10	9
8	7	6	5
4	3	2	1

제2도(第二圖)

16	2	3	13
5	11	10	8
9	7	6	12
4	14	15	1

제3도(第三圖)

1	15	14	4
12	6	7	9
9	10	11	5
13	3	2	16

此以十六數自右而左, 自下而上列之〈第一圖〉. 用前法變爲兩圖〈第二圖〉·〈第三圖〉. 並得縱橫皆三十四之數. 但其不易者, 卽前之變易者; 而其變易者, 卽前之不易者〈此第二圖同前第三圖, 此第三圖同前第二圖〉. 蓋亦陰陽互爲動靜之理云.

이는 16개의 수로 오른쪽에서 왼쪽으로 아래에서 위로 나열한 것이다〈제1도〉. 앞의 방법을 써서 변하여 2개의 도표가 되니〈제2도〉·〈제3도〉와 같이 가로 세로가 모두 34의 수를 얻는다. 그러나 그 바뀌지 않는 것은 곧 앞의 변해서 바뀌는 것이고, 그 변해서 바뀌는 것은 곧 앞의 바뀌지 않는 것이다.〈여기의 제2도는 앞의 제3도와 같고, 여기의 제3도는 앞의 제2도와 같다.〉 이는 또한 음과 양이 서로간에 움직임과 고요함이 되는 이치라고 하는 것이다.

[계몽부론 5]

「하도는 더하기와 빼기의 근원이다

[「河圖」加減之原]

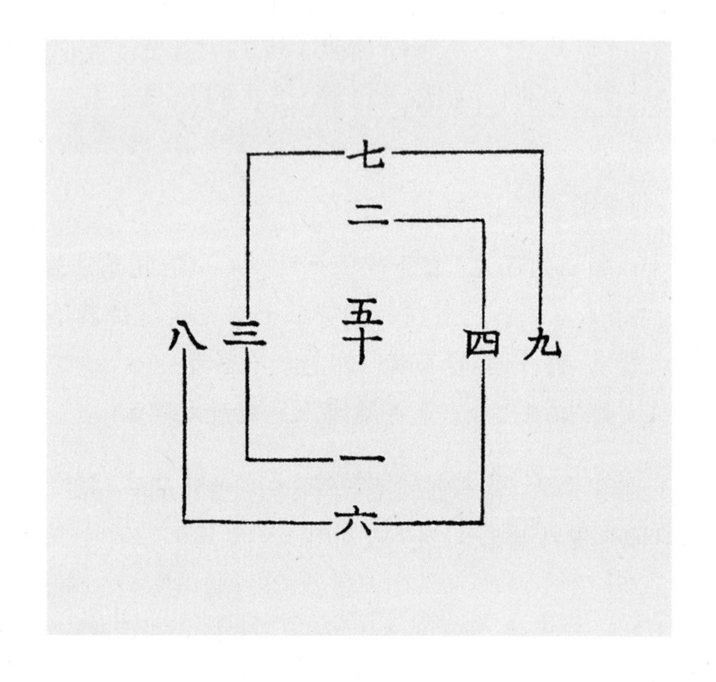

一·三·七·九 : 用中兩率三·七相加爲十, 以一減之得九, 以九減之得一. 若用一·九相加亦爲十, 以三減之得七, 以七減之得三.

1·3·7·9는 가운데 양률(兩率)인 3과 7을 가지고 서로 더하면 10이 되고, 거기에서 1을 빼면 9를 얻으며, 9를 빼면 1을 얻는다. 만약 1과 9를 서로 더하면 또한 10이 되고, 거기에서 3을 빼면 7을

얻고, 7을 빼면 3을 얻는다.

二·四·六·八 : 用中兩率四·六相加爲十, 以二減之得八, 以八減之得二. 若用二·八相加亦爲十, 以四減之得六, 以六減之得四.

2·4·6·8은 가운데 양률인 4와 6을 가지고 서로 더하면 10이 되고, 거기에서 2를 빼면 8을 얻으며, 8을 빼면 2를 얻는다. 만약 2와 8을 서로 더하면 또한 10이 되고, 거기에서 4를 빼면 6을 얻고, 6을 빼면 4를 얻는다.

[계몽부론 6]

「낙서는 곱하기와 나누기의 근원이다
[「洛書」乘除之原]

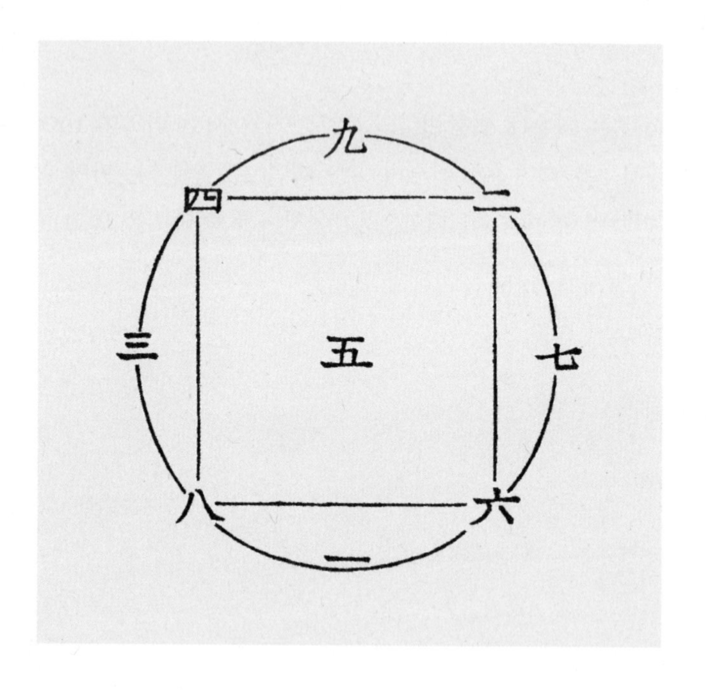

一·三·九·七: 用中兩率三·九相乘爲二十七, 以一除之得二十七, 以二十七除之得一. 若用一與二十七相乘, 以三除之得九, 以九除之得三.

1·3·9·7은 가운데 양률(兩率)인 3과 9를 가지고 서로 곱하면 27이 되고, 그것을 1로 나누면 27을 얻으며, 27로 나누면 1을 얻는다. 만약 1과 27을 서로 곱한 것을 가지고, 그것을 3으로 나누면 9를 얻고, 9로 나누면 3을 얻는다.

二·四·八·六 : 用中兩率四·八相乘爲三十二, 以二除之得十六, 以十六除之得二. 若用二與十六相乘, 以四除之得八, 以八除之得四.

2·4·8·6은 가운데 양률(兩率)인 4와 8을 가지고 서로 곱하면 32가 되고, 그것을 2로 나누면 16을 얻으며, 16으로 나누면 2를 얻는다. 만약 2와 16을 서로 곱한 것을 가지고, 그것을 4로 나누면 8을 얻고, 8로 나누면 4를 얻는다.

「大傳」曰, '天一地二, 天三地四, 天五地六, 天七地八, 天九地十.' 天地之數, 皆自少而多, 多而復還於少, 此加減之原也. 又曰, '參天兩地而倚數.' 天數以三行, 地數以二行, 此乘除之原也,

「대전(大傳 : 본문 [계사상 9-1])」에서, '천(天)의 수(數)는 1이고 지(地)의 수는 2이며, 천(天)의 수는 3이고 지(地)의 수는 4이며, 천(天)의 수는 5이고 지(地)의 수는 6이며, 천(天)의 수는 7이고 지(地)의 수는 8이며, 천(天)의 수는 9이고 지(地)의 수는 10이다'라고 했다. 천지의 수는 모두 적은 것에서 많은 것으로, 많은 것에서 다시 적은 것으로 돌아오니 이것이 더하기와 빼기의 근원이다. 또 본문 [설괘 1-2]에서 '하늘의 수(數)는 세 배하는 것이고 땅의 수는 두 배하는 것이어서 수(數)에 의지한다'라고 했다. 하늘의 수는 3으로 행하고 땅의 수는 2로 행하니, 이것이 곱하기와 나누기의 근원이다.

是故「河圖」以一·二爲數之體之始, 「洛書」以三·二爲數之用之始. 然「洛書」之用, 始於參兩者, 以參兩爲根也. 實則諸

數循環, 互爲其根, 莫不寓乘除之法焉, 而又皆以加減之法爲之本. 今推得「洛書」加減之法四, 乘除之法十六, 積方之法五, 句股之法四, 各爲圖表以明之如左.

이 때문에 「하도」는 1·2를 수의 본체가 시작되는 것으로 삼았고, 「낙서」는 3·2를 수의 작용이 시작되는 것으로 삼았다. 그러나 「낙서」의 작용은 세 배하고 두 배하는 것에서 시작하니, 세 배하고 두 배하는 것을 뿌리로 삼는다. 사실 여러 수가 순환하여 서로간에 뿌리가 되는 것은 곱하기와 나누기의 법도에 깃들어 있지 않은 것이 없고, 또 모두 더하기와 빼기의 법도를 근본으로 삼는다. 이제 「낙서」의 더하기와 빼기의 법도 4가지와 곱하기와 나누기의 법도 16가지와 누적과 제곱의 법도 5가지와 직각삼각형의 법도 4가지를 추론해내어 각각 도표를 만들어서 아래와 같이 밝힌다.

[계몽부론 7]

「낙서」의 더하기와 빼기의 4가지 법도
[「洛書」加減四法]

一, 用奇數左旋相加, 得相連之耦數.

하나, 홀수를 가지고 왼쪽으로 돌리면서 서로 더하면, 서로 이어지는 짝수를 얻는다.

〈一加三爲四, 三加九爲十二, 九加七爲十六, 七加一爲八.〉

〈1을 3에 더하면 4가 되고, 3을 9에 더하면 12가 되며, 9를 7에 더하면 16이 되고, 7을 1에 더하면 8이 된다.〉

若用奇數減左旋相連之耦數, 得右旋相連之奇數.

홀수를 가지고 왼쪽으로 돌리면서 서로 이어지는 짝수에서 빼면, 오른쪽으로 돌면서 서로 이어지는 홀수를 얻는다.

〈三減四爲一, 九減十二爲三, 七域十六爲九, 一減八爲七.〉

〈3을 4에서 빼면 1이 되고, 9를 12에서 빼면 3이 되며, 7을 16에서 빼면 9가 되고, 1을 8에서 빼면 7이 된다.〉

一, 用耦數左旋相加, 得相連之耦數.

하나, 짝수를 가지고 왼쪽으로 돌리면서 서로 더하면, 서로 이어지는 짝수를 얻는다.

〈二加六爲八, 六加八爲十四, 八加四爲一二, 四加二爲六.〉

〈2를 6에 더하면 8이 되고, 6을 8에 더하면 14가 되며, 8을 4에 더하면 12가 되고, 4를 2에 더하면 6이 된다.〉

若用耦數減左旋相連之耦數, 得右旋相連之耦數.

짝수를 가지고 왼쪽으로 돌리면서 서로 이어지는 짝수에서 빼면, 오른쪽으로 돌면서 서로 이어지는 짝수를 얻는다.

〈六減八爲二, 八減一四爲六, 四減十二爲八, 二減六爲四.〉

〈6을 8에서 빼면 2가 되고, 8을 14에서 빼면 6이 되며, 4를 12에서 빼면 8이 되고, 2를 6에서 빼면 4가 된다.〉

一, 用奇數右旋加耦數, 得相連之奇數.

하나, 홀수를 가지고 오른쪽으로 돌리면서 짝수를 더하면, 서로 이어지는 홀수를 얻는다.

〈一加六爲七, 七加二爲九, 九加四爲十三, 三加八爲十一.〉

〈1을 6에 더하면 7이 되고, 7을 2에 더하면 9가 되며, 9를 4에 더하면 13이 되고, 3을 8에 더하면 11이 된다.〉

若用奇數減相連之奇數, 得相連之耦數.

홀수를 가지고 서로 이어지는 홀수에서 빼면, 서로 이어지는 짝수를 얻는다.

〈一減七爲六, 七減九爲二, 九減十三爲四, 三減十一爲八.〉

〈1을 7에서 빼면 6이 되고, 7을 9에서 빼면 2가 되며, 9를 13에서 빼면 4가 되고, 3을 11에서 빼면 8이 된다.〉

一, 用耦數右旋加奇數, 得相對之奇數.

하나, 짝수를 가지고 오른쪽으로 돌리면서 홀수를 더하면, 서로 마주하는 홀수를 얻는다.

〈二加九爲十一, 四加三爲七, 八加一爲九, 六加七爲十三.〉

〈2를 9에 더하면 11이 되고, 4를 3에 더하면 7이 되며, 8을 1에 더하면 9가 되고, 6을 7에 더하면 13이 된다.〉

若用奇數減相對之奇數, 得相連之耦數.

홀수를 가지고 서로 마주하는 홀수에서 빼면, 서로 이어지는 짝수를 얻는다.

〈九減十一爲二, 三減七爲四, 一減九爲八, 七減十三爲六.〉

〈9를 11에서 빼면 2가 되고, 3을 7에서 빼면 4가 되며, 1을 9에서 빼면 8이 되고, 7을 13에서 빼면 6이 된다.〉

[계몽부론 8]

「낙서」의 곱하기와 나누기의 16가지 법도 [「洛書」乘除十六法]

一, 用三左旋乘奇數, 得相連之奇數.

하나, 3을 가지고 왼쪽으로 돌리면서 홀수에 곱하면 서로 이어지는 홀수를 얻는다.

〈三三如九, 三九二十七, 三七二十一, 三一如三.〉

〈3을 3에 곱하면 9이고, 3을 9에 곱하면 27이며, 3을 7에 곱하면 21이고, 3을 1에 곱하면 3이다.〉

一, 用八左旋乘耦數, 得相連之耦數.

하나, 8을 가지고 왼쪽으로 돌리면서 짝수에 곱하면 서로 이어지는 짝수를 얻는다.

〈八八六十四, 八四三十二, 八二一十六, 八六四十八.〉

〈8을 8에 곱하면 64이고, 8을 4에 곱하면 32이며, 8을 2에 곱하면 16이고, 8을 6에 곱하면 48이다.〉

一, 用三左旋乘耦數, 得相連之耦數.

하나, 3을 가지고 왼쪽으로 돌리면서 짝수에 곱하면 서로 이어지는 짝수를 얻는다.

〈三四一十二, 三二如六, 三六一十八, 三八二十四.〉

〈3을 4에 곱하면 12이고, 3을 2에 곱하면 6이며, 3을 6에 곱하면 18이고, 3을 8에 곱하면 24이다.〉

一, 用八左旋乘奇數, 得相連之耦數.

하나, 8을 가지고 왼쪽으로 돌리면서 홀수에 곱하면 서로 이어지는 짝수를 얻는다.

〈八三二十四, 八九七十二, 八七五十六, 八一如八.〉

〈8을 3에 곱하면 24이고, 8을 9에 곱하면 72이며, 8을 7에 곱하면 56이고, 8을 1에 곱하면 8이다.〉

一, 用二右旋乘耦數, 得相連之耦數.

하나, 2를 가지고 오른쪽으로 돌리면서 짝수에 곱하면 서로 이어지는 짝수를 얻는다.

〈二二如四, 二四如八, 二八一十六, 二六一十二.〉

〈2를 2에 곱하면 4이고, 2를 4에 곱하면 8이며, 2를 8에 곱하면 16이고, 2를 6에 곱하면 12이다.〉

一, 用七右旋乘奇數, 得相連之奇數.

하나, 7을 가지고 오른쪽으로 돌리면서 홀수에 곱하면 서로 이어지는 홀수를 얻는다.

〈七七四十九, 七九六十三, 七三二十一, 七一如七.〉

〈7을 7에 곱하면 49이고, 7을 9에 곱하면 63이며, 7을 3에 곱하면 21이고, 7을 1에 곱하면 7이다.〉

一, 用二右旋乘奇數, 得隔二位之耦數.

하나, 2를 가지고 오른쪽으로 돌리면서 홀수에 곱하면 2개 자리를 간격을 띠우는 짝수를 얻는다.

〈二九一十八, 二三如六, 二一如二, 二七一十四.〉

〈2를 9에 곱하면 18이고, 2를 3에 곱하면 6이며, 2를 1에 곱하면 2이고, 2를 7에 곱하면 14이다.〉

一, 用七右旋乘耦數, 得相連之耦數.

하나, 7을 가지고 오른쪽으로 돌리면서 짝수에 곱하면 서로 이어지는 짝수를 얻는다.

〈七二一十四, 七四二十八, 七八五十六, 七六四十二.〉

〈7을 2에 곱하면 14이고, 7을 4에 곱하면 28이며, 7을 8에 곱하면 56이고, 7을 6에 곱하면 42이다.〉

一, 用一乘奇數, 得本位之奇數.

하나, 1을 가지고 홀수에 곱하면 본래 자리의 홀수를 얻는다.

〈一一如一, 一三如三, 一九如九, 一七如七.〉

〈1을 1에 곱하면 1이고, 1을 3에 곱하면 3이며, 1을 9에 곱하면 9이고, 1을 7에 곱하면 7이다.〉

一, 用六乘耦數, 得本位之耦數.

하나, 6을 가지고 짝수에 곱하면 본래 자리의 짝수를 얻는다.

〈六六三十六, 六八四十八, 六四二十四, 六二一十二.〉

〈6을 6에 곱하면 36이고, 6을 8에 곱하면 48이며, 6을 4에 곱하면 24이고, 6을 2에 곱하면 12이다.〉

一, 用一乘耦數, 得本位之耦數.

하나, 1을 가지고 짝수에 곱하면 본래 자리의 짝수를 얻는다.

〈一二如二, 一四如四, 一八如八, 一六如六.〉

〈1을 2에 곱하면 2이고, 1을 4에 곱하면 4이며, 1을 8에 곱하면 8이고, 1을 6에 곱하면 6이다.〉

一, 用六乘奇數, 得相連之耦數.

하나, 6을 가지고 홀수에 곱하면 서로 이어지는 짝수를 얻는다.

〈六七四十二, 六九五十四, 六三一十八, 六一如六.〉

〈6을 7에 곱하면 42이고, 6을 9에 곱하면 54이며, 6을 3에 곱하면 18이고,

6을 1에 곱하면 6이다.〉

一, 用四乘耦數, 得相對之耦數.

하나, 4를 가지고 짝수에 곱하면 서로 마주하는 짝수를 얻는다.

〈四四一十六, 四六二十四, 四二如八, 四八三十二.〉

〈4를 4에 곱하면 16이고, 4를 6에 곱하면 24이며, 4를 2에 곱하면 8이고, 4를 8에 곱하면 32이다.〉

一, 用九乘奇數, 得相對之奇數.

하나, 9를 가지고 홀수에 곱하면 서로 마주하는 홀수를 얻는다.

〈九九八十一, 九一如九, 九三二十七, 九七六十三.〉

〈9를 9에 곱하면 81이고, 9를 1에 곱하면 9이며, 9를 3에 곱하면 27이고, 9를 7에 곱하면 63이다.〉

一, 用四乘奇數, 得隔二位之耦數.

하나, 4를 가지고 홀수에 곱하면 2개 자리의 간격을 띄우는 짝수를 얻는다.

〈四九三十六, 四七二十八, 四一如四, 四三十二.〉

〈4를 9에 곱하면 36이고, 4를 7에 곱하면 28이며, 4를 1에 곱하면 4이고, 4를 3에 곱하면 12이다.〉

一, 用九乘耦數, 得相對之耦數.

하나, 9를 가지고 짝수에 곱하면 서로 마주하는 짝수를 얻는다.

〈九二一十八, 九八七十二, 九四三十六, 九六五十四.〉

〈9를 2에 곱하면 18이고, 9를 8에 곱하면 72이며, 9를 4에 곱하면 36이고, 9를 6에 곱하면 54이다.〉

凡除法, 除其所得之數, 得其所乘之數.

대체로 나누는 법도는 그 얻은 수를 빼면 그 곱한 수를 얻는다.

「洛書」乘除十六法, 可約爲八法, 何則? 五者「河洛」之中數, 自此以上, 由五以生. 五加一爲六, 六減五爲一, 是六與一同根也; 五加二爲七, 七減五爲二, 是七與二同根也; 三·八·四·九, 其理如之.

「낙서」의 곱하기와 나누기의 16가지 법도는 간략히 8개의 법도가 될 수 있는데, 무엇 때문인가? 5는 「낙서」의 가운데 수이고 5에서 그 위로는 5로부터 생겨난다. 5에 1을 더하면 6이 되고, 6에서 5를 빼면 1이 되니, 6과 1은 뿌리를 같이 하며, 5에 2을 더하면 7이 되고, 7에서 5를 빼면 2가 되니, 7과 2는 뿌리를 같이 하며, 3·8·4·9도 이치는 그와 같다.

今用三與八左旋乘奇·耦, 而皆得相連之奇·耦, 可以知八卽三矣; 用二與七右旋乘奇·耦, 而皆得相連之奇·耦, 可以知七卽二矣. 內惟二乘奇數, 得隔二位之耦數者, 其所得卽相連奇位同根之數, 猶之乎相連也.〈如二九一十八, 八與三同根, 得八, 猶之得相連之三也. 餘放此.〉

이제 3과 8을 가지고 왼쪽으로 돌리면서 홀수와 짝수를 곱하면 모두 서로 이어지는 홀수와 짝수를 얻으니 8은 곧 3임을 알 수 있고, 2와 7을 가지고 오른쪽으로 돌리면서 홀수와 짝수를 곱하면 모두 서로 이어지는 홀수와 짝수를 얻으니 7은 곧 2임을 알 수 있다. 안에서 오직 2를 가지고 홀수에 곱하여 2개 자리의 간격을 띄우는 짝수를 얻는 것은, 그 얻은 것이 곧 서로 이어지는 홀수 자리의 뿌리를 같이하는 수이니, 마치 서로 이어지는 것과 같다.〈예컨대 2를 9에 곱하면 18인데, 8과 3은 뿌리를 같이하니 8을 얻으면 마치 서로 이어지는 3을 얻는 것과 같다. 나머지도 이와 마찬가지이다.〉

用一與六乘, 而皆得本位之奇·耦, 可以知六卽一矣. 內惟六乘奇數, 得相連之耦數者, 其所得卽本位同根之數, 猶之乎本位也.〈如六七四十二, 七與二同根, 得二, 猶之得本位之七也. 餘放此.〉

1을 가지고 6과 곱하면 모두 본래 자리의 홀수와 짝수를 얻으니, 6이 곧 1임을 알 수 있다. 안에서 오직 6을 가지고 홀수에 곱하여 서로 이어지는 짝수를 얻는 것은, 그 얻은 것이 본래 자리의 뿌리를 같이하는 수이니, 마치 본래 자리인 것과 같다.〈예컨대 6을 7에 곱하면 42인데, 7과 2는 뿌리를 같이하니 2를 얻으면 본래 자리의 7을 얻는 것과 같다. 나머지도 이와 마찬가지이다.〉

用四與九乘, 而皆得對位之奇·耦, 可以知九卽四矣. 內唯四乘奇數, 得隔二位之耦數者, 其所得卽對位同根之數, 猶之乎對位也.〈如四九三十六, 六與一同根, 得六, 猶之得對位之一也. 餘放此.〉

4를 가지고 9와 곱하면 모두 마주하는 자리의 홀수와 짝수를 얻으니, 9가 곧 4임을 알 수 있다. 안에서 오직 4를 가지고 홀수에 곱하여 2개 자리의 간격을 띄우는 짝수를 얻는 것은, 그 얻은 것이 곧 마주하는 자리의 뿌리를 같이하는 수이니, 마치 마주하는 자리인 것과 같다.〈예컨대 4를 9에 곱하면 36인데, 6과 1은 뿌리를 같이하니 6을 얻으면 본래 자리의 1을 얻는 것과 같다. 나머지도 이와 마찬가지이다.〉

其但得同根之數者何? 凡奇乘耦, 耦乘耦, 所得皆耦數而同.〈如三四一十二, 八四亦三十二.〉 奇乘奇, 其得數爲奇, 若耦乘奇, 不能得奇數而同, 故但得其同根之耦數也.〈如三三爲九, 八三二十四, 九與四同根, 得四, 猶之得九也.〉 所以一六·二七·三八·四九, 在「河圖」則四方之相配, 在「洛書」則正隅之相連, 以其數之生於中五而同根也.

다만 뿌리를 같이하는 수만을 얻는 것은 무엇 때문인가? 대체로 홀수를 짝수에 곱하고 짝수를 짝수에 곱하면 얻은 것이 모두 짝수로 같다.〈예컨대 3을 4에 곱하면 12이고, 8을 4에 곱해도 또한 32이다.〉 홀수를 홀수에 곱하면 얻은 수가 홀수가 되는데, 만약 짝수를 홀수에 곱하면 홀수를 얻어 같을 수 없기 때문에 단지 그 뿌리를 같이하는 짝수를 얻을 뿐이다.〈예컨대 3을 3에 곱하면 9이고, 8을 3에 곱하면 24인데, 9는 4와 뿌리를 같이 하니 4를 얻으면 9를 얻는 것과 같다.〉 그러므로 1·6과 2·7과 3·8과 4·9는 「하도」에서는 4개의 방위로 서로 짝이 되고 「낙서」에서는 모퉁이로 서로 이어져, 그 수는 가운데 5에서 생겨나 뿌리를 같이 한다.

數有合數, 有對數. 合數生於五, 對數成於十. 一六·二七·三八·四九, 此合數也, 皆相減而爲五者也. 一九·二八·三七·四六, 此對數也, 皆相並而爲十者也. 在「河圖」, 則合數同方, 而對數相連. 在「洛書」, 則合數相連, 而對數相對. 相合之相從者, 六從一也, 七從二也, 八從三也, 九從四也.〈如前乘除十六法.〉 **相對之相從者, 九從一也, 八從二也, 七從三也, 六從四也.**〈如後積方五法.〉 **凡以合數共乘一數, 所得之數必同.**〈乘耦既同數, 乘奇則同根.〉 **若各自乘焉, 則又必合矣.**〈如三三得九, 八八六十四.〉 **以對數共乘一數, 所得之數必對.**〈如三三得九, 七三二十一.〉 **若各自乘焉, 則又必同矣.**〈如一一得一, 九九亦八十一, 二二得四, 八八亦六十四.〉

수에는 합하는 수가 있고 마주하는 수가 있다. 합쳐지는 수는 5에서 생겨나고 마주하는 수는 10에서 이루어진다. 1·6, 2·7, 3·8, 4·9는 합쳐지는 수이니, 모두 서로 빼서 5가 되는 것이다. 1·9, 2·8, 3·7, 4·6은 마주하는 수이니, 모두 서로 아울러서 10이 되는 수이다. 「하도」에서는 합쳐지는 수가 같은 방위에 있고 마주하는 수가 서로 이어진다. 「낙서」에서는 합쳐지는 수가 서로 이어져 있고 마주하는 수가 서로 마주하고 있다. 서로 합쳐지는 것이 서로 좇는 것은 6이 1을 좇고, 7이 2를 좇으며, 8이 3을 좇고, 9가 4를 좇는다.〈앞의 곱하기와 나누기 16가지 법도와 같다.〉 서로 마주하는 것이 서로 좇는 것은 9가 1을 좇고, 8이 2를 좇으며, 7이 3을 좇고, 6이 4를 좇는다.〈뒤의 누적과 제곱의 5가지 법도와 같다.〉 무릇 합쳐지는 수로 함께 어떤 수를 곱하면 얻은 수는 반드시 같다.〈짝수를 곱하면 이미 같은 수이고, 홀수를 곱하면 뿌리가 같다.〉 각각 제곱하면 또 반드시 합쳐진다.〈예컨대 3을 3에 곱하면 9를 얻고 8을 8에 곱하면 64를 얻는 것과 같다.〉 마주하는 수로써 함께 어떤 수를 곱하면 얻은 수는 반드시 마주한다.〈예컨대 3을 3에 곱하면 9를 얻고 7을 3에 곱하면 21을 얻는 것과 같다.〉 각각 제곱하면 또 반드시 같다.〈예컨대 1을 1에 곱하면 1을 얻고 9를 9에 곱하면 81을 얻으며, 2를 2에 곱하면 4를 얻고 8을 8에 곱하면 또한 64를 얻는 것과 같다.〉

是以自乘之數, 相合之相從者, 此得自數, 則彼亦得自數也;〈如一得一, 六得六.〉 此得對數, 則彼亦得對數也;〈如四得六, 九得一.〉 此得連數, 則彼亦得連數也;〈如三得九, 八亦得四; 二得四, 七亦得九.〉 相對之相從者, 此得自數, 則彼得對數也.〈如一得一, 九亦得一, 六得六, 四亦得六.〉 此得連數, 則彼亦得連數也.〈如三得九, 七亦得九, 二得四, 八亦得四.〉 要皆會於一六·四九而齊焉. 故開平方之自乘數, 止於一六·四九. 而「洛書」之位, 一六·四九, 居上下以爲經, 二七·三八, 居左右以爲緯者, 此也.

이 때문에 제곱한 수에서 서로 합쳐지고 서로 좇는 것은, 이것이 자신의 수를 얻으면 저것도 또한 스스로의 수를 얻고,〈예컨대 1은 1을 얻고 6은 6을 얻는다.〉 이것이 이어지는 수를 얻으면 저것도 또한 이어지는 수를 얻으며, 〈예컨대 3이 9를 얻으니 8도 또한 4를 얻고, 2가 4를 얻으니 7도 역시 9를 얻는다.〉 서로 마주하고 서로 좇는 것은, 이것이 스스로의 수를 얻으면 저것은 마주하는 수를 얻고,〈예컨대 1은 1을 얻고 9도 또한 1을 얻으며, 6은 6을 또한 4도 또한 6을 얻는다.〉 이것이 이어지는 수를 얻으면 저것도 또한 이어지는 수를 얻는다.〈예컨대 3이 9를 얻으니 7도 또한 9를 얻고, 2가 4를 얻으니 8도 또한 4를 얻는다.〉 요컨대 모두 1·6, 4·9에 모여 가지런해진다. 그러므로 평방근(平方根)을 제곱한 수는 1·6, 4·9에서 그친다. 그리고 「낙서」의 자리가 1·6, 4·9는 아래위로 자리 잡아 날줄이 되고 2·7 3·8은 좌우로 자리 잡아 씨줄이 되는 것이 이것이다.

[계몽부론 9]

「낙서」의 마주하는 자리가 10을 이루고, 서로 곱하여 100을 이루는 도표 [「洛書」對位成十互乘成百圖]

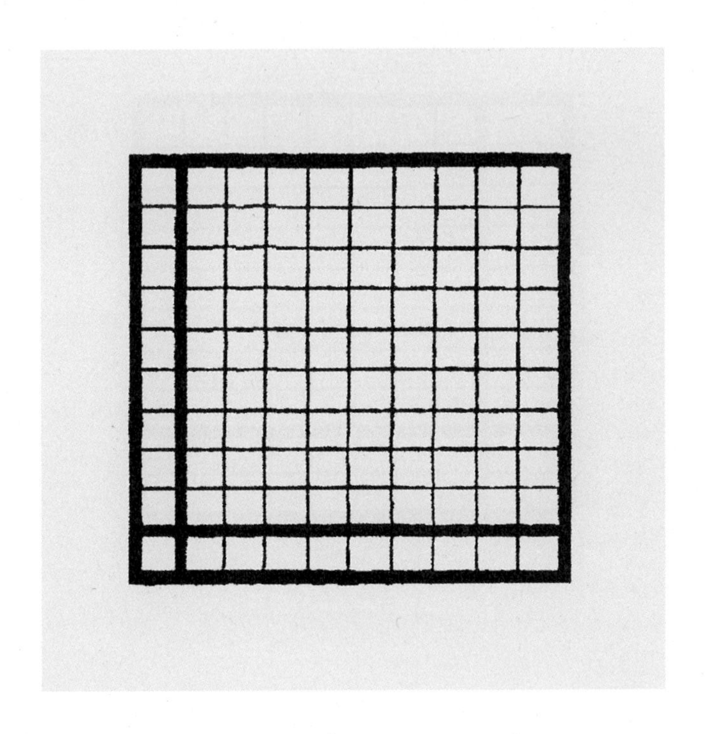

一與九對成十.〈十自乘其積一百.〉 **九自乘八十一; 一自乘一; 一乘九·九乘一, 俱爲九, 共十八; 合之一百.**〈與十自乘積同.〉

1이 9와 짝하여 10을 이룬다.〈10을 제곱하면 그 누적이 100이다.〉 9를 제곱한 81, 1을 제곱한 1, 1을 9에 곱한 것과 9를 1에 곱한 것이 다 9가 되어 모두 18, 이를 합계하면 100이다.〈10을 제곱한 누적과 같다.〉

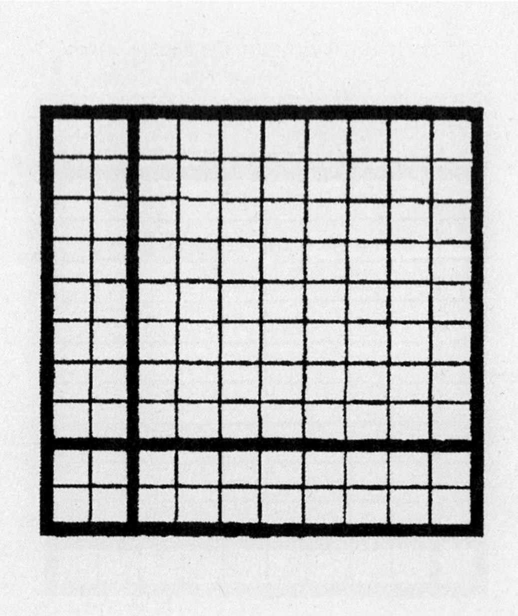

二與八對成十. 八自乘六十四; 二自乘四; 二乘八·八乘二, 俱十六, 共三十二; 合之一百.

2가 8과 짝하여 10을 이룬다. 8을 제곱한 64, 2를 제곱한 4, 2를 8에 곱한 것과 8를 2에 곱한 것이 다 16이 되어 모두 32, 이를 합계하면 100이다.

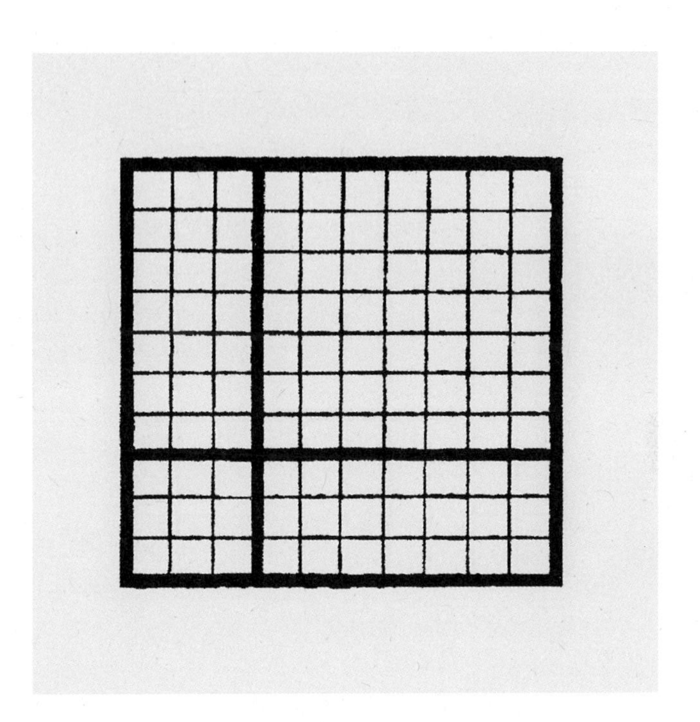

三與七對成十. 七自乘四十九; 三自乘九; 三乘七·七乘三, 俱二十一, 共四十二; 合之一百.

3이 7과 짝하여 10을 이룬다. 7을 제곱한 49, 3을 제곱한 9, 3을 7에 곱한 것과 7을 3에 곱한 것이 다 21이 되어 모두 42, 이를 합계하면 100이다.

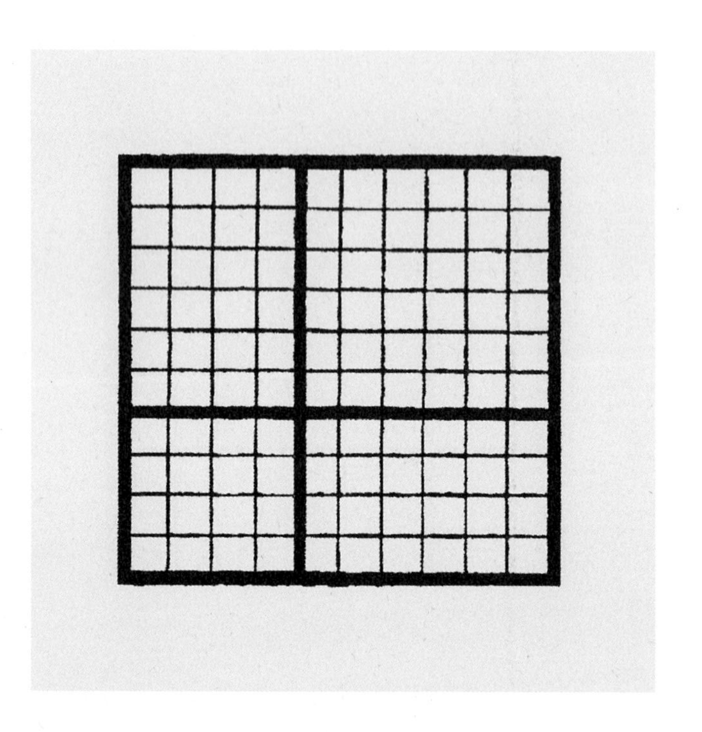

四與六對成十. 六自乘三十六; 四自乘十六; 四乘六·六乘四, 俱二十四, 共四十八; 合之一百.

4가 6과 짝하여 10을 이룬다. 6을 제곱한 36, 4를 제곱한 16, 4를 6에 곱한 것과 6을 4에 곱한 것이 다 16이 되어 모두 32, 이를 합계하면 100이다.

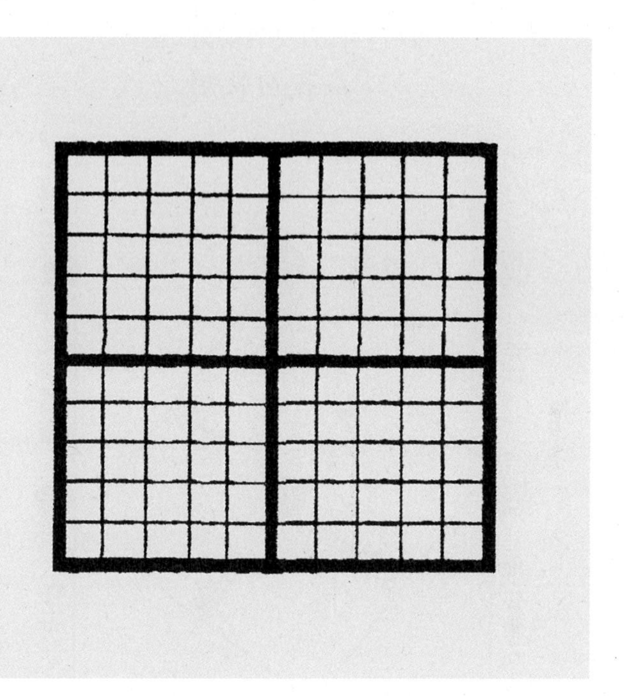

中五含五成十. 五自乘二十五; 又五自乘二十五; 又五互乘各二十五, 共五十. 合之一百.

중앙의 5가 5를 머금어 10을 이룬다. 5를 제곱한 25, 또 5를 제곱한 25, 또 5를 서로 곱한 것 각각 25 모두 50, 이를 합계하면 100이다.

[계몽부론 10]

「낙서」의 직각삼각형 법도

[「洛書」句股法]

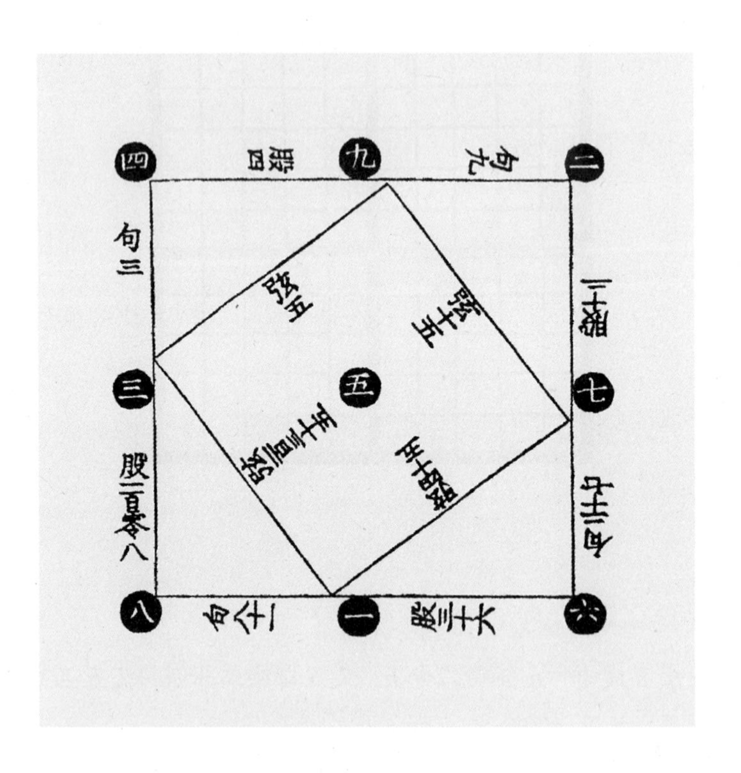

句三, 股四, 弦五.

구(句 : 직각삼각형에서 짧은 직각변)가 3이고 고(股 : 직각삼각형에서 긴 직각변)가 4이면 현(弦 : 직각삼각형의 빗변)은 5이다.

句九, 股十二, 弦十五.

구가 9이고 고가 12이면 현은 15이다.

句二十七, 股三十六, 弦四十五.

구가 27이고 고가 36이면 현은 45이다.

句八十一, 股一百零八, 弦一百三十五.

구가 81이고 고가 108이면 현은 135이다.

此「洛書」四隅合中方, 而寓四句股之法者. 推之至於無窮法皆視此.

이는 「낙서」의 4개 모퉁이가 중앙의 평방과 합치하고, 4개의 직각 삼각형의 법칙이 내포되어 있는 것이다. 그것을 미루어 끝이 없는 데까지 이르러도 법도는 모두 마찬가지이다.

[계몽부론 11]

「하도」·「낙서」의 나누어지지 않고 변하지 않은 네모 도표
[「河·洛」未分未變方圖]

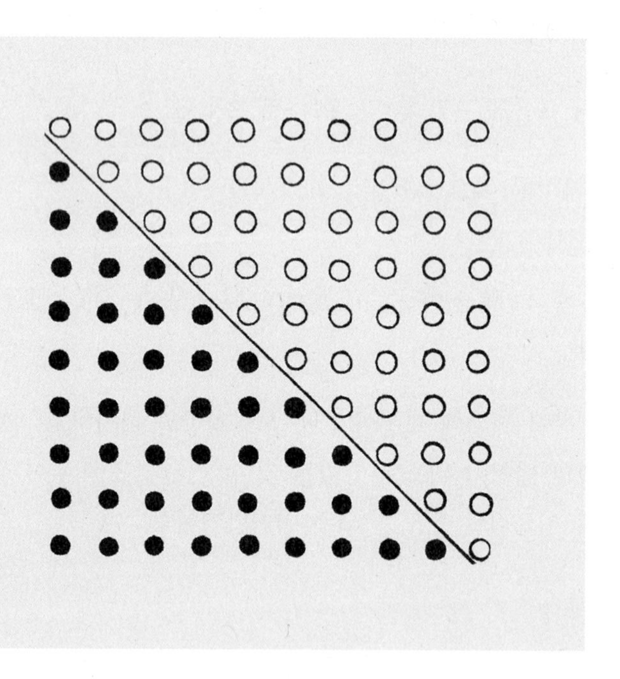

「河圖」之數, 五十有五, 「洛書」之數, 四十有五, 合爲一百, 此天地之全數也. 以一百之全數, 爲斜界而中分之, 則自一至十者, 積數五十有五, 自一至九者, 積數四十有五. 二者相交, 而成「河」·「洛」數之兩三角形矣. 凡積數自少而多, 必以三角, 而破百數之全方. 以爲三角, 其形不離乎此二者. 下諸圖之根, 實出於此.

「하도」의 수 55와 「낙서」의 수 45는 합하여 100이 되니, 이것이 하늘과 땅의 전체 수이다. 100의 전체 수를 비스듬히 선으로 그어 가운데를 나누면, 1에서 10에 이르기까지 누적한 수는 55이고, 1에서 9에 이르기까지 누적한 수는 45이다. 이 둘이 서로 교류하여 「하도」와 「낙서」의 수가 두 개의 삼각형을 이룬다. 누적하는 수는 적은 것에서 많은 것에 이르고, 반드시 삼각형으로 100이라는 수의 전체 방위를 갈라지게 한다. 그것을 삼각형으로 한 것은 그 형체가 이 둘에서 떨어지지 않아서이다. 아래 여러 도형의 근원은 실로 이를 벗어나지 않는다.

[계몽부론 12]

「하도」·「낙서」의 나누어지지 않고 변하지 않은 삼각형 도표 [「河·洛」未分未變三角圖]

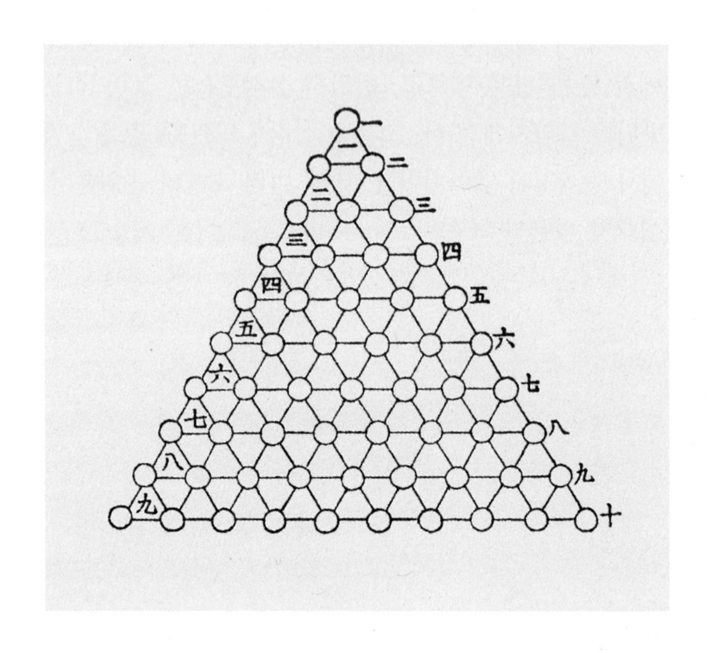

「河圖」之數, 自一至十; 「洛書」之數, 自一至九. 象之已分者也. 「圖」則生數居內, 成數居外; 「書」則奇數居正, 耦數居偏, 位之已變者也. 如前圖破全方之百數, 以爲「河」·「洛」二數; 又就點數十位, 中涵冪形之九層, 以爲「河」·「洛」合一之數. 則雖其象未分, 其位未變, 而陰陽相包之理, 三極互根之道, 已粲然默寓於其中矣. 故爲分析以明之, 如後論.

「하도」의 수는 1에서 10에까지 이르고, 「낙서」의 수는 1에서 9에까지 이른다. 그 상(象)이 이미 나누어진 것이다. 「하도」는 생수(生數)가 안에 자리 잡고 성수(成數)가 밖에 자리 잡으며, 「낙서」는 홀수가 정방위에 자리 잡고 짝수가 치우친 방위에 자리 잡으니, 자리가 이미 변한 것이다. 예컨대 앞의 도형에서 전체 방위 100의 수를 갈라지게 한 것은 그것으로 「하도」와 「낙서」의 두 개 수로 삼고, 또 점의 수 10개 자리와 중앙을 포함한 면적 형태의 9층에서 그것으로 「하도」와 「낙서」가 하나로 합쳐지는 수로 삼는다. 그렇다면 비록 그 상(象)은 나누어지지 않았고 그 자리는 변하지 않았지만, 음과 양이 서로 포함하는 이치와 천·지·인 삼극(三極)이 서로 뿌리가 되는 도리가 이미 그 가운데 묵묵히 깃들어 있음이 찬연하다. 그러므로 그것을 분석하여 밝혔으니, 아래의 논의와 같다.

[계몽부론 13]

점의 수로 「하도」에 상응하는 10개의 자리
[點數應「河圖」十位]

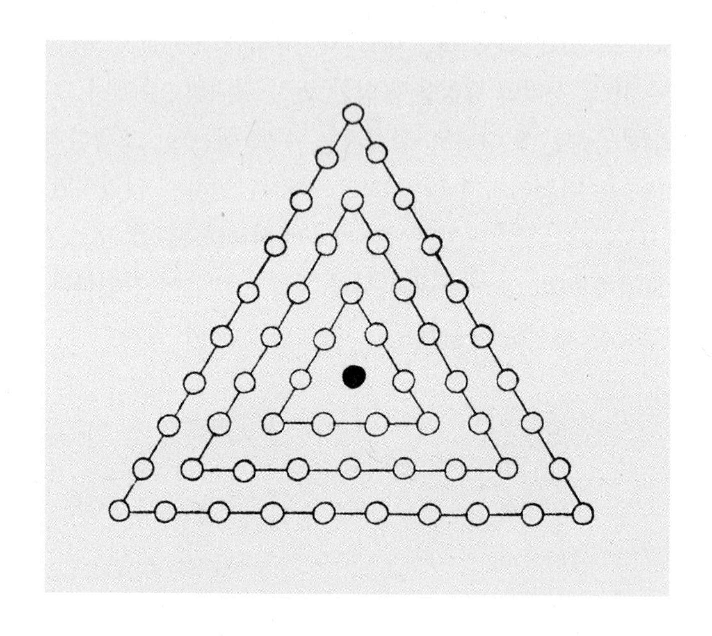

周圍三角, 分三重, 中一重九, 次內一重二九一十八, 外一重三九二十七. 除中心, 凡五十四.

주위의 삼각형이 세 겹으로 나누어져 있는데, 속의 한 겹은 9이고, 그 다음 안의 한 겹은 2×9=18이며, 밖의 한 겹은 3×9=27이다. 중심의 하나를 제외하면 모두 54이다.

若自上而下作三層, 亦如之.

위에서 아래로 세 층을 만들어도 또한 이와 같다.

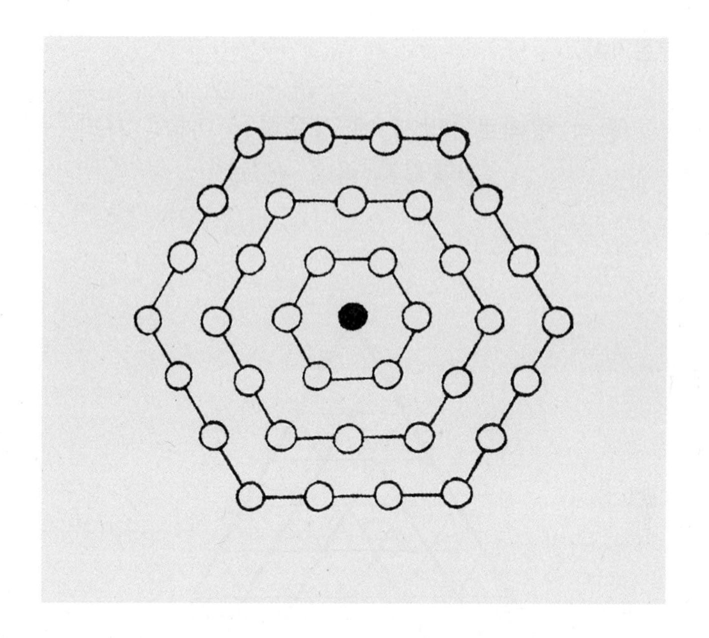

中含六角, 亦分三重, 中一重六, 次內一重二六一十二, 外一重三六一一十八. 除中心, 凡三十六.

가운데에 6각을 띤 것이 또 세 겹으로 나누어져 있는데, 속의 한 겹은 6이고, 그 다음 안의 한 겹은 2×6=12이며, 밖의 한 겹은 3×6=18이다. 중심의 하나를 제외하면 모두 36이다.

若自上而下作三層, 亦如之.

위에서 아래로 세 층을 만들어도 또한 이와 같다.

[계몽부론 14]

면적 형태로 「낙서」에 상응하는 9개의 자리
[冪形應「洛書」九位]

周圍三角分三重, 中一重九, 次內一重三九二十七, 外一重五九四十五, 凡八十一.

주위의 삼각형이 세 겹으로 나누어져 있는데, 속의 한 겹은 9이고, 그 다음 안의 한 겹은 3×9=27이며, 밖의 한 겹은 5×9=45이니, 모두 81이다.

若自上而下作三層, 亦如之.

위에서 아래로 세 층을 만들어도 또한 이와 같다.

中含六角, 亦分三重, 中一重六, 次內一重三六一十八, 外一重五六三十, 凡五十四.

가운데 6각을 띤 것이 또 세 겹으로 나누어져 있는데, 속의 한 겹은 6이고, 그 다음 안의 한 겹은 3×6=18이며, 밖의 한 겹은 5×6=30이니, 모두 54이다.

若自上而下作三層, 亦如之.

위에서 아래로 세 층을 만들어도 또한 이와 같다.

以上諸圖, 本同一根. 雖積數若異, 而其爲九·六之變則一也. 九·六可分爲內·外·中之三重, 亦可分爲上·下·中之三層.

就每重每層論之, 則九爲天而包地, 六爲地而涵於天, 心爲人而主乎天地. 統三重而論之, 則外爲天, 內爲地, 而中爲人也. 統三層而論之, 則上爲天, 下爲地, 而中爲人也.

위의 여러 도형은 동일한 뿌리에 근거하고 있다. 비록 누적한 수가 다르지만 9·6의 변화가 되는 것은 마찬가지이다. 9·6은 안·밖·가운데 세 겹으로 나눌 수 있고, 또한 상·중·하 세 층으로 나눌 수 있다. 매 겹과 매 층에서 논하면, 9는 하늘이 되고 땅을 포함하며 6은 땅이 되고 하늘에 포용된다. 마음은 사람이 되고 하늘과 땅에서 주인이 된다. 세 겹을 통괄하여 논하면, 밖은 하늘이고 안은 땅이며 가운데가 사람이 된다. 세 층을 통괄하여 논하면, 위는 하늘이 되고 아래는 땅이 되며, 중간은 사람이 된다.

又合而論之, 則九·六者, 在天爲陰·陽, 在地爲剛·柔, 在人爲陰陽剛柔之會, 而其心則天地人之極也. 以上下分者, 其心有三, 所謂三極之道, 三才各具一太極也; 以內外分者, 其心惟一, 所謂人者天地之心, 三才統體一太極也.

또 합하여 논하면, 9·6은 하늘에서는 음·양이 되고, 땅에서는 강·유가 되며, 사람에서는 음양과 강유의 모임이 되고 그 마음은 하늘과 땅과 사람의 극진한 것이다. 아래 위로 나눈 것은, 그 마음이 셋이 있으니 이른바 삼극(三極 : 三才)의 도이고 삼재가 각각 하나의 태극을 갖춘 것이다. 안팎으로 나눈 것은, 그 마음이 오직 하나이니 이른바 사람이 천지의 마음이고 삼재의 통괄하는 본체가 하나의 태극이라는 뜻이다.

此圖之中，渾具理·象·數之妙者如此．故分而爲「圖」，則應乎陰陽·剛柔之義，根於極而迭運不窮．聖人則之，‘易有太極，是生兩儀，’陽九陰六，命爻衍策者此也．分而爲「書」，則應乎三才之義，主於人而成位其中．聖人則之，皇極旣建，彝倫攸敍，參天貳地，垂範作疇者此也．

이 도형들에서 이치와 상(象)과 수(數)의 오묘함을 혼연히 갖춘 것이 이와 같다. 그러므로 나누어서 「하도」가 되면 음양과 강유의 의미에 호응하고, 극진한 것에 뿌리를 두어 번갈아 가며 운행하는 것이 끝이 없다. 성인이 그것을 본받아 역(易)에 태극(太極)이 있고 이것이 양의(兩儀)를 낳음에,[1] 양이 9이고 음이 6이라고 하여 효를 명명하고 시초수를 연역한 것이 이것이다. 나누어서 「낙서」가 되면 삼재의 의미에 호응하여 사람을 위주로 하여 그 가운데 자리를 이루었다. 성인이 그것을 본받아 황극이 이미 세워져 불변하는 인륜이 펼쳐짐에, 하늘의 수는 3배하고 땅의 수는 2배하여 「홍범」을 물려주고 구주(九疇)를 만든 것이 이것이다.

或曰："「河圖」·「洛書」，出於兩時，分爲兩象，今以一圖括之，可乎?" 曰："十中涵九，故數終於十，而位止於九．此天地自然之紀，而「圖」·「書」所以相經緯而未嘗相離也．非有十者以爲之經，則九之體無以立；非有九者以爲之緯，則十之用無以行．不知「圖」·「書」之本爲一者，則亦不知其所以二矣."

1) 역(易)에 태극(太極)이 있고 이것이 양의(兩儀)를 낳음에 : 본문 [계사상 11-5].

어떤 사람이 물었다. "「하도」와 「낙서」는 다른 시기에 출현하여 두 개의 상(象)으로 나뉘는데 이제 하나의 도형으로 그것을 포괄하는 것이 괜찮습니까?"
대답했다. "10 가운데 9를 함유하기 때문에 수는 10에서 끝나고 자리는 9에서 그친다. 이는 하늘과 땅의 저절로 그러한 기강이고 「하도」와 「낙서」는 그것으로 서로 날줄과 씨줄이 되어 서로 떨어진 적이 없다. 10이 있어 날줄이 되지 않으면 9의 본체가 정립될 수 없고, 9가 있어 씨줄이 되지 않으면 10의 작용이 행해질 수 없다. 「하도」와 「낙서」가 본래 하나인 것을 알지 못하면 또한 그것이 둘이 되는 근거도 알지 못한다."

或曰 : "「河圖」·「洛書」, 有定位矣, 今以爲有未變者何與?" 曰 : "「易大傳」之言「河圖」也. 曰, '天一地二, 天三地四, 天五地六, 天七地八, 天九地十', 順而數之, 此其未變者也. 又曰, '天數五, 地數五, 五位相得而各有合', 分而置之, 此其定位者也. 如『易』卦一每生二, 以至六十有四, 則其未變者也; 乾南·坤北·離東·坎西, 則其定位者也. 不知未變之根, 則亦不足以識定位之妙矣."

어떤 사람이 물었다. "「하도」와 「낙서」에 정해진 자리가 있는데 이제 변하지 않는 것이 있다는 말은 무엇 때문인가?"
대답했다. "「역대전(易大傳 : 계사전)」에서 말하는 「하도」이다. (본문 [계사상 9-1]에서) '천(天)의 수(數)는 1이고 지(地)의 수는 2이며, 천(天)의 수는 3이고 지(地)의 수는 4이며, 천(天)의 수는 5이고 지(地)의 수는 6이며, 천(天)의 수는 7이고 지(地)의 수는 8이며, 천(天)의 수는 9이고 지(地)의 수는 10이다'라고 말한 것은 순차적으로 그것을 세어낸 것이니, 그 변하지 않는 것이다. 또 (본문 [계사상 9-2]에서) '천(天)의 수(數)가 다섯 개이고 지(地)의 수(數)가 다섯 개인데, 다섯 개의 자리에서 서로 얻고 각각 결합함이 있다'라고 말한 것은 나누어서 그것을 설치한 것이니, 이것이 그 정해진 자리이다. 예컨대 『역』의 괘 1개가 매번 2개를 낳아 64개에 이르는 것은 그 변하지 않는 것이고, 건(乾)괘가 남쪽이고 곤(坤)괘가 북쪽이며 리(離)괘가 동쪽이고 감(坎)괘가 서쪽인 것은 그 정해진 자리이다. 변하지 않는 뿌리를 알지 못하면 또한 정해진 자리의 오묘함도 알기에 충분하지 않다."

[계몽부론 15]

면적 형태가 계산법의 근원이 됨
[冪形爲算法之原]

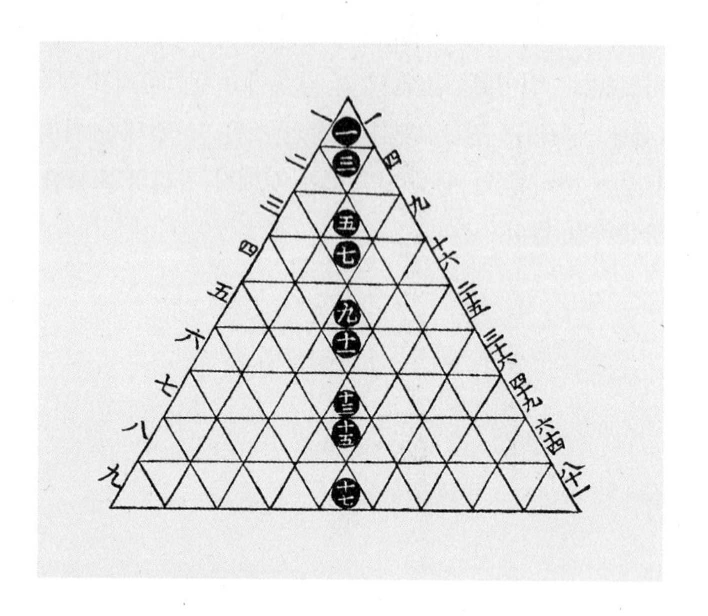

此圖左方注者, 本數也, 自一至九而用數全矣. 中列注者, 加數也, 一加二爲三, 二加三爲五, 至於八加九而爲十七. 皆以本數遞加, 而每層之冪積如之. 右方注者, 乘數也, 一自乘一, 其冪積一, 二自乘四, 其冪積合一三兩層而爲四, 至於九自乘八十一, 則其冪積亦合自一至十七九層之數而爲八十一. 皆以本數自乘, 而每形之冪積如之. 得加乘之法, 則減除在其中矣,

이 도형의 왼쪽에 주석을 붙인 것은 본래의 수이니, 1에서 9에 이르러 사용하는 수가 전부 갖추었다. 가운데 나열한 주석은 더하는 수이니, 1에 2를 더하면 3이 되고, 2에 3을 더하면 5가 되며 8에 9를 더하면 17이 되는 데까지 이른다. 이는 모두 본래의 수로 번갈아 더한 것이고 매 층의 면적이 그것과 같다. 오른쪽에 주석을 붙인 것은 곱하는 수이니, 1은 제곱하여 1이고 그 면적이 1이며, 2는 제곱하여 4이고 그 면적은 1과 3인 2개 층을 합하여 4가 되며, 9가 제곱하여 81이 되는 데 이르면 그 면적도 또한 1에서 17인 것에 이르기까지 9개 층의 수를 합하여 81이 된다. 이는 모두 본래의 수를 제곱한 것이고, 매 형태의 면적이 그것과 같다. 더하기와 곱하기의 법도를 얻으면 빼기와 나누기의 법도도 그 가운데 있다.

自此而衍之至於無窮, 其數無不合焉; 推之九章之術, 其理無不貫焉. 今考「洛書」, 縱橫逆順, 無往不得加減乘除之法, 開方句股之算. 乃自其未變之先, 而諸法渾具, 至「洛書」而始盡其參伍錯綜之致云爾.

이로부터 연역하여 끝이 없는 데까지 이르러도 그 수는 합치하지 않음이 없고, 구장산술에 미루어 보아도 그 이치가 관통하지 않음이 없다. 이제 「낙서」를 고찰해보면, 가로로 세로로 역순으로 순차적으로 그 어느 경우에도 더하기·빼기·곱하기·나누기의 법도와 제곱근·직각삼각형의 계산을 얻지 않음이 없다. 이는 곧 그것이 변하기 전부터 여러 법도가 혼연히 구비되었으며, 「낙서」에 이르러 비로소 그 '이리저리 뒤섞이고 가로 세로로 엇갈리는[參伍錯綜]'[2)]

---

2) '이리저리 뒤섞이고 가로 세로로 엇갈리는[參伍錯綜]' : 본문 [계사상 10-3]에서 "삼(參)으로 세고 오(伍)로 세어 변(變)하며 그 수(數)를 교착(交錯)하고 종합(綜合)한다. 그 변(變)을 통달하여 마침내 천지의 문(文)

극치를 모두 발휘한다고 하는 것이다."

을 이루고, 그 수(數)를 지극히 하여 마침내 천하의 상(象)을 정한다. 천하의 지극히 변(變)하는 사람이 아니면 그 누가 여기에 참여할 수 있겠는가?[參伍以變, 錯綜其數. 通其變, 遂成天地之文, 極其數, 遂定天下之象. 非天下之至變, 其孰能與於此.]"라고 하였다.

[계몽부론 16]

도형이 「낙서」와 결합하여 상(象)법의 근원이 됨
[圖形合「洛書」爲象法之原]

천원도(天圓圖)

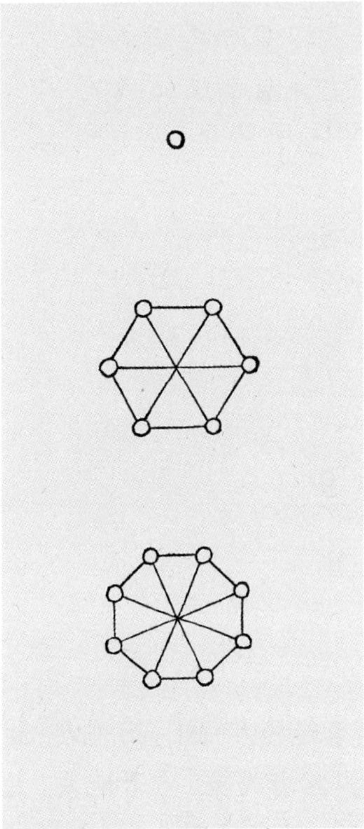

지방도(地方圖)

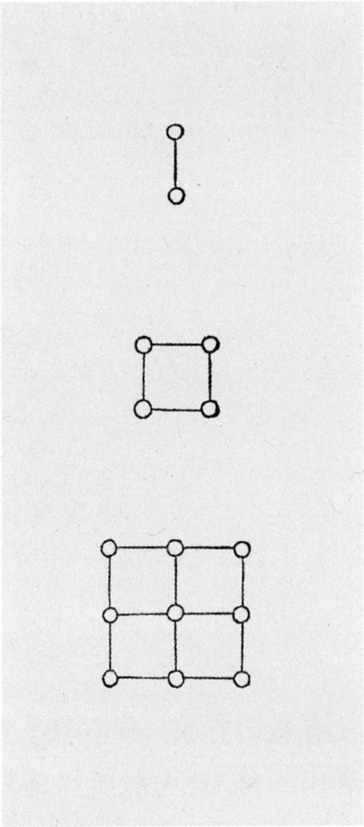

사람이 천지의 마음이 됨의 도형
[人爲天地心圖]

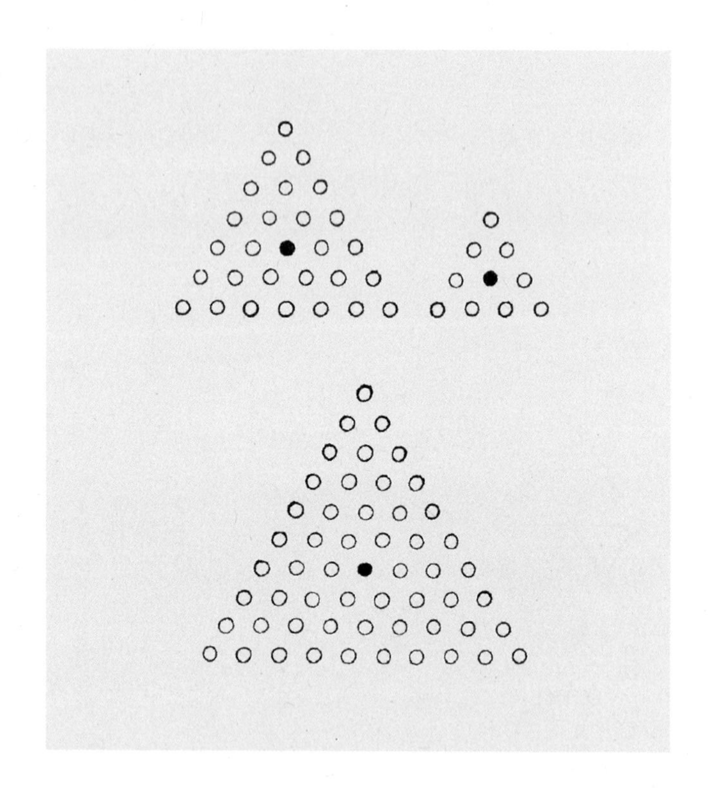

凡有數則有象, 象不離乎數也. 萬象起於方·圓, 而測方·圓者以三角, 此句股所以爲算之宗也. 圓者天象, 方者地象, 三角形者人象, 何則? 天之道如環無端, 故其象圓也. 地之道奠定有常, 故其象方也. 人受性於天, 受形於地, 猶三角之形, 其心則圓之心, 其邊則方之邊也.

대체로 수(數)가 있으면 상(象)이 있으니 상은 수를 떠나지 않는다.

온갖 상은 네모와 원에서 기원하고 네모와 원을 헤아리는 것은 삼각형으로 하니, 이것이 직각삼각형의 법도가 계산의 근본이 되는 까닭이다. 원은 하늘의 상이고 네모는 땅의 상인데, 삼각형이 사람의 상인 것은 무엇 때문인가? 하늘의 도는 둥근 고리와 같이 끝이 없기 때문에 그 상이 원이다. 땅의 도는 안정되어 항상됨이 있기 때문에 그 상이 네모이다. 사람은 하늘에서 본성[性]을 받고 땅에서 형체[形]를 받았으니, 마치 삼각형이 그 중심은 원의 중심이고, 그 변은 네모의 변인 것과 같다.

今就九數而三分之, 則一者圓之根也, 而十數之內, 唯六角·八角, 爲有法之圓形. 其自十以後, 角愈多以至於無角者視此矣, 此一·六·八所以爲圓象之數也. 二者方之根也, 而十數之內, 唯四與九, 可以積成方面. 其自十以後, 積愈多而皆可成方者視此矣, 此二·四·九所以爲方形之數也.

이제 9의 수에서 3으로 나누면, 1은 원의 뿌리이고 10의 수 안에서 오직 6각과 8각만이 법도가 있는 원형이다. 10으로부터 그 뒤는 각이 더욱 많고 각이 없는 것에 이르러도 이와 마찬가지이다. 이것이 1과 6과 8이 원형의 수가 되는 까닭이다. 2는 네모의 뿌리이고 10의 수 안에서 오직 4와 9만이 누적하여 네모의 면(面)을 이룰 수 있다. 10으로부터 그 뒤는 누적이 더욱 많고 모두 네모를 이룰 수 있는 것이 이와 마찬가지이다. 이것이 2와 4와 9가 사각형의 수가 되는 까닭이다.

以十數裁爲三角, 自一至四, 則三其心也; 自一至七, 則五其

心也; 自一至十, 則七其心也, 所謂三角求心之法者如是. 其自十以後, 數愈多而皆可以求心者視此矣, 此三·五·七所以爲三角形之數也. 「洛書」之位, 一·六·八居下, 爲天道之下濟; 二·四·九居上, 爲地道之上行; 三·五·七居中, 爲人道之中處. 其數其象, 亦於圖形乎有合矣.

10의 수로 삼각형을 마름질하면 1에서 4까지는 3이 그 중심이고, 1에서 7까지는 5가 그 중심이며, 1에서 10까지는 7이 그 중심이니, 이른바 삼각형에서 중심을 구하는 법도가 이와 같다. 10으로부터 그 뒤는 수가 더욱 많고 모두 중심을 구할 수 있는 것이 이와 마찬가지이다. 이것이 3과 5와 7이 삼각형의 수가 되는 까닭이다. 「낙서」의 자리에서 1·6·8이 아래에 자리 잡은 것은 하늘의 도가 아래로 구제해주는 것이 되고, 2·4·9가 위에 자리 잡은 것은 땅의 도가 위로 유행하는 것이 되며, 3·5·7이 가운데 자리 잡은 것은 사람의 도가 중간에 처하는 것이 된다. 그 수와 그 상도 또한 도형에서 합치됨이 있다.

[계몽부론 17]

선천·후천의 음양괘 도형

[先後天陰陽卦圖]

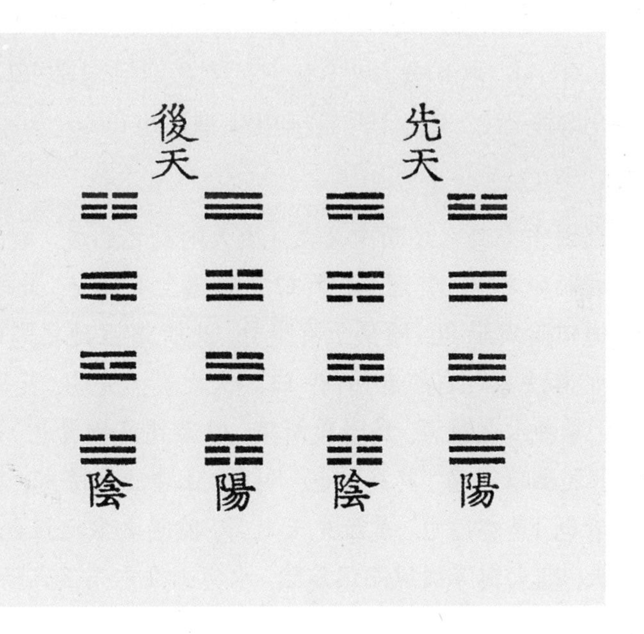

先天之陽卦, 曰震·離·兌·乾; 其陰卦, 曰巽·坎·艮·坤. 後天之陽卦, 曰乾·震·坎·艮; 其陰卦, 曰坤·巽·離·兌. 不同何也? 蓋先天分陰·陽卦, 自兩儀而分之, 由陽儀以生者, 皆陽卦也; 由陰儀以生者, 皆陰卦也. 後天分陰·陽卦, 自爻畫以定之, 其以陽爲主者, 皆陽卦也; 其以陰爲主者, 皆陰卦也.

선천의 양괘는 진(震)·리(離)·태(兌)·건(乾)이고 그 음괘는 손(巽)·감(坎)·간(艮)·곤(坤)이다. 후천의 양괘는 건(乾)·진(震)·감(坎)

·간(艮)이고 그 음괘는 곤(坤)·손(巽)·리(離)·태(兌)이다. 그 둘이 같지 않은 것은 무엇 때문인가? 선천에서 음괘와 양괘를 나누는 것은 양의(兩儀)에서 나누니, 양의(陽儀)로 말미암아 생겨나는 것은 모두 양괘이고, 음의(陰儀)로 말미암아 생겨나는 것은 모두 음괘이기 때문이다. 후천에서 음괘와 양괘를 나누는 것은 효획(爻畫)에서 그것을 정하니, 양(陽)을 주인으로 삼는 것은 모두 양괘이고, 음(陰)을 주인으로 삼는 것은 모두 음괘이기 때문이다.

先天則因乎畫卦之序而中分之, 後天則卦之已成, 觀其爻畫之多寡而命之也, 其理如何? 曰 : "陽儀上有陰卦, 此所謂'立天之道曰陰與陽'也; 陰儀上有陽卦, 此所謂'立地之道曰柔與剛'也." 其法象之自然者如何? 曰 : "火之炎熱光明, 其爲陽也, 明矣. 澤者水之積濕, 爲陽氣所驅, 以滋潤萬物者也, 是亦陽也. 水之幽暗寒肅, 其爲陰也, 明矣. 山者土之隆起, 與地爲一體者也, 是亦陰也. 是故先天之卦, 陰陽之象之正也. 其變而後天, 則火與澤從風而俱爲陰, 水與山從雷而俱爲陽, 蓋有由矣."

선천은 괘를 긋는 차례에 따라 중간을 나누고, 후천은 괘가 이미 이루어진 뒤에 그 효획의 많음과 적음을 살펴보아 그것을 명명하는데, 그 이치는 어떠한가? 대답한다. "양의(陽儀) 위에 음괘가 있는 것이 이른바 (본문 [설괘 2-1]의) '하늘의 도(道)를 세워 음(陰)과 양(陽)이라 한다'라는 것이고, 음의(陰儀) 위에 양괘가 있는 것이 이른바 '땅의 도를 세워 유(柔)와 강(剛)이라 한다'는 것이다." 그 법상(法象)이 저절로 그러한 것은 어떠한가? 대답한다. "불은 뜨겁고 밝으니 그것이 양이 되는 것은 명백하다. 못은 물이 쌓여 축축한 것이지만 양기가 부리는 것이 되어 만물을 적셔주니 이 또한 양이다. 물은 어둡고 차니 그것이 음이 되는 것은 명백하다. 산은 토(土)가 융기한 것으로 땅과 하나의 체(體)가 되니 이 또한 음이다. 이 때문에 선천의 괘는 음양의 상(象)이 바르다. 그것이 변하여 후천이 되면 불과 못은 바람을 좇아 모두 음이 되고, 물과 산은 우레를 좇아 모두 양이 되니, 대개 그 까닭이 있다."

凡陰陽之氣, 未有不合而成者也, 然有感應先後之別焉. 先有陽而遇陰者屬陽, 先有陰而遇陽者屬陰. 有陽氣在下將發而遇陰壓之, 則奮而爲雷矣; 有陽氣在中將散而遇陰包之, 則鬱而爲雨矣; 有陽氣直騰而上而遇陰承之, 則止而爲山矣. 此皆主於陽而遇陰, 所以皆爲陽卦也.

대체로 음양의 기(氣)는 결합하지 않고 이루어지는 것이 없지만 감촉과 호응, 먼저와 나중의 구별이 있다. 먼저 양이 있은 뒤에 음을 만난 것은 양에 속하고 먼저 음이 있은 뒤에 양을 만난 것은 음에 속한다. 양기가 아래에 있어 일으키려고 하는데 음이 억누르는 것을 만나면 떨치고 일어나 우레가 된다. 양기가 중간에 있어 발산하려고 하는데 음이 감싸는 것을 만나면 정체되어 비가 된다. 양기가 곧바로 올라 위로 가는데 음이 받드는 것을 만나면 멈추어서 산이 된다. 이것들은 모두 양을 위주로 하여 음을 만난 것이기 때문에 모두 양괘이다.

有陰在內, 陽氣必入而散之, 觀之陰霾盡而後風息可見也; 有陰在中, 陽氣必附而散之, 觀之薪芻盡而後火滅可見也; 有陰

在外, 陽氣必敷而散之, 觀之濕潤盡而後澤竭可見也. 此皆主於陰而遇陽, 所以皆爲陰卦也.

음이 안에 있으면 양기가 반드시 들어가 그것을 흩어놓으니, 하늘이 어둑어둑해진 것이 다 없어진 뒤에 바람이 그치는 것을 보면 알 수 있다. 음이 중간에 있으면 양기가 반드시 부착해서 그것을 흩어놓으니, 땔나무와 건초가 다 없어진 뒤에 불이 꺼지는 것을 보면 알 수 있다. 음이 밖에 있으면 양기가 반드시 펼쳐져 그것을 흩어놓으니, 축축하게 젖은 것이 다 없어진 뒤에 못이 마르는 것을 보면 알 수 있다. 이것들은 모두 음을 위주로 양을 만난 것이기 때문에 모두 음괘이다.

總而論之, 唯乾純陽, 坤純陰, 不可變也. 雷陽動之始, 風陰生之始, 亦不可變也. 火溫暖, 澤發散, 故以用言之則陽; 然火根於陰之燥, 澤根於陰之濕, 故以體言之則陰. 水寒涼, 山凝固, 故以用言之則陰; 然水根於陽之嘘而流, 山根於陽之矗而起, 故以體言之則陽. 先天之象, 著其用也; 後天之象, 探其根也. 正如仁之發生爲陽, 而其柔和亦可以爲陰; 義之收斂爲陰, 而其剛決亦可以爲陽. 陰·陽本一氣而互根, 故其理並行而不悖也.

총괄해서 논하면, 오직 건(乾)인 순수한 양과 오직 곤(坤)인 순수한 음은 변할 수 없다. 우레는 양이 움직이는 시작이고 바람은 음이 생겨나는 시작이니 또한 변할 수 없다. 불은 따뜻하고 못은 발산하기 때문에 작용으로 말하면 양이지만, 불은 음의 마른 것에 뿌리를 두고 못은 음의 젖은 것에 뿌리를 두기 때문에 본체[體]로 말하면 음이다. 물은 차갑고 산은 응고되어 있기 때문에 작용[用]으로 말하면 음이지만, 물은 양의 내 부는 것에 뿌리를 두고 흘러가고 산은 양의 높이 솟는 것에 뿌리를 두고 일으키기 때문에 본체로 말하면 양이다. 선천의 상(象)은 그 작용을 드러내고 후천의 상은 그 뿌리를 찾는다. 마치 인(仁)의 발생이 양이 되고 그 부드럽고 온화함은 또한 음이 될 수 있으며, 의(義)의 수렴은 음이 되고 그 굳세고 결연함은 또한 양이 될 수 있는 것과 같다. 음과 양은 하나의 기(氣)에 근본하여 서로 뿌리가 되기 때문에 그 이치는 함께 나아가도 어긋나지 않는다.

[계몽부론 18]

후천괘가 하늘·땅과 물·불을 체용으로 삼는 도형
[後天卦以天地·水火爲體用圖]

造化所以爲造化者, 天地水火而已矣. 『易』卦雖有八而實唯四, 何則? 風卽天氣之吹噓而下交於地者也, 山卽地形之隆起而上交於天者也, 雷卽火之鬱於地中而搏擊奮發者也, 澤卽水之聚於地上而布散滋潤者也. 道家言天地日月, 釋氏言地水火風, 西人言水火土氣, 可見造化之不離乎四物也.

조화(造化)가 조화가 되는 까닭은 하늘·땅·물·불일뿐이다. 『역』

의 괘는 비록 8개가 있지만 실제는 오직 4개일 뿐이니 무엇 때문인가? 바람은 곧 하늘의 기(氣)가 불어 아래로 땅과 교류하는 것이고, 산은 곧 땅의 형체가 융기하여 위로 하늘과 교류하는 것이며, 우레는 곧 불이 땅속에서 정체되어 부딪히면서 떨쳐 일어나는 것이고, 못은 곧 물이 땅위에 모여 퍼져서 적셔주는 것이다. 도가에서는 하늘·땅·해·달을 말했고, 불교에서는 땅·물·불·바람을 말했으며, 서양 사람들은 물·불·흙·기(氣)를 말했으니, 조화가 네 가지를 떠나지 않음을 알 수 있다.

故先天以南北爲經, 而天·地居之體也; 以東西爲緯, 而水·火居之用也. 後天則以天·地爲體, 而居四維; 以水·火爲用, 而居四正. 雷者火之方發, 故動於春; 及火播其氣, 則王於夏矣; 澤者水之未收, 故散於秋; 及水歸其根, 則王於冬矣. 水·火爲天·地之用, 故居四正以司時令也.

그러므로 선천은 남북을 날줄로 삼고 하늘과 땅이 본체로 자리 잡으며, 동서를 씨줄로 삼고 물과 불이 작용으로 자리 잡는다. 후천은 하늘과 땅을 본체로 삼아 네 귀퉁이에 자리 잡고, 물과 불을 작용으로 삼아 네 정방위에 자리 잡는다. 우레는 불이 막 발동하는 것이기 때문에 봄에 움직이고, 불이 그 기(氣)를 퍼뜨리게 되는 것은 여름에 왕성하며, 못은 물이 아직 거두지 못한 것이기 때문에 가을에 흩어져 있고, 물이 그 뿌리로 돌아가는 것은 겨울에 왕성하다. 물과 불은 하늘과 땅의 작용이 되기 때문에 네 정방위에 자리 잡아 계절을 주관한다.

天氣朕兆於西北, 至東南而下交於地, 『易』所謂天下有風姤

也. 故乾·巽相對而爲天綱. 地功致役於西南, 至東北而上交於天, 『易』所謂'天在山中'大畜也. 故坤·艮相對而爲地紀. 天·地爲水·火之體, 故居四維以運樞軸也. 天地·水火, 體用互根, 以生成萬物, 此先·後天之妙也.

하늘의 기(氣)는 서북쪽에서 조짐이 나타나 동남쪽에 이르러 아래로 땅과 교류하니, 『역』에서 이른바 하늘 아래 바람이 있는 구(姤䷫)괘이다. 그러므로 건(乾☰)과 손(巽☴)이 서로 짝하여 하늘의 강령이 된다. 땅의 사업은 서남쪽에서 일을 하다가 동북쪽에 이르러 위로 하늘과 교류하니, 『역』에서 이른바 하늘이 산속에 있는 대축(大畜䷙)괘이다. 그러므로 곤(坤☷)과 간(艮☶)이 서로 짝하여 땅의 규율이 된다. 하늘과 땅은 물과 불의 본체이기 때문에 네 귀퉁이에 자리 잡아 중심축을 운용한다. 하늘·땅과 물·불은 본체와 작용이 서로 뿌리가 되어 만물을 생성하니, 이것이 선천과 후천의 오묘함이다.

若以卦畫論之, 則震卽離也, 一陰閉之於上則爲震; 兌卽坎也, 一陽敷之於下則爲兌; 巽卽乾也, 一陰行於下則爲巽; 艮卽坤也, 一陽亘於上則爲艮. 是以六十四卦始乾·坤, 中坎·離, 而終於旣濟·未濟, 則知造化之道, 天地·水火盡之矣.

괘획으로 논하면, 진(震☳)괘는 곧 리(離☲)괘이니, (리괘에) 하나의 음이 위에서 그것을 닫으면 진괘가 된다. 태(兌☱)괘는 곧 감(坎☵)괘이니, (감괘에) 하나의 양이 아래에서 그것을 펼치면 태괘가 된다. 손(巽☴)괘는 곧 건(乾☰)괘이니, (건괘에) 하나의 음이 아래에서 행하면 손괘가 된다. 간(艮☶)괘는 곧 곤(坤☷)괘이니, (곤괘에) 하나의 양이 위에서 펼치면 간괘가 된다. 이 때문에 64괘는 건괘·곤괘에서 시작하고, 감괘·리괘에서 중간을 거쳐 기제괘·미제괘에서 끝나니, 조화(造化)의 도(道)를 하늘과 땅, 물과 불이 다 발휘함을 알 수 있다.

[계몽부론 19]

선천괘가 후천괘로 변하는 도형
[先天卦變後天卦圖]

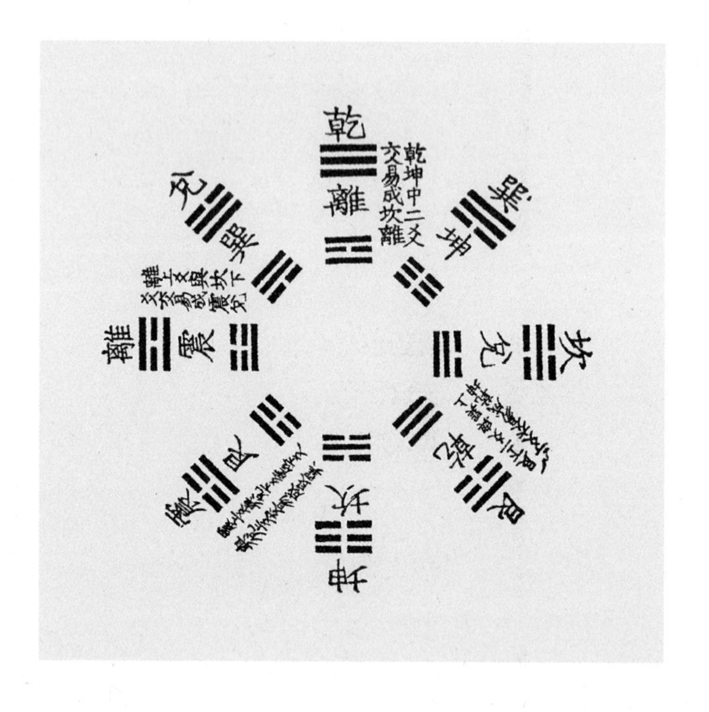

此圖先天凡四變而爲後天也. 蓋火之體陰也, 其用則陽, 而天用之, 故乾中畫與坤交而變爲離; 水之體陽也, 其用則陰, 而地用之, 故坤中畫與乾交而變爲坎. 火在地中, 陰氣自上壓之而奮出, 則雷之動也, 故離上畫與坎交而變爲震; 水聚地上, 陽氣自下敷之而滋潤, 則澤之說也, 故坎下畫與離交而變爲兌.

이 도형은 선천이 모두 네 번 변하여 후천이 된 것이다. 대개 불의 본체는 음이고 그 작용은 양인데, 하늘이 그것을 사용하기 때문에 건(乾☰)괘의 가운데 획이 곤(坤☷)괘와 교류하고 변하여 리(離☲)괘가 된다. 물의 본체는 양이고 그 작용은 음인데, 땅이 그것을 사용하기 때문에 곤괘의 가운데 획이 건괘와 교류하고 변하여 감(坎☵)괘가 된다. 땅속에 있는 불이 음기가 위에서 누르는 것으로부터 분출하면 우레가 움직이기 때문에 리괘의 위 획이 감괘와 교류하고 변하여 진(震☳)괘가 된다. 땅위에 모여 있는 물이 양기가 아래에서 펼쳐지는 것으로부터 적셔나가면 못이 기뻐하기 때문에 감괘의 아래 획이 리괘와 교류하고 변하여 태(兌☱)괘가 된다.

陽感於陰則山出雲, 是山者, 雷與澤之上下相感者也, 故震以上下畫與兌交而變爲艮; 陰感於陽而水生風, 是風者, 澤與雷之上下相感者也, 故兌以上下畫與震交而變爲巽. 風本天氣也, 因與山交而入其下, 則下與地接, 故巽以上二爻與艮下二爻交而變爲坤; 山本地質也, 因與風交而出其上, 則上與天接, 故艮以下二爻與巽上二爻交而變爲乾.

양이 음에 감응하면 산에서 구름이 출현하니, 이 때의 산은 우레와 못이 아래·위로 서로 감응하는 것이기 때문에 진괘가 아래·위의 획을 가지고 태괘와 교류하고 변하여 간(艮☶)괘가 된다. 음이 양에 감응하여 물에서 바람이 생겨나오니, 이 때의 바람은 못과 우레가 아래·위로 서로 감응하는 것이기 때문에 태괘가 아래·위의 획을 가지고 진괘와 교류하고 변하여 손(巽☴)괘가 된다. 바람은 본래 하늘의 기(氣)인데 산과 교류함에 따라서 그 아래에 들어가면 아래로 땅과 접촉하기 때문에, 손괘가 위의 2개 효(爻)를 가지고 간괘의 아래 2개 효와 교류하고 변하여 곤(坤☷)괘가 된다. 산은 본래 땅의 질(質)인데 바람과 교류함에 따라 그 위로 나오면 위로 하늘과 접촉하기 때문에, 간괘의 아래 2개 효(爻)를 가지고 손괘의 위 2개 효와 교류하고 변하여 건(乾☰)괘가 된다.

或曰: "此於經書有徵乎?" 曰: "在『易』'天與火同人', 是天以火爲用也; 水與地比, 是地以水爲用也. 離爲火, 亦爲電. 『易』曰'雷電合而章', 又曰'雷電皆至', 是雷與火一氣也. 澤有水則爲節, 澤無水則爲困, 是澤與水一物也. 『周禮』云, '日西則多陰', 蓋西方積山, 故多雲雷. 今之近嶂者皆然也. 又云, '日東則多風', 蓋東方積澤, 故多風颶. 今之濱海者皆然也. 莊周云, '大塊噫氣, 其名爲風', 是風與地氣相接也. 禮登山以祭, 升中於天, 是山與天氣相接也. 夫天地·水火者, 一陰一陽而已. 其情則交易而相通, 其體則變易而無定, 故先天交變以成後天, 莫不各得其位而妙其化, 各從其類而歸其根也, 豈偶然哉?"

어떤 사람이 물었다. "이러한 내용을 경서에서 징험할 수 있는가?" 대답했다. "『역』 동인(同人)괘 상전에서 '하늘과 불이 동인(同人)이다'라고 한 것은 하늘이 불을 작용으로 삼는다는 뜻이다. 물과 땅이 비(比)라고 한 것은[3] 땅이 물을 작용으로 삼는다는 뜻이다. 리괘는 불이 되고, 또한 번개가 된다. 『역』 서합(噬嗑)괘 괘사에서 '우레와 번개가 합하여 빛난다'라 하였고, 풍(豊)괘 상전에서 '우레와 번개가 모두 이른다'라고 한 것은 우레와 불이 하나의 기(氣)라는 뜻이다.

3) 물과 땅이 비(比)라고 한 것은: 『역』 비(比)괘 상전에서는 "땅 위에 물이 있는 것이 비(比)이다.[地上有水比.]"라고 하였다.

못에 물이 있으면 절(節☵☱)괘가 되고 못에 물이 없으면 곤(困☱☵)괘가 된다는 것은 못과 물이 한 가지라는 뜻이다. 『주례』에서 '해 그림자를 재는 지역이 서쪽에 있으면 구름이 많이 낀다'[4]라고 하였으니, 대개 서쪽에는 산이 모여 있기 때문에 구름과 우레가 많다는 말이다. 지금의 높은 산봉우리 근처가 모두 그러하다. 또 '해 그림자를 재는 지역이 동쪽에 있으면 바람이 많이 분다'[5]라고 하였으니, 대개 동쪽에는 못이 모여 있기 때문에 바람과 폭풍이 많다는 말이다. 지금의 바닷가가 모두 그러하다. 장주(莊周)는 '대지가 트림하는 것을 바람이라고 명명한다'[6]라고 한 것은 바람과 땅의 기(氣)가 서로 붙어있다는 말이다. 예(禮)에 산에 올라가서 제사를 지낼 때 올라가서 하늘에 성공을 아뢴다는 것[7]은 산과 하늘의 기(氣)가 서로 붙어있다는 말이다. 무릇 하늘·땅과 물·불은 하나의 음과 하나의 양일 뿐이다. 그 정(情)은 교역하여 서로 통하고 그 체(體)는 변역하여 일정함이 없기 때문에 선천이 교역하고 변역하여 후천을 이룸에, 각각 그 자리를 얻어 그 변화를 오묘하게 하고 각각 그 부류를 좇아 그 뿌리로 돌아가지 않음이 없으니, 어찌 우연일 수 있겠는가?"

---

4) 해 그림자를 재는 지역이 서쪽에 있으면 구름이 많이 낀다 : 『주례』「지관사도 제2(地官司徒第二)」에서 "해 그림자를 재는 지역이 서쪽에 있으면 아침에 그림자가 생기고 구름이 많이 낀다.[日西則景朝多陰.]"라고 하였다.
5) 해 그림자를 재는 지역이 동쪽에 있으면 바람이 많이 분다 : 『주례』「지관사도 제2(地官司徒第二)」에서 "해 그림자를 재는 지역이 동쪽에 있으면 저녁에 그림자가 생기고 바람이 많이 분다.[日東則景夕多風.]"라고 하였다.
6) 대지가 트림하는 것을 바람이라고 명명한다 : 『장자』「제물론(齊物論)」.
7) 예(禮)에 산에 올라가서 제사를 지낼 때 올라가서 하늘에 성공을 아뢴다는 것 : 『예기』「예기 제10(禮器第十)」에서 "큰 산이 있으면 올라가서 하늘에 성공을 아뢴다.[因名山升中于天.]"라고 하였다.

[계몽부론 20]

선천괘가 「하도」의 상(象)과 배합하는 도형
[先天卦配「河圖」之象圖]

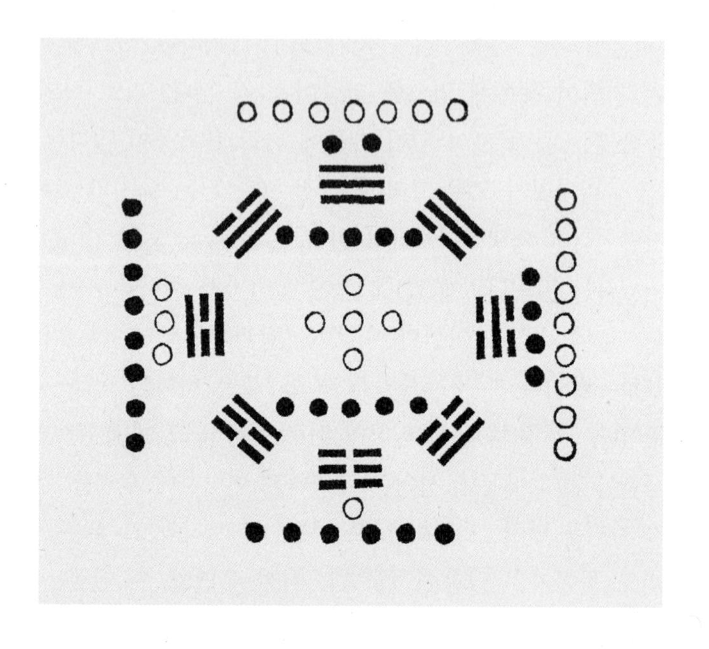

之左方, 陽內陰外, 卽先天之震·離·兌·乾, 陽長而陰消也; 其右方, 陰內陽外, 卽先天之巽·坎·艮·坤, 陰長而陽消也. 蓋所以象二氣之交運也.

도형의 왼쪽은 양이 안에 있고 음이 밖에 있으니, 바로 선천의 진(震)·리(離)·태(兌)·건(乾)이 양이 자라나고 음이 줄어든다는 것이다. 그 오른쪽은 음이 안에 있고 양이 밖에 있으니, 바로 선천의 손(巽)·감(坎)·간(艮)·곤(坤)이 음이 자라나고 양이 줄어든다는 것이다. 이는 음양 두 기(氣)가 교착하는 것을 상징한다.

[계몽부론 21]

후천괘가 「하도」의 상(象)과 배합하는 도형
[後天卦配「河圖」之象圖]

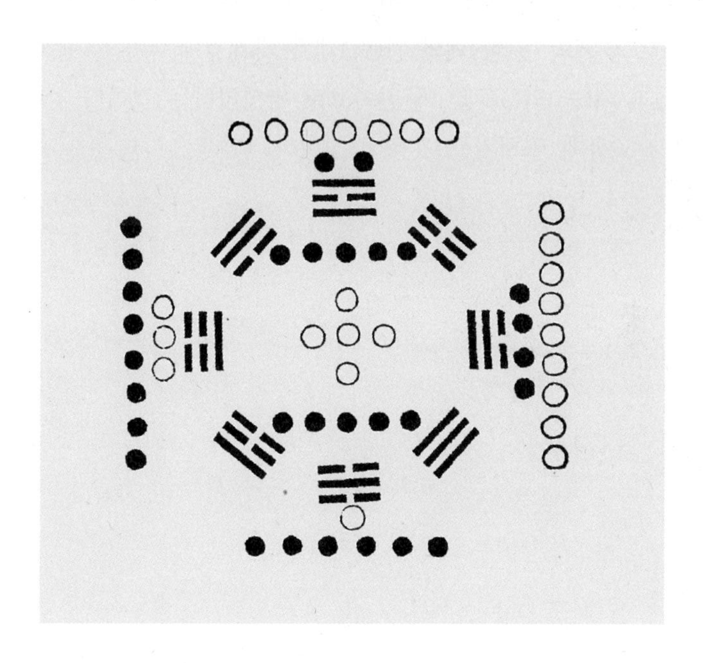

圖之一·六爲水居北, 卽後天之坎位也; 三·八爲木居東, 卽後天震·巽之位也; 二·七爲火居南, 卽後天之離位也; 四·九爲金居西, 卽後天兌·乾之位也; 五·十爲土居中, 卽後天之坤·艮周流四季, 而偏旺於丑·未之交也. 蓋所以象五行之順布也.

도형에서 1·6이 수(水)가 되어 북쪽에 자리 잡은 것은 바로 후천의 감(坎)괘의 자리이다. 3·8이 목(木)이 되어 동쪽에 자리 잡은 것은 바로 후천의 진(震)괘와 손(巽)괘의 자리이다. 2·7이 화(火)가 되어 남쪽에 자리 잡은 것은 바로 후천의 리(離)괘의 자리이다. 4·9가 금(金)이 되어 서쪽에 자리 잡은 것은 바로 후천의 태(兌)괘와 건(乾)괘의 자리이다. 5와 10이 토(土)가 되어 중앙에 자리 잡은 것은 바로 후천의 곤(坤)괘와 간(艮)괘가 사계절에 두루 유행하지만, 축(丑)과 미(未)의 교체기에 한쪽으로 왕성하다는 것이다. 이는 오행이 순조롭게 펼쳐지는 것을 상징한다.

[계몽부론 22]

선천괘가 「낙서」의 수와 배합하는 도형
[先天卦配「洛書」之數圖]

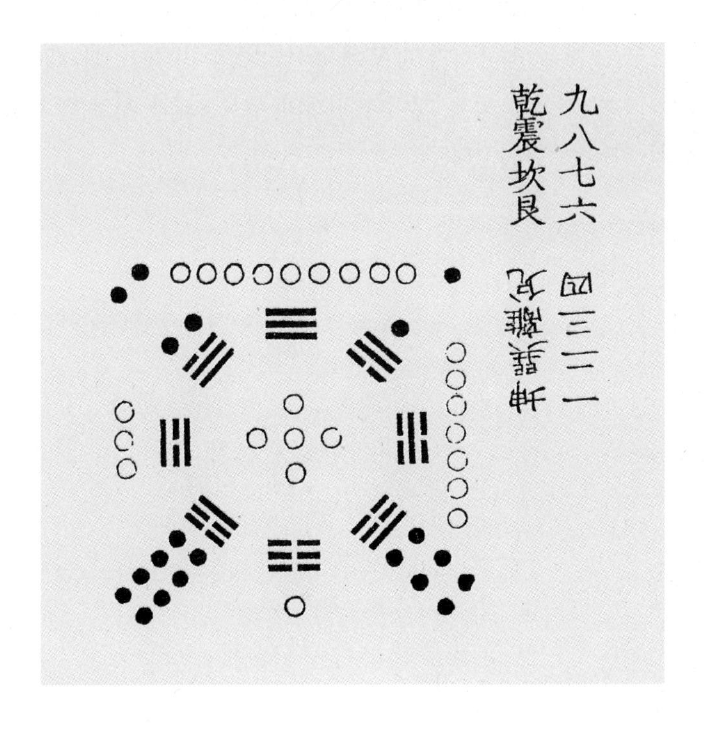

直列「洛書」九數, 而虛其中五以配八卦.

「낙서」의 9개 수를 그대로 나열하고 중앙의 5를 비워 8괘를 짝지었다.

陽上陰下, 故九數爲乾, 一數爲坤. 因自九而逆數之, 震八·坎七·艮六, 乾生三陽也. 又自一而順數之, 巽二·離三·兌四; 坤生三陰也. 以八數與八卦相配, 而先天之位合矣.

양은 위에 있고 음은 아래에 있기 때문에 9는 건(乾)이 되고 1은 곤(坤)이 되었다. 9에서 거슬러 그것을 헤아리기 때문에 진(震) 8과 감(坎) 7과 간(艮) 6은 건이 3개의 양을 낳은 것이다. 또 1에서 순차적으로 그것을 헤아리기 때문에 손(巽) 2와 리(離) 3과 태(兌) 4는 곤이 3개의 음을 낳은 것이다. 8개의 수로 8괘와 서로 짝지었고, 선천의 자리가 합쳐졌다.

[계몽부론 23]

후천괘가 「낙서」의 수와 배합하는 도형

[後天卦配「洛書」之數圖]

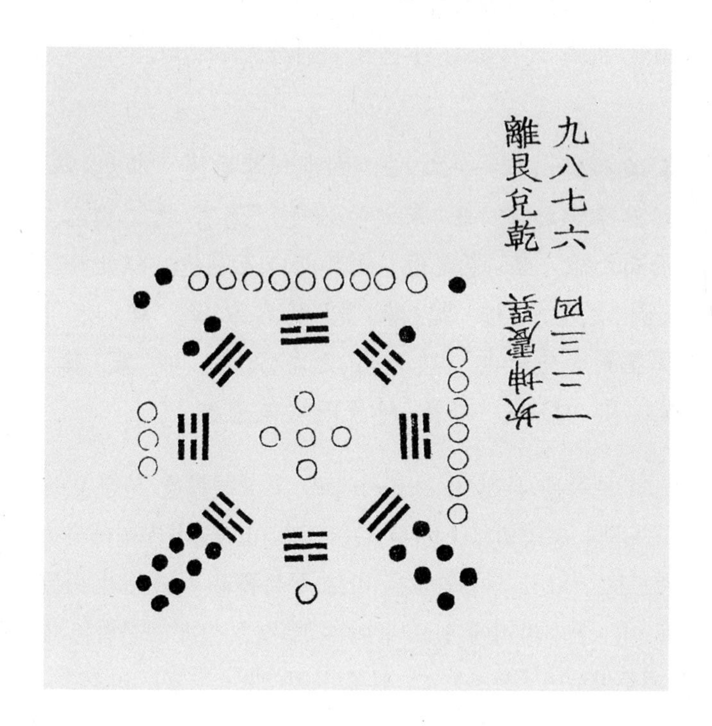

火上水下, 故九數爲離, 一數爲坎. 火生燥土, 故八次九而爲艮; 燥土生金, 故七·六次八而爲兌·爲乾. 水生濕土, 故二次一而爲坤; 濕土生木, 故三·四次二而爲震·爲巽. 以八數與八卦相配, 而後天之位合矣.

화(火)는 위에 있고 수(水)는 아래에 있기 때문에 9는 리(離)가 되고 1은 감(坎)이 되었다. 화가 마른 토(土)를 낳기 때문에 8이 9 다음으로 간(艮)이 되며, 마른 토가 금(金)을 낳기 때문에 7과 6이 8 다음으로 태(兌)가 되고 건(乾)이 되었다. 수가 젖은 토(土)를 낳기 때문에 2가 1 다음으로 곤(坤)이 되며, 젖은 토가 목(木)을 낳기 때문에 3과 4가 2 다음으로 진(震)이 되고 손(巽)이 되었다. 8개의 수로 8괘와 서로 짝지었고, 후천의 자리가 합쳐졌다.

「洛書」之左邊, 本一·二·三·四也; 其右邊, 本九·八·七·六也. 然陰陽之道, 丑·未之位必交, 「洛書」之二與八, 正東北·西南之維, 丑·未之位, 此其所以互易也. 以此類之, 則「先天圖」之左方, 坤·巽·離·兌; 其右方, 乾·震·坎·艮, 以震·巽互而成先天也. 「後天圖」之左方, 坎·坤·震·巽; 其右方, 離·艮·兌·乾, 以艮·坤互而成後天也.

「낙서」의 왼쪽은 본래 1·2·3·4이고 그 오른쪽은 본래 9·8·7·6이다. 그러나 음양의 도(道)는 축(丑)과 미(未)의 자리에서 반드시 교류하므로, 「낙서」의 2와 8은 바로 동북쪽과 서남쪽의 귀퉁이 축(丑)과 미(未)의 자리에 있으니 이는 그 상호간에 교환하는 것이다. 이로 견주어보면 「선천도」의 왼쪽이 곤(坤)·손(巽)·리(離)·태(兌)이고 그 오른쪽이 건(乾)·진(震)·감(坎)·간(艮)인 것은 진과 손이 서로간에 교환하여 선천을 이룬 것이다. 「후천도」의 왼쪽이 감(坎)·곤(坤)·진(震)·손(巽)이고 그 오른쪽이 리(離)·간(艮)·태(兌)·건(乾)인 것은 간과 곤이 서로간에 교환하여 후천을 이룬 것이다.

據先儒說, 「圖」·「書」出有先後, 又或謂並出於伏羲之世. 然皆不必深辨, 先聖後聖, 其揆一也. 況天地之理, 雖更萬年,豈不合契哉?「洛書」晩出, 而其理不妨已具於「河圖」之中. 是故以『易』象推配, 亦無往而不合也.

선대 학자들의 주장에 의거하면「하도」와「낙서」가 선후로 차례차례 출현했다고 하기도 하고, 혹은 모두 복희씨 시대에 출현했다고도 한다. 그러나 그것은 모두 깊이 논변할 필요가 없으니 선대 성인과 후대 성인이 헤아려 본 것이 마찬가지이기 때문이다. 하물며 하늘과 땅의 이치는 비록 만년을 지난다하더라도 어찌 서로 부합하지 않겠는가?「낙서」가 뒤늦게 출현했지만 그 이치는 이미「하도」에 갖추어져 있었다고 해도 무방하다. 이 때문에『역』의 상(象)으로 미루어 짝을 지어도 또한 그 어떤 경우도 합치하지 않음이 없다.

[계몽부론 24]

선천도의 괘가 괘의 순서를 낳고, 후천괘의 괘가 괘를 섞는 것을 낳는 도설 [先·後天卦生序卦·雜卦圖說]

「先天圖」者, 序卦之根也.

「선천도」는 괘를 차례 짓는 뿌리이다.

序卦之法, 以兩卦相對爲義. 有相對而翻覆不可變者, 乾·坤·坎·離·頤·大過·中孚·小過是也; 有相對而翻覆可變者, 屯·蒙以後, 旣濟·未濟以前, 五十六卦皆是也. 就五十六卦之中, 則翻覆而二體不易者十二卦, 需·訟·師·比·泰·否·同人·大有·晉·明夷·旣濟·未濟也; 翻覆而二體皆易者十二卦, 隨·蠱·咸·恒·損·益·震·艮·漸·歸妹·巽·兌也. 其翻覆而止於一體易者三十二卦, 則自屯·蒙至渙·節皆是也.

괘를 차례 짓는 법도는 두 개의 괘가 서로 마주하는 것을 의미로 삼는다. 서로 마주하여 뒤집어도 변할 수 없는 것은 건(乾)괘·곤(坤)괘·감(坎)괘·리(離)괘·이(頤)괘·대과(大過)괘·중부(中孚)괘·소과(小過)괘이고, 서로 마주하여 뒤집으면 변하는 것은 준(屯)괘·몽(蒙)괘 이후, 기제(旣濟)괘·미제(未濟)괘 이전의 56개 괘가 모두 이것이다. 56개 괘 가운데 뒤집어 상하 두 체(體)가 바뀌지 않는 것이 12개 괘이니, 수(需)괘·송(訟)괘·사(師)괘·비(比)괘·태(泰)괘·비(否)괘·동인(同人)괘·대유(大有)괘·진(晉)괘·명이(明夷)괘·기제(旣濟)괘·미제(未濟)괘이고, 뒤집어 상하 두 체(體)가 모두 바뀌는 것이 12개 괘이니, 수(隨)괘·고(蠱)괘·함(咸)괘·항(恒)괘·손(損)괘·익(益)괘·진(震)괘·간(艮)괘·점(漸)괘·귀매(歸妹)괘·손(巽)괘·태(兌)괘이다. 뒤집어 하나의 체(體)가 바뀌는 것이 12개 괘이니, 준(屯)괘·몽(蒙)괘에서 환(渙)괘·절(節)괘에 이르기까지 모두 이것이다.

蓋翻覆而不可變者, 法八卦之乾·坤·坎·離也; 翻覆而可變者, 法八卦之震·艮·巽·兌也. 就翻覆可變之中, 其二體不易者, 又皆乾·坤·坎·離相交者也; 其一體不易者, 亦皆交於乾·坤·坎·離者也. 唯震·艮·巽·兌相交之卦, 則二體皆易焉. 頤·中孚·大過·小過, 雖爲震·艮·巽·兌相交之卦, 而翻覆不可變者, 頤·中孚具離之象, 大過·小過具坎之象也. 故序卦以之附於坎·離·旣濟·未濟, 爲其具離·坎之象焉爾.

대개 뒤집어 변할 수 없는 것은 8괘 가운데 건·곤·감·리를 본받았고, 뒤집어 변하는 것은 8괘 가운데 진·간·손·태를 본받았다. 뒤집어 변하는 것 가운데 두 개의 체(體)가 변하지 않는 괘는 또 모두 건·곤·감·리가 서로 교류하는 것이고, 그 가운데 하나의 체가 바꾸지 않는 괘 또한 모두 건·곤·감·리에 교류하는 것이다. 오직 진·간·손·태가 서로 교류하는 괘는 두 개의 체가 모두 바뀐다. 이(頤)괘·중부(中孚)괘·대과(大過)괘·소과(小過)괘는 비록 진·간·손·태가 서로 교류하는 괘가 되지만, 뒤집어도 변할 수 없는 것은 이(頤)괘·중부(中孚)괘로 리(離)의 상(象)을 갖추었고, 대과(大過)괘·소과(小過)괘로 감(坎)의 상(象)을 갖추었다. 그러므로 괘를 차례 지을 때 그것들을 감(坎)괘·리(離)괘·기제(旣濟)괘·미제(未濟)괘에 붙여 리(離)와 감(坎)의 상(象)을 갖추게 만들었다.

「先天圖」八卦, 兩兩相對, 序卦之根也. 乾與坤對, 坎與離對, 震與巽對, 艮與兌對. 相對而不相變, 所以定序卦之體也. 然旣相對, 則必相交, 四正之卦相交, 則雖翻覆而其體不易; 四維之卦相交, 則翻覆而其體遂易矣. 若四正之卦與四維之卦雜交, 則易者半, 不易者半, 所以極「序卦」之用也. 是故'天地定位', 「上經」所以始於乾·坤, 中於否·泰也; '山澤通氣, 雷風相薄', 「下經」所以始於咸·恒, 中於損·益也; '水火不相射', 「上·下經」所以終於坎·離·旣濟·未濟也.

「선천도」의 8개 괘는 둘씩 서로 마주하니 괘를 차례 짓는 것의 뿌리이다. 건과 곤이 마주하고, 감과 리가 마주하며, 진과 손이 마주하고, 간과 태가 마주한다. 서로 마주하지만 서로 변하지 않는 것은 그것으로 괘를 차례 짓는 본체를 정하는 일이다. 그러나 이미 서로 마주했으면 반드시 서로 교류하니, 4개의 정방위 괘가 서로 교류하면 비록 뒤집혀도 그 체(體)가 바뀌지 않으며, 4개의 귀퉁이 괘가 서로 교류하면 뒤집혀 그 체가 마침내 바뀐다. 4개의 정방위 괘가 4개의 귀퉁이 괘와 뒤섞어 교류하면 바뀌는 것이 절반이고 바뀌지 않는 것이 절반이기 때문에 그것으로 괘를 차례 짓는 작용을 지극히 하는 것이다. 이 때문에 (본문 [설괘 3-1]에서) '하늘과 땅이 제자리를 잡는다'는 것은 「상경」이 그것으로 건(乾)괘와 곤(坤)괘로 시작하고 비(否)괘와 태(泰)를 중간으로 했으며, '산과 못이 기(氣)를 통하며, 우레와 바람이 서로 친다'는 것은 그것으로 「하경」이 함(咸)괘와 항(恒)로 시작하고 손(損)괘와 익(益)괘를 중간으로 했으며, '물과 불이 서로 해치지 않는다'는 것은 그것으로 「상경」은 감(坎)괘와 리(離)괘로 끝나고 「하경」은 기제(旣濟)괘와 미제(未濟)괘로 끝난 것이다.

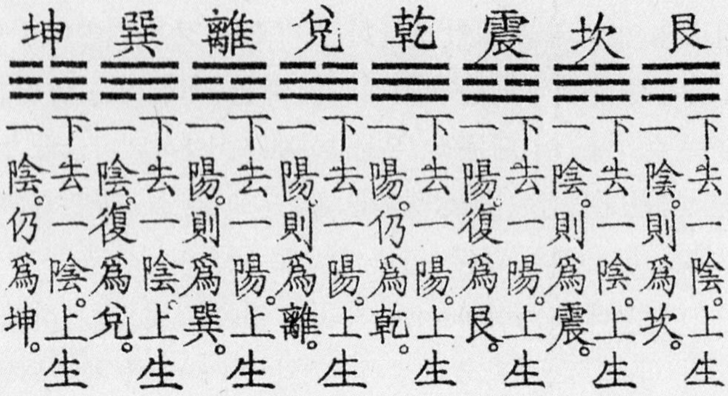

艮 下去一陰上生一陰則爲坎

坎 下去一陰上生一陰則爲震

震 下去一陽上生一陽復爲艮

乾 下去一陽上生一陽仍爲乾

兌 下去一陽上生一陽則爲離

離 下去一陽上生一陽則爲巽

巽 下去一陰上生一陰復爲兌

坤 下去一陰上生一陰仍爲坤

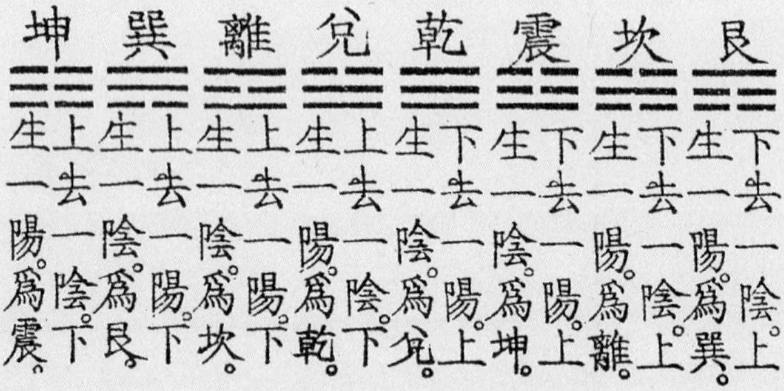

艮 下去一陰上生一陽爲巽

坎 下去一陰上生一陽爲離

震 下去一陽上生一陰爲坤

乾 下去一陽上生一陰爲兌

兌 上去一陰下生一陽爲乾

離 上去一陽下生一陰爲坎

巽 上去一陽下生一陰爲艮

坤 上去一陰下生一陽爲震

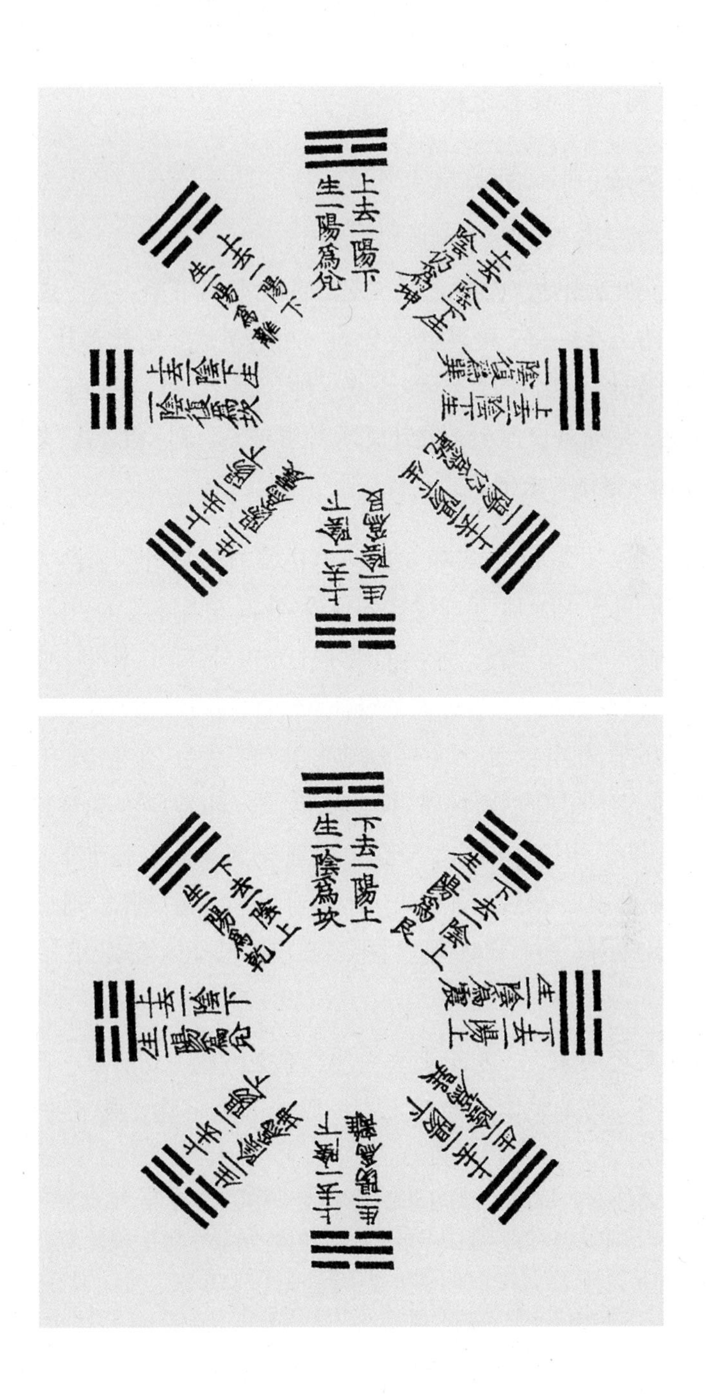

「後天圖」者, 雜卦之根也.

「후천도」는 괘를 섞는 뿌리이다.

雜卦, 卽互卦也. 互卦之法, 或上去一畫而下生一畫, 或下去一畫而上生一畫, 則其體遂變矣. 互體所成, 凡十六卦. 其陽卦從陽卦, 陰卦從陰卦者八, 乾·坤·頤·大過·蹇·解·家人·睽也; 其陽卦交陰卦, 陰卦交陽卦者亦八, 剝·復·夬·姤·漸·歸妹·旣濟·未濟也.

괘를 섞는 것은 바로 호괘(互卦)[8]이다. 호괘의 방법은 혹은 위에서 하나의 획을 내보내 아래에서 하나의 획을 생겨나게 하거나, 혹은 아래에서 하나의 획을 내보내 위에서 하나의 획이 생겨나게 하는 것이니, 그 체(體)가 마침내 변한다. 호체(互體 : 互卦)를 이룬 것은 모두 16개 괘이다. 그 가운데 양괘가 양괘를 좇는 것이 8개이니, 건(乾)괘·곤(坤)괘·이(頤)괘·대과(大過)괘·건(蹇)괘·해(解)괘·가인(家人)괘·규(睽)괘이고, 양괘가 음괘와 교류하고 음괘가 양괘와 교류하는 것도 또한 8개이니, 박(剝)괘·복(復)괘·쾌(夬)괘·구(姤)괘·점(漸)괘·귀매(歸妹)괘·기제(旣濟)괘·미제(未濟)괘이다.

以交互之法求之, 乾而上去一陽, 下生一陽, 或下去一陽, 上生一陽, 仍是乾矣. 坤而上去一陰, 下生一陰, 或下去一陰,

8) 호괘(互卦) : 호체(互體)라고도 한다. 한 괘의 상·하 두 체(體) 중 제2효부터 제4효까지나, 제3효부터 제5효까지를 취하여 얻는 괘를 말한다. 예컨대 간하 곤상(艮下坤上)의 겸괘(䷎)에서 제2효부터 제4효까지를 취하여 감괘(☵)와 제3효부터 제5효까지를 취하여 진괘(☳)를 얻는 따위이다.

上生一陰, 仍是坤矣. 唯震而上去一陰, 下生一陰, 則變爲坎; 下去一陽, 上生一陽, 則變爲艮. 巽而上去一陽, 下生一陽, 則變爲離; 下去一陰, 上生一陰, 則變爲兌. 坎而上去一陰, 下生一陰, 則變爲艮; 下去一陰, 上生一陰, 則變爲震. 離而上去一陽, 下生一陽, 則變爲兌 : 下去一陽, 上生一陽, 則變爲巽. 艮而上去一陽, 下生一陽, 則變爲震; 下去一陰, 上生一陰, 則變爲坎. 兌而上去一陰, 下生一陰, 則變爲巽; 下去一陽, 上生一陽, 則變爲離.

교체하며 바꾸는 방법으로 그것을 구하면, 건(乾☰)은 위에서 하나의 양을 내보내 아래에서 하나의 양을 생겨나게 하거나, 혹은 아래에서 하나의 양을 내보내 위에서 하나의 양을 생겨나게 해도 여전히 건(乾)이다. 곤(坤☷)은 위에서 하나의 음을 내보내 아래에서 하나의 음을 생겨나게 하거나, 혹은 아래에서 하나의 음을 내보내 위에서 하나의 음을 생겨나게 해도 여전히 곤(坤)이다. 오직 진(震☳)은 위에서 하나의 음을 내보내 아래에서 하나의 음을 생겨나게 하면 변하여 감(坎☵)이 되고, 아래에서 하나의 양을 내보내 위에서 하나의 양을 생겨나게 하면 변하여 간(艮☶)이 된다. 손(巽☴)은 위에서 하나의 양을 내보내 아래에서 하나의 양을 생겨나게 하면 변하여 리(離☲)가 되고, 아래에서 하나의 음을 내보내 위에서 하나의 음을 생겨나게 하면 변하여 태(兌☱)가 된다. 감(坎☵)은 위에서 하나의 음을 내보내 아래에서 하나의 음을 생겨나게 하면 변하여 간(艮☶)이 되고, 아래에서 하나의 음을 내보내 위에서 하나의 음을 생겨나게 하면 변하여 진(震☳)이 된다. 리(離☲)는 위에서 하나의 양을 내보내 아래에서 하나의 양을 생겨나게 하면 변하여 태(兌☱)가 되고, 아래에서 하나의 양을 내보내 위에서 하나의 양을 생겨나게 하면 변하여 손(巽☴)이 된다. 간(艮☶)은 위에서 하나의 양을 내보내 아래에서 하나의 양을 생겨나게 하면 변하여 진(震☳)이 되고, 아래에서 하나의 음을 내보내 위에서 하나의 음을 생겨나게 하면 변하여 감(坎☵)이 된다. 태(兌☱)는 위에서 하나의 음을 내보내 아래에서 하나의 음을 생겨나게 하면 변하여 손(巽☴)이 되고, 아래에서 하나의 양을 내보내 위에서 하나의 양을 생겨나게 하면 변하여 리(離☲)가 된다.

此八變者, 皆陽得陽卦, 陰得陰卦. 故乾之變, 則乾也; 坤之變, 則坤也; 震之變, 則雷水解也, 山雷頤也; 巽之變, 則風火家人也, 澤風大過也; 坎之變, 則水山蹇也, 雷水解也; 離之變, 則火澤睽也, 風火家人也; 艮之變, 則山雷頤也, 水山蹇也; 兌之變, 則澤風大過也, 火澤睽也. 皆因其能相變, 故能相合也.

이 8가지 변하는 것은 모두 양이 양괘를 얻고 음이 음괘를 얻는 것이다. 그러므로 건이 변하면 건이 되고, 곤이 변하면 곤이 되며, 진이 변하면 뇌수(雷水) 해(解䷧)괘와 산뢰(山雷) 이(頤䷚)괘가 되고, 손이 변하면 풍화(風火) 가인(家人䷤)괘와 택풍(澤風) 대과(大過䷛)괘가 되며, 감이 변하면 수산(水山) 건(蹇䷦)괘와 뇌수(雷水) 해(解䷧)괘가 되고, 리가 변하면 화택(火澤) 규(睽䷥)괘와 풍화(風火) 가인(家人䷤)괘가 되며, 간이 변하면 산뢰(山雷) 이(頤䷚)괘와 수산(水山) 건(蹇䷦)괘가 되고, 태가 변하면 택풍(澤風) 대과(大過䷛)괘와 화택(火澤) 규(睽䷥)괘가 된다. 이는 모두 서로 변할 수 있는 것에 따르기 때문에 서로 합쳐질 수 있다.

又乾而上去一陽, 下生一陰, 則變爲巽; 下去一陽, 上生一陰, 則變爲兌. 坤而上去一陰, 下生一陽, 則變爲震; 下去一陰, 上生一陽, 則變爲艮. 震而上去一陰, 下生一陽, 則變爲兌; 下去一陽, 上生一陰, 則變爲坤. 巽而上去一陽, 下生一陰, 則變爲艮; 下去一陰, 上生一陽, 則變爲乾. 坎而上去一陰, 下生一陽, 或下去一陰, 上生一陽, 皆變爲離. 離而上去一陽, 下生一陰, 或下去一陽, 上生一陰, 皆變爲坎. 艮而上去一陽, 下生一陰, 則變爲坤; 下去一陰, 上生一陽, 則變爲巽. 兌而上去一陰, 下生一陽, 則變爲乾; 下去一陽, 上生一陰, 則變爲震.

또 건(乾☰)은 위에서 하나의 양을 내보내 아래에서 하나의 음을 생겨나게 하면 변하여 손(巽☴)이 되고, 아래에서 하나의 양을 내보내 위에서 하나의 음을 생겨나게 하면 변하여 태(兌☱)가 된다. 곤(坤☷)은 위에서 하나의 음을 내보내 아래에서 하나의 양을 생겨나게 하면 변하여 진(震☳)이 되고, 아래에서 하나의 음을 내보내 위에서 하나의 양을 생겨나게 하면 변하여 간(艮☶)이 된다. 진(震☳)은 위에서 하나의 음을 내보내 아래에서 하나의 양을 생겨나게 하면 변하여 태(兌☱)가 되고, 아래에서 하나의 양을 내보내 위에서 하나의 음을 생겨나게 하면 변하여 곤(坤☷)이 된다. 손(巽☴)은 위에서 하나의 양을 내보내 아래에서 하나의 음을 생겨나게 하면 변하여 간(艮☶)이 되고, 아래에서 하나의 음을 내보내 위에서 하나의 양을 생겨나게 하면 변하여 건(乾☰)이 된다. 감(坎☵)은 위에서 하나의 음을 내보내 아래에서 하나의 양을 생겨나게 하거나, 혹은 아래에서 하나의 음을 내보내 위에서 하나의 양을 생겨나게 하면 모두 변하여 리(離☲)가 된다. 리(離☲)는 위에서 하나의 양을 내보내 아래에서 하나의 음을 생겨나게 하거나, 혹은 아래에서 하나의 양을 내보내 위에서 하나의 음을 생겨나게 하면 모두 변하여 감(坎☵)이 된다. 간(艮☶)은 위에서 하나의 양을 내보내 아래에서 하나의 음을 생겨나게 하면 변하여 곤(坤☷)이 되고, 아래에서 하나의 음을 내보내 위에서 하나의 양을 생겨나게 하면 변하여 손(巽☴)이 된다. 태(兌☱)는 위에서 하나의 음을 내보내 아래에서 하나의 양을 생겨나게 하면 변하여 건(乾☰)이 되고, 아래에서 하나의 양을 내보내 위에서 하나의 음을 생겨나게 하면 변하여 진(震☳)이 된다.

此八變者, 皆陽得陰卦, 陰得陽卦. 故乾之變, 則天風姤也, 澤天夬也; 坤之變, 則地雷復也, 山地剝也; 震之變, 則雷澤歸妹也, 地雷復也; 巽之變, 則風山漸也, 天風姤也; 坎之變, 則旣濟也, 未濟也; 離之變, 則未濟也, 旣濟也; 艮之變, 則山地剝也, 風山漸也; 兌之變, 則澤天夬也, 雷澤歸妹也. 亦皆因其能相變, 故能相合也. 『易』互卦之法盡於此, 此其卦所以止於十六也.

이 8가지 변하는 것은 모두 양이 음괘를 얻고 음이 양괘를 얻는 것이다. 그러므로 건이 변하면 천풍(天風) 구(姤䷫)괘와 택천(澤天) 쾌(夬䷪)괘가 되고, 곤이 변하면 지뢰(地雷) 복(復䷗)괘와 산지(山地) 박(剝䷖)괘가 되며, 진이 변하면 뇌택(雷澤) 귀매(歸妹䷵)괘와 지뢰(地雷) 복(復䷗)괘가 되고, 손이 변하면 풍산(風山) 점(漸䷴)괘와 천풍(天風) 구(姤䷫)괘가 되며, 감이 변하면 기제(旣濟䷾)괘가 되고 미제(未濟䷿)괘가 되며, 리가 변하면 미제(未濟䷿)괘가 되고 기제(旣濟䷾)괘가 되며, 간이 변하면 산지(山地) 박(剝䷖)괘와 풍산

(風山) 점(漸䷴)괘가 되고, 태가 변하면 택천(澤天) 쾌(夬䷪)괘와 뇌택(雷澤) 귀매(歸妹䷵)괘가 된다. 이 또한 모두 서로 변할 수 있는 것에 따르기 때문에 서로 합쳐질 수 있다. 『역』의 호괘의 법도는 여기에서 다하니 이는 그 괘가 16개에 그치는 까닭이다.

「後天圖」八卦, 陰陽上下畫互變, 雜卦之根也, 何則? 後天之卦, 有各從其類以相變者焉, 有各得其對以相變者焉. 乾居西北, 而三陽從之; 坤居西南, 而三陰從之, 此各從其類者也. 乾與巽對, 坎與離對, 艮與坤對, 震與兌對, 此各得其對者也.

「후천도」의 8개 괘는 음양의 위아래 획이 번갈아 변하여 괘를 섞는 뿌리가 되니, 무엇 때문인가? 후천의 괘는 각각 그 부류를 좇아 서로 변하는 것이 있고, 각각 그 마주하는 것을 얻어 서로 변하는 것이 있다. 건(乾)은 서북쪽에 자리 잡고 3개의 양이 그것을 좇으며, 곤(坤)은 서남쪽에 자리 잡고 3개의 음이 좇으니, 이는 각각 그 부류를 좇는 것이다. 건(乾)과 손(巽)이 마주하고, 감(坎)과 리(離)가 마주하며, 간(艮)과 곤(坤)이 마주하고, 진(震)과 태(兌)가 마주하니, 이는 각각 그 마주함을 얻은 것이다.

相從者, 除乾坤純陽純陰不變外, 坎而上去一陰, 下生一陰, 則爲艮; 艮而上去一陽, 下生一陽, 則爲震; 震而上去一陰, 下生一陰, 則復爲坎, 此三陽相次之序也. 巽而上去一陽, 下生一陽, 則爲離; 離而上去一陽, 下生一陽, 則爲兌; 兌而上去一陰, 下生一陰, 則復爲巽; 此三陰相次之序也.

서로 좇는 것은, 건인 순수한 양과 곤인 순수한 음이 변하지 않는 것을 제외하고, 감(坎☵)은 위에서 하나의 음을 내보내 아래에서 하나의 음을 생겨나게 하면 간(艮☶)이 되고, 간(艮☶)은 위에서 하나의 양을 내보내 아래에서 하나의 양을 생겨나게 하면 진(震☳)이 되며, 진(震☳)은 위에서 하나의 음을 내보내 아래에서 하나의 음을 생겨나게 하면 다시 감(坎☵)이 되니, 이는 3개의 양이 서로 다음이 되는 차례이다. 손(巽☴)은 위에서 하나의 양을 내보내 아래에서 하나의 양을 생겨나게 하면 리(離☲)가 되고, 리(離☲)는 위에서 하나의 양을 내보내 아래에서 하나의 양을 생겨나게 하면 태(兌☱)가 되며, 태(兌☱)는 위에서 하나의 음을 내보내 아래에서 하나의 음을 생겨나게 하면 다시 손(巽☴)이 되니, 이는 3개의 음이 서로 다음이 되는 차례이다.

相對者, 乾而上去一陽, 下生一陰, 則爲巽; 坎而上去一陰, 下生一陽, 則爲離; 艮而上去一陽, 下生一陰, 則爲坤; 震而上去一陰, 下生一陽, 則爲兌; 此四陽卦變爲對位四陰卦之序也. 巽而下去一陰, 上生一陽, 則爲乾; 離而下去一陽, 上生一陰, 則爲坎; 坤而下去一陰, 上生一陽, 則爲艮; 兌而下去一陽, 上生一陰, 則爲震; 此四陰卦變爲對位四陽卦之序也.

서로 짝이 되는 것은, 건(乾☰)은 위에서 하나의 양을 내보내 아래에서 하나의 음을 생겨나게 하면 손(巽☴)이 되고, 감(坎☵)은 위에서 하나의 음을 내보내 아래에서 하나의 양을 생겨나게 하면 리(離☲)가 되며, 간(艮☶)은 위에서 하나의 양을 내보내 아래에서 하나의 음을 생겨나게 하면 곤(坤☷)이 되고, 진(震☳)은 위에서 하나의 음을 내보내 아래에서 하나의 양을 생겨나게 하면 태(兌☱)가 되니, 이는 4개의 양괘가 변하여 마주하는 자리의 4개의 음괘가 되는 차례이다. 손(巽☴)은 아래에서 하나의 음을 내보내 위에서 하나의 양을 생겨나게 하면 건(乾☰)이 되고, 리(離☲)는 아래에서 하나의 양을 내보내 위에서 하나의 음을 생겨나게 하면 감(坎☵)이 되며, 곤(坤☷)은 아래에서 하나의 음을 내보내 위에서 하나의 양을 생겨나게 하면 간(艮☶)이 되고, 태(兌☱)는 아래에서 하나의 양을 내보내 위에서 하나의 음을 생겨나게 하면 진(震☳)이 되니, 이는 4개의 음괘가 변하여 마주하는 자리의 4개의 양괘가 되는 차례이다.

然尋其對位相變之根, 則又自父母·男女·長少而來. 蓋四陰卦, 兌爲最少, 離爲中, 巽爲長, 坤爲老. 四陽卦, 艮爲最少, 坎爲中, 震爲長, 乾爲老.

그러나 그 마주하는 자리가 서로 변하는 뿌리를 찾아보면, 또 아버지와 어머니, 남성과 여성, 연장자와 연소자에서 온다. 대개 4개의 음괘는 태(兌☱)가 가장 어린이가 되고, 리(離☲)가 중간이 되며, 손(巽☴)이 연장자가 되고, 곤(坤☷)이 늙은이가 된다. 4개의 양괘는 간(艮☶)이 가장 어린이가 되고, 감(坎☵)이 중간이 되며, 진(震☳)이 연장자가 되고, 건(乾☰)이 늙은이가 된다.

凡變者自少而老. 故兌而上去一陰, 下生一陽, 則變爲乾矣; 離而上去一陽, 下生一陰, 則變爲坎矣; 巽而上去一陽, 下生一陰, 則變爲艮矣; 坤而上去一陰, 下生一陽, 則變爲震矣. 四陽卦之變, 自陰而來, 故又變而爲對位之四陰也.

모든 변하는 것은 어린 것에서 늙은 것이 된다. 그러므로 태(兌☱)는 위에서 하나의 음을 내보내 아래에서 하나의 양을 생겨나게 하면 변하여 건(乾☰)이 되고, 리(離☲)는 위에서 하나의 양을 내보내 아래에서 하나의 음을 생겨나게 하면 변하여 감(坎☵)이 되며, 손(巽☴)은 위에서 하나의 양을 내보내 아래에서 하나의 음을 생겨나게 하면 변하여 간(艮☶)이 되고, 곤(坤☷)은 위에서 하나의 음을 내보내 아래에서 하나의 양을 생겨나게 하면 변하여 진(震☳)이 된다. 4개의 양괘로 변하게 된 것은 음으로부터 오기 때문에 또 변하는 것은 마주하는 자리의 4개의 음이 된다.

艮而下去一陰, 上生一陽, 則變爲巽矣; 坎而下去一陰, 上生一陽, 則變爲離矣; 震而下去一陽, 上生一陰, 則變爲坤矣; 乾而下去一陽, 上生一陰, 則變爲兌矣. 四陰卦之變, 自陽而來, 故又變而爲對位之四陽也.

간(艮☶)은 아래에서 하나의 음을 내보내 위에서 하나의 양을 생겨나게 하면 변하여 손(巽☴)이 되고, 감(坎☵)은 아래에서 하나의 음을 내보내 위에서 하나의 양을 생겨나게 하면 변하여 리(離☲)가 되며, 진(震☳)은 아래에서 하나의 양을 내보내 위에서 하나의 음을 생겨나게 하면 변하여 곤(坤☷)이 되고, 건(乾☰)은 아래에서 하나의 양을 내보내 위에서 하나의 음을 생겨나게 하면 변하여 태(兌☱)가 된다. 4개의 음괘로 변하게 된 것은 양으로부터 오기 때문에 또 변하는 것은 마주하는 자리의 4개의 양이 된다.

合而觀之, 凡陽卦相變者, 震變坎·艮也, 坎變震·艮也, 艮又變震·坎也. 凡陰卦相變者, 巽變離·兌也, 離變巽·兌也, 兌又變巽·離也. 凡陽卦變陰卦者, 乾變巽·兌也, 震變坤·兌

也, 坎變離也, 艮變坤·巽也. 凡陰卦變陽卦者, 坤變震·艮也, 巽變乾·艮也, 離變坎也, 兌變乾·震也,『易』中所謂互卦者止於此, 而其錯綜次序, 皆具於後天也.

종합해 보면 양괘가 서로 변하는 것은 진(震☳)이 감(坎☵)·간(艮☶)으로 변하고 감이 진·간으로 변하며 간이 또 진·감으로 변함이다. 음괘가 서로 변하는 것은 손(巽☴)이 리(離☲)·태(兌☱)로 변하고 리가 손·태로 변하며 태가 또 손·리로 변함이다. 양괘가 음괘로 변하는 것은 건(乾☰)이 손·태로 변하고 진(震☳)이 곤·태로 변하며 감(坎☵)이 리로 변하고 간(艮☶)이 곤·손으로 변함이다. 음괘가 양괘로 변하는 것은 곤(坤☷)이 진·간으로 변하고 손(巽☴)이 건·간으로 변하며 리(離☲)가 감으로 변하고 태(兌☱)가 건·진으로 변함이다. 『역』에서 이른바 호괘라고 하는 것은 여기에서 그치니, 그 뒤섞이는 차례는 모두 후천에 갖추어 있다.

[계몽부론 25]

대연의 수는 원과 정사각형의 근원이다
[大衍圓方之原]

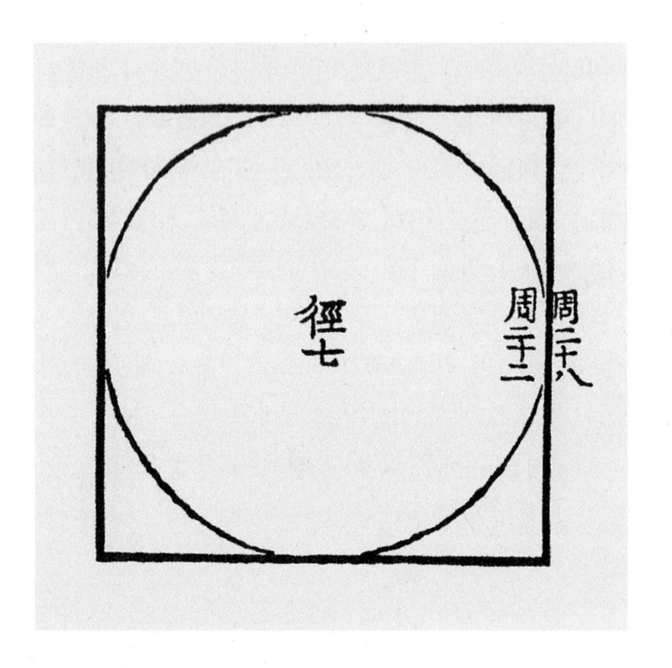

凡方·圓可爲比例. 唯徑七者, 方周二十八, 圓周二十二, 卽兩積相比例之率也.〈用其半, 故若十四與十一.〉 **合二十八與二十二, 共五十, 是大衍之數, 函方·圓同徑兩周數.**

모든 정사각형과 원은 비례가 될 수 있다. 오직 지름 7인 것은 정사각형의 둘레가 28이고 원둘레가 22이니, 곧 두 개의 면적이 서로 비례하는 비율이다.〈그 절반을 사용하기 때문에 곧 14와 11이다.〉 28과 22를 합하면 합계 50이니, 이는 대연의 수가 정사각형과 원이 같은 지름인 두 개의 둘레의 수를 포함한다는 뜻이다.

[계몽부론 26]

대연의 수는 직각삼각형의 근원이다
[大衍句股之原]

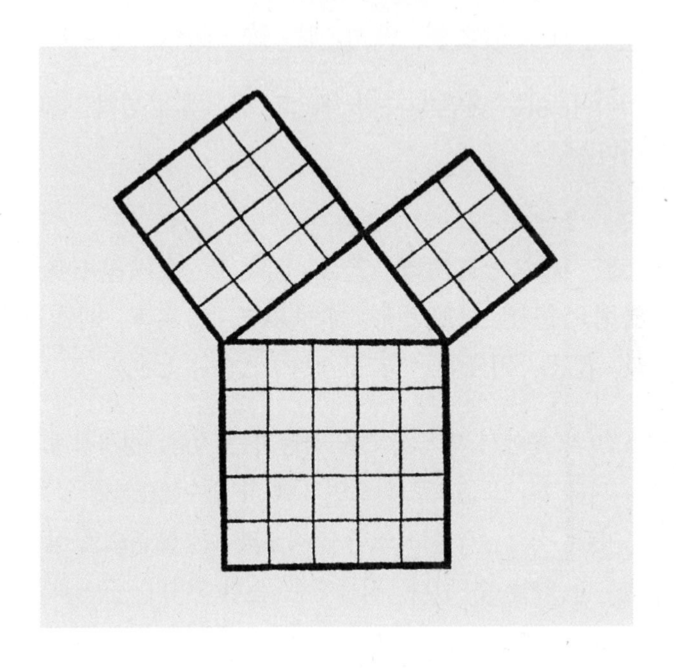

句三, 其積九.

구(句 : 직각삼각형에서 짧은 직각변)가 3이면 그 면적은 9이다.

股四, 其積十六.

고(股 : 직각삼각형에서 긴 직각변)가 4이면 그 면적은 16이다.

弦五, 其積二十五.

현(弦 : 직각삼각형의 빗변)이 5이면 그 면적은 25이다.

合之五十, 是大衍之數, 函句·股·弦三面積.

합계 50이니, 이는 대연의 수가 구·고·현 3개의 면적을 포함한다는 것이다.

蓍策之數, 必以七爲用者, 蓋方·圓之形, 唯以徑七爲率, 則能得周圍之整數. 句股之形, 亦唯以三·四爲率, 則能得斜弦之整數. 徑七, 固七也, 句三·股四之合亦七也.

시초(蓍草)의 수에서 반드시 7을 사용하는 것은, 정사각형과 원형이 오직 지름 7을 표준으로 삼으면 둘레의 정수(整數)를 얻을 수 있기 때문이다. 직각삼각형도 또한 오직 3과 4를 표준으로 삼으면 빗변의 정수를 얻을 수 있다. 지름 7은 본디 7이니, 구 3과 고 4의 합계도 또한 7이다.

是故論方·圓周圍之合數則五十, 論句·股·弦之合積亦五十, 此大衍之體也. 因而開方, 則不盡一數, 而止於四十九, 此大衍之用也. 開方而不盡一數, 則蓍策之虛一者是已. 方面之中, 函八句·股, 而又不盡一數, 則蓍策之掛一者是已. 唯老陽老陰之數, 與此密合, 故作圖以明之.

이 때문에 정사각형과 원의 둘레를 합친 수를 논하면 50이고, 구·고·현의 면적을 합친 것도 또한 50이니, 이는 대연의 본체이다.

그에 따라 제곱근을 구하면 1은 다할 수 없고 49에서 그치니, 이것이 대연의 작용이다. 제곱근을 구하는 데 1은 다할 수 없다는 것은 시초 1개를 비워두는 일일 뿐이다. 정사각형의 면적 속에 8의 구·고를 포함하고 있지만 또 1은 다할 수 없으니, 시초 1개를 걸어두는 일이 이것이다. 오직 노양과 노음의 수만이 이와 긴밀하게 합쳐지기 때문에 도형을 만들어 그것을 밝혔다.

[계몽부론 27]

노양의 수는 정사각형을 만드는 법도에 합치한다
[老陽數合方法]

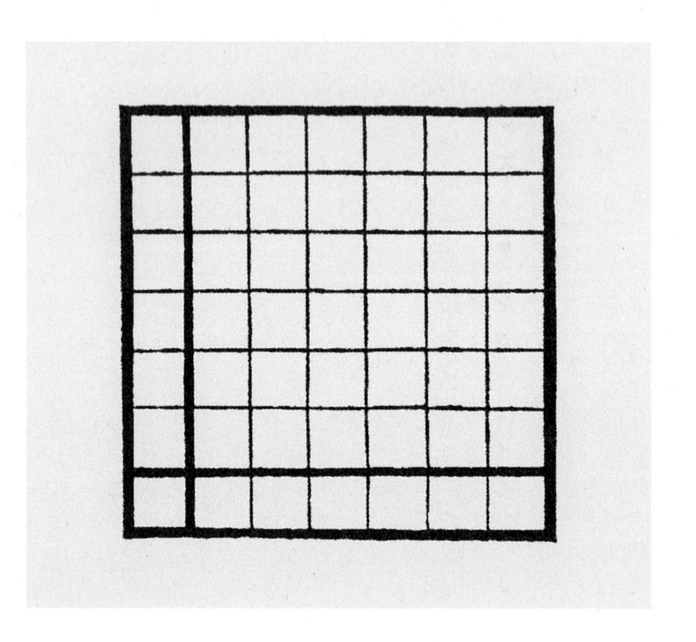

全方四十九.

전체 정사각형의 면적은 49이다.

中含大方六六三十六, 爲過揲之數.

가운데 큰 정사각형의 면적은 6×6=36이니 세어낸 수가 된다.

小角一一如一, 一·六互乘爲十二, 並成十三, 爲掛扐之數.

귀퉁이의 작은 정사각형의 면적은 1×1=1이고, 가로와 세로의 직사각형의 면적은 1×6과 6×1로서 12이며, 아울러서 13을 이루니, 걸어두고 끼우는 수가 된다.

此與前「洛書」以自乘互乘爲積方之法同. 但「洛書」用對數, 如一與九之類是也; 大衍用合數, 則一與六是也.

이는 앞의 「낙서」에서 제곱하고 서로간에 곱한 것을 누적과 제곱하는 법도로 삼는 일과 같다. 단지 「낙서」는 마주하는 수를 사용하니 예컨대 1과 9의 부류가 이것이고, 대연은 합쳐진 수를 사용하니 1과 6이 이것이다.

[계몽부론 28]

노음의 수는 직각삼각형을 만드는 법도에 합치한다 [老陰數合句股法]

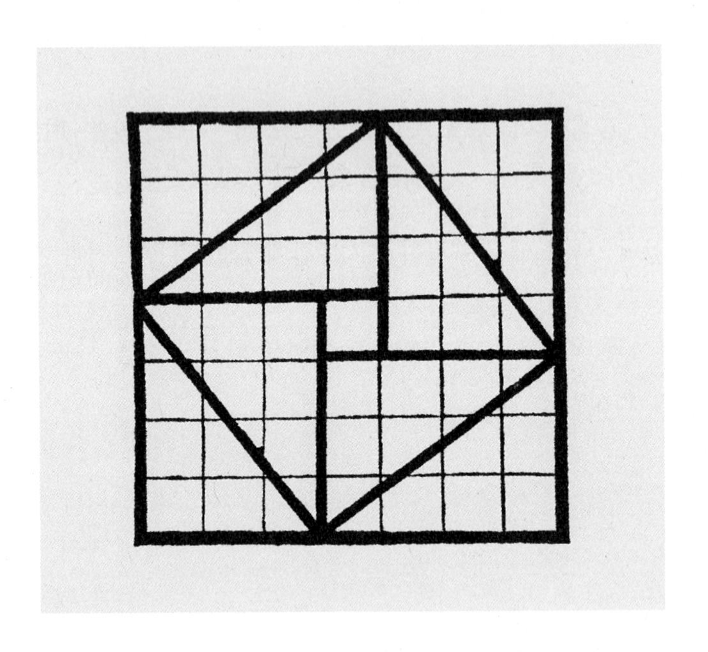

全方四十九.

전체 정사각형의 면적은 49이다.

句三股四, 其積六, 四因之得二十四, 爲過揲之數.

구 3에 고 4는 그 면적이 6이고, 4개를 그렇게 하면 24(6×4)를 얻으니, 세어낸 수가 된다.

弦五, 其積二十五, 爲掛扐之數.〈弦實亦函四句股積, 而多句股較一.〉

(가운데 정사각형인) 현 5는 그 면적이 25이니, 걸어두고 끼우는 수가 된다.〈현은 사실 또한 4개의 직각삼각형의 면적을 포함하고, 가로 세로가 1인 정사각형이 더 있다.〉

十數之中, 除一一不變, 自二二至十十, 皆可成方. 然唯三三則五數居其中, 七七則二十五數居其中, 此二者爲能得天地之中數, 餘則不能也. 蓋三三者「洛書」之數也, 七七者蓍策之數也. 「洛書」之數, 五居其中矣, 而其四方, 則又成四句股之數, 而以中五爲弦之法焉. 蓍策之數, 二十五居其中矣, 而其四方, 則又具四句股之積, 而卽以二十五爲弦之實焉.

10의 수 가운데 1×1=1로서 변하지 않는 것을 제외하고 2×2에서 10×10에 이르기까지 모두 정사각형을 이룰 수 있다. 그러나 오직 3×3은 5가 그 중앙에 자리 잡고, 7×7은 25가 그 중앙에 자리 잡으니, 이 둘은 하늘과 땅의 가운데 수를 얻을 수 있는 것이 되지만, 나머지는 얻을 수 없다. 3×3은 「낙서」의 수이고 7×7은 시초(蓍草)의 수이다. 「낙서」의 수는 5가 그 중앙에 자리 잡고 그 사방은 또 4개의 직각삼각형의 수를 이루는데, 중앙의 5를 현(弦)으로 삼는 법도이다. 시초의 수는 25가 그 중앙에 자리 잡고 그 사방은 또 4개의 직각삼각형의 면적을 갖추는데, 바로 25를 현으로 삼는 실질적인 것이다.

是故卦數之八, 合乎「河圖」之四也, 爲其虛五·十者同一根也. 蓍數之七, 合乎「洛書」之三也, 爲其用中五者同一根也.

聖人因心之作, 與天地自然之文, 其相爲經緯者如此.

이 때문에 괘의 수 8은 「하도」의 4에 합치하고 5와 10을 비우는 것은 동일한 뿌리가 된다. 시초의 수 7은 「낙서」의 3과 합치하고 중앙의 5를 사용하는 것은 동일한 뿌리가 된다. 성인이 생각하는 대로 만들었지만 하늘과 땅의 저절로 그러한 문양과 서로 날줄과 씨줄이 되는 것이 이와 같다.

[계몽부론 29]

대연의 신령한 시초를 추론하여 앞날을 점치는 법 [大衍迎日推策法]

『史』稱'黃帝迎日推策', 所謂策者, 蓋卽神蓍也. 推衍策數以候日月, 故曰'迎日推策.' 考之後代, 譚卦畫者多以曆法推配. 然孔子未嘗言也, 唯於大衍之數 則曰'象四時'·'象閏', 又曰'當期之日', 則蓍策之與曆法相表裏也, 可見矣.

『사기(史記)』에서 '황제가 신령한 시초를 추론하여 앞날을 점쳤다'[9] 고 일컬었는데, 이른바 시초는 곧 신령한 시초이다. 시초의 수를 미루어 연역하여 해와 달을 살펴보았기 때문에 '신령한 시초를 추론하여 앞날을 점쳤다'라고 하였다. 후대 사람들을 고찰해보면, 괘획을 말하는 사람들은 대부분 역법(曆法)으로 미루어 짝을 지었다. 그러나 공자는 말한 적이 없고, 오직 (본문 [계사상 9-3]) 대연의 수에서 '사계절을 상징한다', '윤년을 상징한다'라고 하였으며, 또 (본문 [계사상 9-4]에서) '1주년의 일수(日數)에 해당한다'라고 하였으니, 시초가 역법과 서로 겉과 속이 됨을 알 수 있다.

顧有以理言之而肖似者, 有以數推之而密合者. 以理言而肖似者, 孔子「大傳」所陳是也. 蓋四十九算, 排列成方, 以句股之數求之, 則零一者歸於中而爲心; 以開方之法求之, 則零一

9) 황제가 신령한 시초를 추론하여 앞날을 점쳤다 : 『사기(史記)』 권12, 「효무본기 제12(孝武本紀第十二)」.

者歸於隅而爲角. 以其歸於中也, 故分二以象天地, 而掛一者象人之爲天地心也; 以其歸於隅也, 故分二以象二氣, 而掛一者象閏之爲一歲餘也.

돌이켜보건대 이치로 그것을 말하여 비슷한 것도 있고, 수로 그것을 미루어 긴밀하게 부합하는 것도 있다. 이치로 말하여 비슷한 것은 공자가 「대전」에서 진술한 것이 이것이다. 대개 49의 산법으로 배열하여 방위를 이루고 직각삼각형의 수로 그것을 구하면 나머지 1개는 중앙으로 돌려보내 중심으로 삼고, 제곱근을 구하는 방법으로 그것을 구하면 나머지 1개를 모퉁이로 돌려보내 모서리로 삼았다. 중앙으로 돌려보냈기 때문에 둘로 나누어 하늘과 땅을 상징하고, 1개를 걸어둔 것은 사람이 하늘과 땅의 마음이 됨을 상징했으며, 모퉁이로 돌려보냈기 때문에 둘로 나누어 음과 양 두 기(氣)를 상징하고, 1개를 걸어둔 것은 윤년이 한 해의 나머지가 됨을 상징했다.

「大傳」所謂'掛一以象三'者, 此零一之策也; 所謂'歸奇於扐以象閏'者, 亦此零一之策也. 然當分二之初, 此一之掛者, 徒以象氣盈耳. 至於每揲之後, 又得餘策而肋之, 然後以此掛一者歸之, 而並以象閏, 則合氣盈·朔虛而爲一者也. 此以理言之而大概相似, 是孔子之說也.

「대전(본문 [계사상 9-3])」에서 이른바 '1개를 걸어두어 삼재(三才)를 상징한다'는 것은 이 나머지 1개의 시초이고, 이른바 '나머지를 되돌려 끼워둔다'는 것은 또한 이 나머지 1개의 시초이다. 그러나 처음 둘로 나눌 때 1개를 걸어둔 것은 다만 기영(氣盈)을 상징할 뿐이다. 매번 세어낸 뒤에 이르러 또 나머지 시초를 얻어 끼워둔 뒤에 이 걸어둔 1개를 거기로 되돌리고, 아울러 윤년을 상징하니, 기영(氣盈)과 삭허(朔虛)[10]를 합쳐 하나로 하는 것이다. 이것이 이치로

---

10) 기영(氣盈)과 삭허(朔虛) : 주자는 『주자어류』 권2, 14조목에서 "천체는 지극히 둥글고 바깥 둘레가 365와 1/4도이다. 땅을 둘러싸고 왼쪽으로 도는데 늘 하루에 한 바퀴를 돌고 1도를 지나친다. 태양은 하늘에 걸려 있는데 그보다 약간 더디므로, 태양도 또한 하루에 지구를 둘러싸고 한 바퀴를 돌지만 하늘에서는 1도를 못 미치게 된다. 365와 235/940일을 누적하고 하늘과 만나니, 이것이 1년에 태양이 운행하는 수이다. 달도 하늘에 걸려 있는데 그보다 더욱 더디어서 하루에 늘 13과 7/19도를 하늘에 미치지 못한다. 29와 499/940일을 누적하고 태양과 만난다. 12번 만나는 데 온전한 날 348일과 여분으로 누적된 5,988/940일을 얻고, 예컨대 일법(日法)으로 940을 1일로 하면 5988/940일은 6과 348/940일을 얻는다. 총계 354와 348/940일이니, 이것이 1년에 달이 운행하는 수이다. 1년에는 12개월이 있고, 1달에는 30일이 있다. 360은 1년의 상수(常數)이다. 그러므로 태양이 하늘과 만나되 5와 235/940일이 많은 것이 '기영'이 되고, 달이 태양과 만나되 5와 592/940일이 적은 것이 '삭허'이다. 기영과 삭허를 합하여 윤달이 생겨난다. 따라서 1년의 윤율(閏率 : 윤달의 비율)은 10과 827/940일이다. 3년에 한 번 윤년이 들면 32와 601/940일이다. 5년에 두 번 윤년이 들면 54와 375/940일이다. 19년에 7번 윤년이 들면 기영과 삭허의 몫이 가지런해지니 이것이 1장(一章)이 된다.[天體至圓, 周圍三百六十五度四分度之一. 繞地左旋, 常一日一周而過一度. 日麗天而少遲, 故日行一日, 亦繞地一周, 而在天爲不及一度. 積三百六十五日九百四十分日之二百三十五而與天會, 是一歲日行之數也. 月麗天而尤遲, 一日常不及天十三度十九分度之七. 積二十九日九百四十分日之四百九十九而與日會. 十二會, 得全日三百四十八, 餘分之積, 又五千九百八十八. 如日法, 九百四十而一, 得六, 不盡三百四十八. 通計得日三百五十四, 九百四十分日之三百四十八, 是一歲月行之數也. 歲有十二月, 月有三十日. 三百六十日者, 一歲之常數

말하여 대략 서로 비슷한 뜻이니, 공자의 학설이다.

至於以數推之者, 自黃帝之法不傳, 至唐僧一行, 始以大衍命曆, 以策數起歲分閏餘之算. 然案『唐書』「曆志」考之, 其法益未密合也. 故今以孔子之言爲宗, 而參以一行之數, 康節之理, 據顓頊·『周髀』之制, 以約略千載坐致之術, 爲法表以明之如左.

수로 그것을 미루는 경우는 황제(黃帝)의 법도가 전해지지 않은 것에서 당(唐)대 승려 일행(一行)에 이르러 비로소 대연으로 역법을 명명하고, 시초의 수로 한 해를 나누어 윤달을 만드는 계산을 일으켰다. 그러나 『당서』「역지(曆志)」를 고찰해보면 그 법칙은 더욱 긴밀하게 부합하지 않았다. 그러므로 이제 공자의 말을 종주로 삼아, 일행의 수와 강절(康節 : 邵雍)의 이치를 참조하고 전욱(顓頊)의 역법[11]과 『주비(周髀)』[12]의 제도에 의거하여, 거칠게나마 천년 만에

也. 故日與天會, 而多五日九百四十分日之二百三十五者, 爲'氣盈'; 月與日會, 而少五日九百四十分日之五百九十二者, 爲'朔虛.' 合氣盈朔虛而閏生焉. 故一歲閏率則十日九百四十分日之八百二十七; 三歲一閏, 則三十二日九百四十分日之六百單一; 五歲再閏, 則五十四日九百四十分日之三百七十五. 十有九歲七閏, 則氣朔分齊, 是爲一章也.]"라고 하였다.

11) 전욱(顓頊)의 역법 : 옛날 중국 역법의 하나이다. 태음태양력(太陰太陽曆)으로 1회귀년을 365와 4분의 1일로 정했다. 19년마다 윤달을 일곱 번 두었으며, 윤달을 한 해의 마지막에 두었다. 동지의 전 달인 건해월(建亥月 : 지금의 음력 10월)을 세수(歲首)로 삼았다. 주(周)나라 말년에 이미 만들어졌으며 진(秦)나라 통일 이후에는 공식역법으로 전국에 시행되어, 기원전 104년 한(漢)나라 무제(武帝) 때 태초력(太初曆)이 제정될

쉽게 얻을 수 방법을 도표를 만들어 밝히니, 아래와 같다.

때까지 사용되었다. 진말 한초(秦末漢初)의 장창(張蒼)은 이 전욱력을 사용하여 한(漢)나라의 율령과 백공(百工)들의 법식(法式)을 제정했다.

12) 『주비(周髀)』: 『주비산경(周髀算經)』을 가리킨다. 중국에서 가장 오래된 천문수학서 중의 하나이다. 대략 기원전 1세기경에 만들어졌는데, 작자는 분명하지 않다. 당나라 때 국자감 산학 제생이 반드시 공부해야 하는 '십부산경(十部算經)' 중의 하나였다. 삼국시대 조상(趙爽 : 趙嬰이라고도 함), 남북조의 견란(甄鸞), 그리고 당(唐)대 이순풍(李淳風)의 주석이 있다. 이 책에는 당시의 우주론인 개천설이 주장되었고, 윤달을 네 계절에 적절히 배치하는 사분역법(四分曆法)이 소개되었다. 특히 태양의 고도를 측정하고, 일정 표목의 그림자로 거리를 측량하는 방법 등이 제시되었는데, 그중 구고법(句股法)은 피타고라스의 정리와 동일한 방식이다.

[계몽부론 29-1]

一年三百六十五日四分日之一. 每日百分, 凡三萬六千五百二十五分. 以天數二十五除之, 得一千四百六十一分, 爲日數. 又以地數三十除日數, 得四十八零七分, 爲月數. 是爲大衍用數.

1년은 365와 1/4일이다. 매 1일을 100분으로 하면 모두 36,525분이다. 그것을 하늘의 수 25로 나누면 1,461을 얻으니 1일의 수가 된다. 또 땅의 수 30으로 1일의 수를 나누면 48.7분을 얻으니 1개월의 수가 된다. 이는 대연에서 사용하는 수가 된다.

「大傳」言蓍數, 而以「河圖」之數首之. 故一年全數, 以二十五除之得日數者. 日有曉午昏夜凡四限, 四分期日, 爲一千四百六十一也; 以三十除之得月數者, 月有朔望上下弦凡四限, 四分歲月, 每月三十日算, 爲四十八零七分也, 與大衍用數相應.

「대전」에서 시초의 수를 말했고, 「하도」의 수를 으뜸으로 삼았다. 그러므로 1년의 전체 수를 25로 나누어 1일의 수를 얻고, 1일에는 새벽·정오·저녁·밤 모두 4개의 경계가 있으니, 1일을 4로 나누면 1,461이 된다. 그리고 1년의 전체 수를 30으로 나누어 1개월의 수를 얻고, 1개월에는 초하루·상현·보름·하현 모두 4개의 경계가 있으니, 1개월을 4로 나누고 매 월을 30일로 계산하면 48.7분이 된다. 이는 대연에서 사용하는 수와 상응한다.

[계몽부론 29-2]

揲策合左右共四十八, 應四十八弦,〈每弦七日半.〉 **爲期日歲月之經數.**〈三百六十.〉

왼쪽과 오른쪽의 시초를 합하여 모두 48개이니, 48현(弦)에 상응하고〈매 현은 7일 반이다.〉 **하루와 한 달의 기준 수가 된다.**〈360이다.〉

掛策一, 應氣盈之餘數.〈五日四分日之一.〉

걸어둔 시초 1개는 기영(氣盈)의 나머지 수에 상응한다.〈5와 1/4일이다.〉

以初變爲主.

초변(初變)을 중심으로 한다.

日法十.

날은 10을 분모로 한다.

揲策應弦, 每弦以十分爲率.

시초를 세어내는 일은 현(弦)에 상응하니, 매 현은 10분을 비율로 삼는다.

掛策應氣盈五日四分日之一, 於日法爲十分弦之七.

1개의 시초를 걸어두는 일은 기영의 5와 1/4일에 상응하니, 일법(日法)에서는 7/10현(弦)이 된다.

[계몽부론 29-3]

扐策合陰陽共十二,〈得少則四爲陽, 得多則八爲陰.〉 應十二朔,〈每朔二十九日, 九百四十分日之四百九十九.〉 爲一歲之實數.〈三百五十四日, 九百四十分日之三百四十八.〉

시초를 끼워두는 것은 음과 양을 합하여 합계 12이니,〈적은 것을 얻으면 4개로 양이 되고, 많은 것을 얻으면 8개로 음이 된다.〉 12삭(朔)에 상응하고〈매 삭은 29와 499/940일이다.〉 1년의 실제 수가 된다.〈354와 348/940일이다.〉

掛策一, 應朔虛之餘數.〈十日, 九百四十分日之八百二十七.〉

걸어두는 1개의 시초는 삭허의 나머지 수에 상응한다.〈10과 827/940일이다.〉

亦以初變爲主.

또한 초변(初變)을 중심으로 한다.

月法十九.

달은 19를 분모로 한다.

肋策應朔, 每朔以十九分爲率.

시초를 끼워두는 것은 삭(朔)에 상응하니, 매 삭은 19분을 비율로 삼는다.

掛策應朔虛十日九百四十分日之八百二十七, 於月法爲十九分朔之七.

1개의 시초를 걸어두는 것은 삭허의 10과 827/940일에 상응하니, 월법(月法)에서는 7/19삭(朔)이 된다.

以初變之揲策·扐策計之, 揲策四十八, 以應四十八弦之整數; 其掛一者, 以應氣盈五日四分日之一也. 扐策十二, 以應十二朔之實數; 其掛一者, 以應朔虛十日八百二十七分也. 據四分曆法, 每日九百四十分, 故一歲之氣盈, 有五日二百三十五分. 一歲之朔虛, 〈此合氣盈總算.〉 **有十日八百二十七分.**

초변의 세어낸 시초와 끼워둔 시초로 계산하면, 세어낸 시초 48개로 48현(弦)의 정수(整數)에 상응하고, 그 걸어둔 1개는 기영 5와 1/4일에 상응한다. 끼워둔 시초 12개로 12삭(朔)의 실수(實數)에 상응하고, 그 걸어둔 1개는 삭허 10과 827/940일에 상응한다. 4분역법(四分曆法 : 윤달을 네 계절에 적절히 배치하는 역법)에 의거하면 매 1일은 940분이므로 1년의 기영에는 5와 235/940일이 있다. 1년의 삭허에는〈이는 기영을 합하여 총계한 것이다.〉 10과 827/940일이 있다.

每弦七日四百七十分, 如日法十分弦之七, 則爲五日二百三十五分矣; 每朔二十九日四百九十九分, 如月法十九分朔之

七, 則爲十日八百二十七分矣.〈月每日行十二度十九分度之七, 故以十九爲法.〉 **日月之法不同, 而其餘分皆七. 故漢儒卦氣, 每卦直六日, 尙餘七分.**〈每卦直六日七分者, 日以八十分爲法也. 蓋歲數三百六十五日四分日之一, 四乘而三除之, 爲四百八十七. 故四百八十七者, 歲策也. 每卦直六日, 六八四十八, 得四百八十分, 又餘七分, 歲策之根也. 積六十卦, 直三百六十日, 餘分之積, 共四百二十分, 以日法除之, 爲五日四分日之一.〉

매 현(弦) 7과 470/940일은 일법(一法) 7/10현과 같으니, 5와 235/940일이 된다. 매 삭(朔) 29와 499/940일은 월법(月法) 7/19삭과 같으니, 10과 827/940일이 된다.〈달은 매일 12와 7/19도(度)를 운행하기 때문에 19를 분모로 삼는다.〉 일법과 월법은 같지 않지만, 그 분자는 모두 7이다. 그러므로 한(漢)대 학자들의 괘기(卦氣)에서 매 괘는 다만 6일이고 또 나머지가 7분이다.〈매 괘가 다만 6일 7분이라는 것은 날을 80분으로 분모를 삼은 것이다. 대개 1년의 수 365와 1/4일을 4로 곱하고 3으로 나누면 487이 된다. 그러므로 487이 한 해의 시초 수이다. 매 괘는 다만 6일이니 6×8=48하여 480분을 얻고 또 나머지가 7분이니, 한 해의 시초 수의 뿌리이다. 60괘를 누적하면 다만 360일이고 여분의 누적은 합계 420분이니, 일법으로 그것을 나누면 5와 1/4일이 된다.〉

古今曆法, 一章之內, 有七閏月者, 法由玆起也. 其在蓍數, 則何以見掛一之策, 爲餘七之算乎? 蓋亦以生蓍之法而知之爾. 卦數八, 八者體數也; 蓍數七, 七者用數也. 蓍以七爲用, 而掛一者用中之用, 故其分數亦止於七也. 此皆以一行之曆, 康節之說, 參而用之者. 然一行以弦爲實弦, 而不足七日有半; 以掛一爲實閏, 而其數又餘於一弦之外. 故今以弦爲七日半之經弦, 以掛一爲五日四分日之一之盈分, 必待扐餘之後,

然後其歸奇之掛一, 乃得應十日八百二十七分之數, 而爲一歲之實閏也. 似於「大傳」之先後次序, 更爲吻合.

고금의 역법에서 1장(章)안에 7번의 윤월이 있다는 것은 그 법도가 여기에서 말미암아 생겨났다. 시초의 수에서 무엇으로 시초 1개를 걸어두는 것이 나머지 7의 계산이 되는지를 알게 하는가? 또한 시초를 낳는 법도로 그것을 알 수 있을 뿐이다. 괘의 수는 8이니 8은 본체의 수이고, 시초의 수는 7이니 7은 작용의 수이다. 시초는 7을 작용으로 삼고, 1개를 걸어두는 것은 작용 가운데의 작용이기 때문에 그 나누는 수 또한 7에서 그친다. 이는 모두 (당나라 승려) 일행의 역법과 강절(康節 : 邵雍)의 주장을 참고하여 사용한 것이다. 그러나 일행은 현(弦)을 실제의 현으로 삼아 7일 반이 부족하고, 1개를 걸어두는 것을 실제의 윤년으로 삼아 그 수가 또 1현의 밖에 남는다. 그러므로 이제 현을 7일 반의 표준 현으로 삼고, 1개를 걸어두는 것을 5와 1/4일의 채운 부분으로 삼아, 반드시 나머지를 끼우도록 기다린 뒤에 나머지를 돌려보내는 가운데 1개를 걸어두니, 이에 10과 827/940일이라는 수를 얻어 한 해의 실제 윤일(閏日)이 된다. 마치 「대전」의 선후의 순서와 같아 더욱 꼭 들어맞는다.

[계몽부론 29-4]

過揲爲正策.〈乾策三十六, 合六爻, 二百一十有六; 坤策二十四, 合六爻, 百四十有四.〉

세어낸 시초의 수는 바른 시초의 수가 된다.〈건(乾)괘의 시초의 수는 36개이고 6개 효를 합하면 216개이며, 곤(坤)괘의 시초의 수는 24개이고 6개 효를 합하면 144개이다.〉

凡三百有六十, 當一期之日數.
모두 360개이니 일주년의 일수에 해당한다.

掛扐爲餘策.〈乾策一十二, 合六爻, 七十八; 坤策二十五, 合六爻, 百五十.〉

걸어두고 끼운 시초의 수는 남은 시초의 수이다.〈건(乾)괘의 시초의 수는 12개이고 6개 효를 합하면 78개이며, 곤(坤)괘의 시초의 수는 25개이고 6개 효를 합하면 150개이다.〉

凡二百二十有八, 當一章之月數.〈正策以三十爲進退之法, 故其合皆六十; 餘策以十九爲進退之法, 故其合皆三十八. 三十者, 日法也; 十九者, 朔法也.〉

모두 228이니 1장(章)의 월수에 해당한다.〈바른 시초의 수는 30개를 나아가고 물러나는 법도로 삼기 때문에 그 합계는 모두 60개이고, 남은 시초의 수는 19개를 나아가고 물러나는 법도로 삼기 때문에 그 합계는 모두 36개이다. 30은 일법이고, 19는 삭법(월법)이다.〉

[계몽부론 29-6]

二篇之策爲全策.〈陽爻百九十二, 得六千九百一十二; 陰爻百九十二, 得四千六百零八.〉

『역』 상·하 두 편의 시초 수[13]는 전체 시초의 수가 된다.〈양효 192개는 6,912개(36×192=6,912)의 시초의 수를 얻고, 음효 192개는 4,608개(24×192=4,608)의 시초의 수를 얻는다.〉

凡萬有一千五百二十, 當閏終之總數.

모두 11,520개의 시초의 수는 한 번 윤년이 끝나는 총계 수에 해당한다.

此因「大傳」之說而推備之者. 歲者, 正數也, 太陽主之; 閏者, 餘數也, 太陰主之. 故「堯典」始而般正四時, 則曰'日中'·'日永'·'日短', 此以太陽爲主者也; 終則曰'以閏月定四時成歲', 此以太陰爲主者也.

이는 「대전」의 말에 따라 추론하여 갖춘 것이다. 1년은 바른 수이니 태양(太陽)이 그것을 위주로 하고, 윤년은 남은 수이니 태음(太

13) 『역』 상·하 두 편의 시초 수: 본문 [계사상 9-5]에서 "『역』 상·하 두 편의 시초 수 11,520개는 만물의 수에 해당한다.[二篇之策, 萬有一千五百二十, 當萬物之數也.]"라고 하였다.

陰)이 그것을 위주로 한다. 그러므로 『서경』「우서(虞書)·요전(堯典)」에서 처음에 은력(殷曆)으로 사계절을 바로잡아 '해가 가운데이다(봄·가을을 가리킴)'·'해가 길다(여름을 가리킴)'·'해가 짧다(겨울을 가리킴)'라고 하였으니 이는 태양을 중심으로 한 것이며, 끝에서는 '윤달을 사용하여 사계절을 정하고 한 해를 이루었다'라고 하였으니 이는 태음을 중심으로 한 것이다.

蓍策之正數三百有六十, 當一期之日, 蓋日周天而爲一期, 故爲太陽所主也; 其餘數二百二十有八, 當一章之月, 蓋氣·朔分齊而爲一章, 故爲太陰所主也. 其全數萬有一千五百二十, 當閏終之總數, 蓋三十二月而閏一月, 其辰萬有一千五百二十; 三十二年而閏一年, 其日萬有一千五百二十. 此則日月正·餘會終, 蓍·卦齊同之數也.

시초 수 가운데 바른 수 360은 1년의 일수에 해당하니, 태양이 하늘을 한 바퀴 돌아 1주년이 되기 때문에 태양이 중심으로 하는 것이 되며, 시초의 나머지 수 228은 1장(章)의 달수에 해당하니, 기영과 삭허의 몫이 가지런해져 1장이 되기 때문에 태음이 중심으로 하는 것이 된다. 그 전체의 수 11,520은 한 번 윤년이 끝나는 총계수에 해당하니, 32개월에 1달이 윤달이 되어 그 시각 수는 11,520시진(時辰)이고, 32년에 1년이 윤년이 되어 그 날 수는 11,520일이다. 이는 해와 달이 바른 것과 남은 것이 끝에 만나 시초와 괘가 가지런히 같아지는 수이다.

歷代之曆, 歲分消長不同, 故有五日四分日之一而有餘者, 亦

有五日四分日之一而不足者, 然擧其中者以該其變者, 則四分爲常法, 故顓頊曆·『周髀經』皆用之, 而司馬遷曆書述焉, 蓋古法也.

역대의 역법은 1년의 몫이 줄어들고 늘어나는 것이 같지 않았기 때문에 5와 1/4일이 남는다는 주장도 있고, 5와 1/4일이 부족하다는 주장도 있는데, 그 가운데를 들어 그 변하는 것을 갖추면 분모를 4로 하는 것이 불변하는 법도이기 때문에 전욱(顓頊)의 역법과 『주비산경』이 모두 그것을 사용하였고, 사마천(司馬遷)의 역서(曆書)에서도 그것을 진술했으니, 옛 법도이다.

[계몽부론 30]

건괘의 시초 수와 곤괘의 시초 수 도형
[乾策坤策圖]

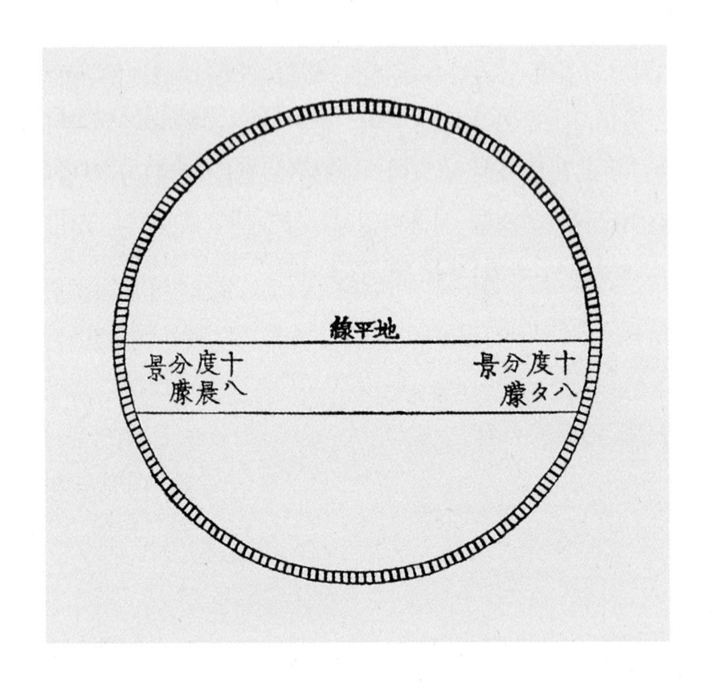

以地平線分周天之度爲二, 各一百八十度, 日出入朦景昏旦各十八度, 共三十六度. 以加晝景一百八十度, 合二百一十有六, 則乾之策之數也; 以減夜漏一百八十度, 餘一百四十有四, 則坤之策之數也.

지평선으로 하늘을 한 바퀴 도는 도수를 나누어 둘로 하면 각각 180도이고, 해가 뜰 때, 질 때, 어렴풋할 때, 환할 때, 황혼, 새벽이 각각 18도이니, 합계 36도이다. 그것에 낮의 밝을 때의 180도를 더하면 합쳐서 216도이니, 이것이 건괘의 시초 수이고, 그것에 야간 시각의 180도를 빼면 나머지가 146도이니, 이것이 곤괘의 시초 수이다.

「大傳」曰, '乾坤之策, 凡三百有六十, 當期之日.' 故各一百八十者, 寒暑晝夜並行之體數也. 然陽生而陰殺, 陽明而陰暗, 故陽饒而陰乏, 陽盈而陰虛. 今以晝夜平分推之, 其自然之數如此.

「대전」에서 '건괘와 곤괘의 시초 수는 모두 360개이니, 1주년의 일수(日數)에 해당한다'[14]라고 했다. 그러므로 각각 180개라는 것은 추위와 더위, 낮과 밤이 병행하는 본체의 수이다. 그러나 양은 생겨나게 하고 음은 죽이며, 양은 밝고 음은 어둡기 때문에 양은 풍부하고 음은 결핍되며, 양은 가득 차고 음은 비어 있다. 이제 낮과 밤의 평균으로 그것을 추론하면 자연스럽게 수가 이와 같다.

若一歲寒暑之候, 則若邵子之說, 開物於寅末, 是亦先十八日也, 閉物於戌初, 是亦後十八日也. 以故萬物之數, 萬有一千五百二十, 其從陽者六千九百一十二, 其從陰者四千六百八. 生氣常盛, 則爲豐年; 善類常多, 則爲治世. 其消息盈虛之理,

14) 건괘와 곤괘의 시초 수는 모두 360개이니, 1주년의 일수(日數)에 해당한다 : 본문 [계사상 9-4]에서 "건(乾)괘의 시초(蓍草) 수는 216개이고 곤(坤)괘의 시초 수는 144개이며 모두 360개이니, 1주년의 일수(日數)에 해당한다.[乾之策二百一十有六, 坤之策百四十有四, 凡三百有六十, 當期之日.]"라고 하였다.

亦若是而已矣.

만약 한 해의 추위와 더위의 절기라면 소자(邵子 : 邵雍)의 이론과 같이 인(寅) 말기에서 만물이 열리니 이는 또한 먼저의 18일이고, 술(戌) 초기에 만물이 닫히니 이는 또한 나중의 18일이다. 그렇기 때문에 만물의 수는 11,520개이니, 그 가운데 양을 좇는 것이 6,912개이고 음을 좇는 것이 4,608개이다. 생기가 늘 왕성하면 풍년이 되고, 선한 것들이 늘 많으면 잘 다스려지는 시대가 된다. 그 사그라지고 불어나며 가득 차고 비어지는 이치가 또한 이와 같을 뿐이다.

[계몽부론 31]

배로 늘여가며 변하는 법도의 도형
[加倍變法圖]

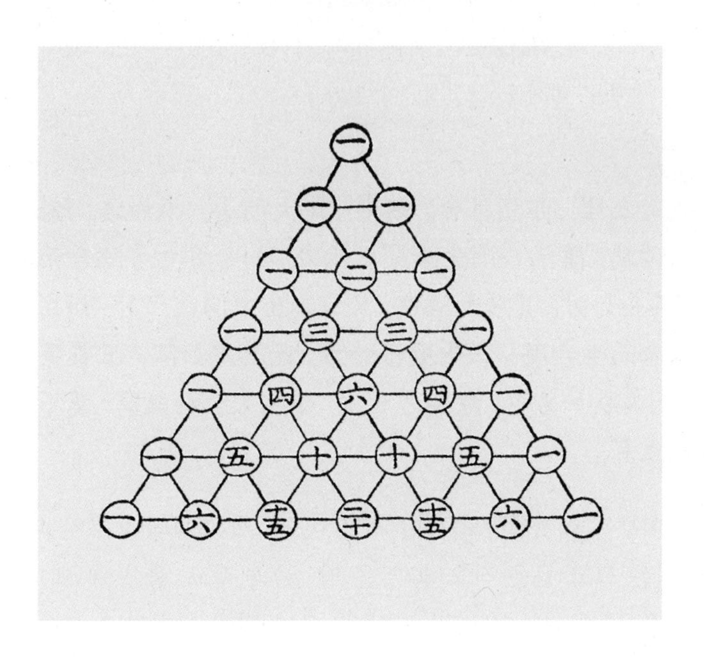

此圖用加一倍法.〈如第二層兩一, 生第三層中位之二, 並左右兩一成四, 是倍二爲四也. 第三層一·二各生第四層中位之三, 並左右兩一成八, 是倍四爲八也. 下放此.〉 **出於數學中, 謂之開方求廉率. 其法以左一爲方, 右一爲隅, 而中間之數, 則其廉法也.**〈第三層爲平方, 第四層爲立方, 第五層·六層·七層, 爲三乘·四乘·五乘方.〉

이 도형은 배로 늘여가는 방법을 사용하였다.〈예컨대 제2층의 두 개의 1은 제3층 가운데 자리한 2를 낳고 왼쪽과 오른쪽의 두 개의 1을 아울러서 4를 이루니, 2를 두 배하여 4가 된 것이다. 제3층의 1과 2는 각각 제4층 가운데 자리한 3을 낳고 왼쪽과 오른쪽의 두 개의 1을 아울러서 8을 이루니, 4를 두 배하여 8이 된 것이다. 아래는 이와 같다.〉 이는 수학에서 나왔으니 개방구렴률(開方求廉率)이라고 한다. 그 법도는 왼쪽의 1을 방(方)으로 삼고, 오른쪽의 1을 우(隅)로 삼으며, 중간의 수는 그 염(廉)이 되는 법도이다.〈제3층은 평방이 되고, 제4층은 입방이 되며, 제5층·6층·7층은 세제곱·네제곱·다섯제곱이 된다.〉

於成卦之理, 亦相肖合, 何則? 陽大陰小, 陽如方, 陰如隅, 分居兩端. 陰陽合則生中間之兩象, 如平方之方隅合而生兩廉, 其長如方, 其廣如隅也. 又乘則生中間之六卦, 如立方之方隅合而生六廉, 三平廉根於方, 而其厚如隅, 三長廉根於隅, 而其長如方也. 故開方之法, 雖相乘至於無窮, 莫不依方隅以立算.

괘를 이루는 이치에서도 또한 서로 비슷하게 합치되니 무엇 때문인가? 양은 크고 음은 작으니, 양은 방(方)과 같고, 음은 우(隅)와 같아 양쪽 끝에 나누어 자리 잡았다. 음과 양이 합쳐지면 중간의 두 가지 상(象)을 낳으니, 예컨대 평방(平方)의 방(方)과 우(隅)가 합쳐져 2개의 염(廉)을 낳는 것과 같으니, 그 길이는 방과 같고 넓이는 우와 같다. 또 그것이 곱해지면 중간의 6개의 괘를 낳으니, 예컨대 입방(立方)의 방과 우가 합쳐져 6개의 염(廉)을 낳는 것과 같으니, 3개의 평평한 염은 방(方)에 뿌리를 두어 그 두께가 우(隅)와 같고, 3개의 긴 염은 우에 뿌리를 두어 그 길이가 방과 같다. 그러므로 제곱근을 구하는 법도는 서로 곱하여 끝이 없는 데 이를지라도 방과 우에 의거하여 계산하는 방법을 세우지 않음이 없다.

成卦之法, 雖相加至於無窮, 莫不根陰陽以定體. 成卦之始, 一陰一陽, 每每相加而已. 及卦成而分析觀之, 則自一畫至六畫, 唯純陰純陽者常不動, 其餘則方其爲四象也, 中間一陰一陽者二; 方其爲八卦也, 中間一陰二陽者三, 一陽二陰者三.

괘를 이루는 법도는 서로 늘여가서 끝이 없는 데 이를지라도 음과 양을 뿌리로 삼아 본체를 정하지 않음이 없다. 괘를 이루는 처음에는 하나의 음과 하나의 양이 매번 서로 늘여갈 뿐이다. 괘가 이루어진 다음에 그것을 분석하여 살펴보면, 1개의 획에서 6개의 획에 이르기까지 오직 순수한 음과 순수한 양만이 항상 움직이지 않고, 그 나머지는 이제 막 4상(象)이 된 것은 그 가운데 1개의 음과 1개의 양인 것이 둘이고, 이제 막 8괘가 된 것은 그 가운데 1개의 음과 2개의 양인 것이 셋이고 1개의 양과 2개의 음인 것이 셋이다.

方其爲四畫也, 中間一陰三陽者四, 一陽三陰者四, 二陰二陽者六. 方其爲五畫也, 中間一陰四陽者五, 一陽四陰者五, 二陰三陽者十, 二陽三陰者十. 及其六畫之旣成也, 中間一陰五陽者六, 一陽五陰者六, 二陰四陽者十五, 二陽四陰者十五, 三陰三陽者二十. 朱子卦變之圖, 以此而定也, 蓋其倍法同於畫卦, 而其多寡錯綜之數, 則卦變用之.

이제 막 4개의 획이 된 것은 그 가운데 1개의 음과 3개의 양인 것이 넷이고, 1개의 양과 3개의 음인 것이 넷이며, 2개의 양과 2개의 음인 것이 여섯이다. 이제 막 5개의 획이 된 것은 그 가운데 1개의 음과 4개의 양인 것이 다섯이고, 1개의 양과 4개의 음인 것이 다섯이며, 2개의 음과 3개의 양인 것이 열이고, 2개의 양과 3개의 음인 것이 열이다. 6개의 획이 이미 이루어지게 되면, 그 가운데 1개의 음과 5개의 양인 것이 여섯이고, 1개의 양과 5개의 음인 것이 여섯이며, 2개의 음과 4개의 양인 것이 열다섯이고, 2개의 양과 4개의 음인 것이 열다섯이며, 3개의 음과 3개의 양인 것이 스물이다. 주자(朱子)의 괘변도는 이 때문에 정한 것이니, 대개 그 배로 하는 법도가 괘를 긋는 것과 같고, 그 많고 적음과 뒤섞이는 수는 괘변이 그것을 사용하기 때문이다.

| 역주자 소개 |

신창호申昌鎬

현 고려대학교 교수

고려대학교 박사(Ph. D, 동양철학/교육철학 전공)

권우(卷宇) 홍찬유(洪贊裕), 일평(一平) 조남권(趙南勸), 중관(中觀) 최권흥(崔權興), 위재(威齋) 김중렬(金重烈), 수강(修岡) 유명종(劉明鍾) 선생 등으로부터 한학 및 동양학 사사

한국교육철학학회 회장(역임)

「중용(中庸) 교육사상의 현대적 조명」(박사논문) 외 『관자』, 「주역 계사전」, 『유교의 교육학 체계』, 한글사서(『논어』, 『맹자』, 『대학』, 『중용』) 등 100여 편의 논저가 있음

김학목金學睦

현 고려대학교 연구교수

건국대학교 박사(Ph. D, 한국철학 전공)

해송학당 원장(사주명리 · 동양학 강의)

「박세당의 『신주도덕경』 연구」(박사논문)를 비롯하여 『왕필의 노자주』, 『하상공의 노자』, 『한국주역대전』 등 50여 편의 논저가 있음

심의용沈義用

현 숭실대학교 H.K 연구교수

숭실대학교 박사(Ph. D, 주역철학 전공)

「정이천의 『역전』 연구」(박사논문)를 비롯하여 『주역』, 『성리대전』, 『인역』, 『주역과 운명』, 『세상과 소통하는 힘』 『시적 상상력으로 주역을 읽다』 등 30여 편의 논저가 있음.

윤원현尹元鉉

전 고려대학교 연구교수

臺灣 文化大學校 박사(Ph. D, 주자철학 전공)

한중철학회 회장(역임)

「從朱子思想中之天人架構闡論其義理脈絡」(박사논문)를 비롯하여 『성리대전』, 『태극해의』, 『역학계몽』, 『율려신서』 등 10여 편의 논저가 있음.

한 국 연 구 재 단
학술명저번역총서
[동 양 편] 620

주역절중周易折中 *12*

초판 인쇄 2018년 11월 1일
초판 발행 2018년 11월 15일

편 찬 | 이광지
책임역주 | 신창호
공동역주 | 김학목 · 심의용 · 윤원현
펴 낸 이 | 하운근
펴 낸 곳 | 學古房

주 소 | 경기도 고양시 덕양구 통일로 140 삼송테크노밸리 A동 B224
전 화 | (02)353-9908 편집부(02)356-9903
팩 스 | (02)6959-8234
홈페이지 | www.hakgobang.co.kr
전자우편 | hakgobang@naver.com, hakgobang@chol.com
등록번호 | 제311-1994-000001호

ISBN 978-89-6071-802-9 94140
978-89-6071-287-4 (세트)

값 : 31,000원

이 책은 2015년도 정부재원(교육부)으로 한국연구재단의 지원을 받아 연구되었음 (NRF-2015S1A5A7018113).
This work was supported by National Research Foundation of Korea Grant funded by the Korean Government(NRF-2015S1A5A7018113).

이 도서의 국립중앙도서관 출판예정도서목록(CIP)은 서지정보유통지원시스템 홈페이지 (http://seoji.nl.go.kr)와 국가자료종합목록시스템(http://www.nl.go.kr/kolisnet)에서 이용하실 수 있습니다. (CIP제어번호 : CIP2018032013)